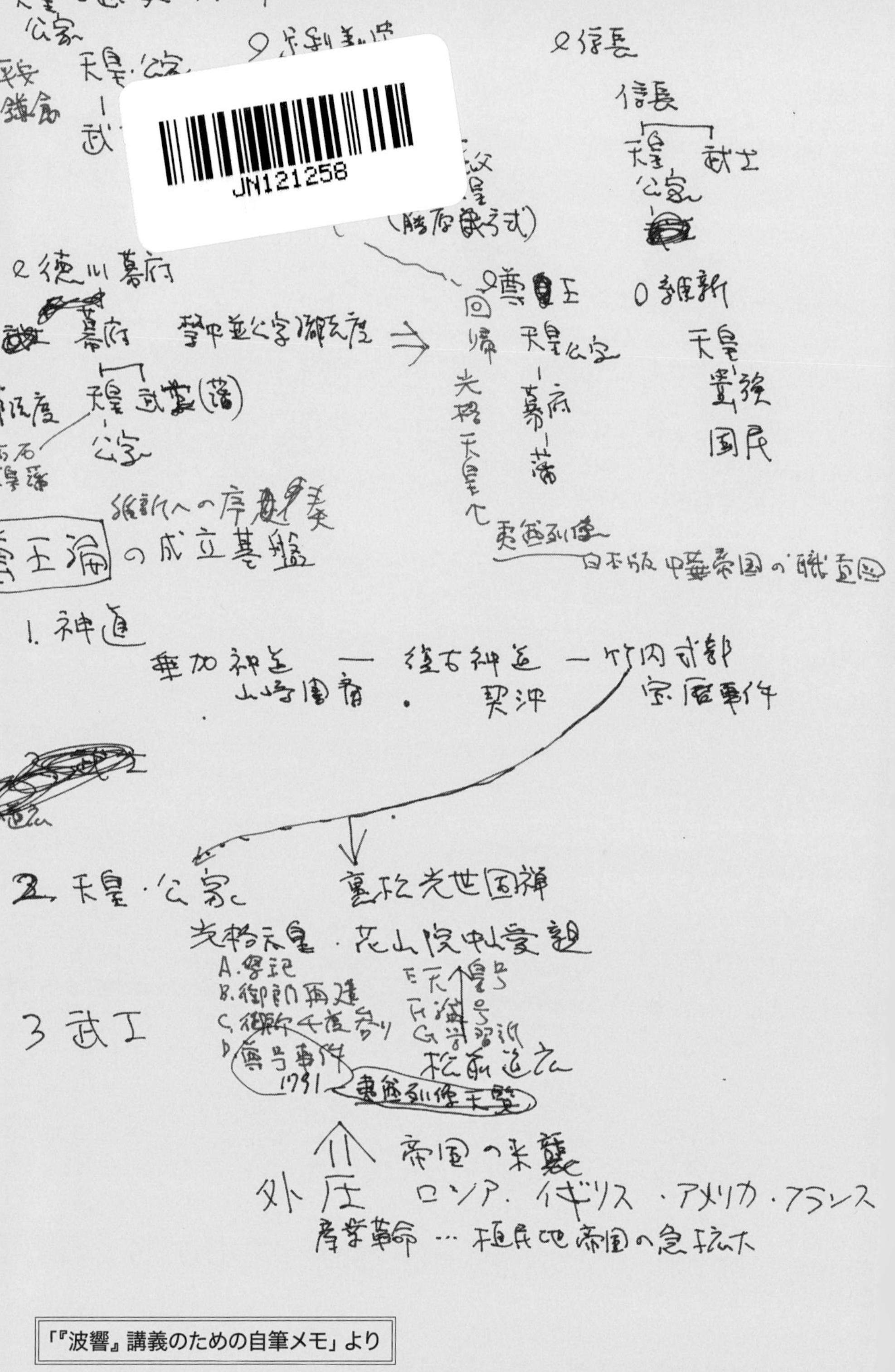

「『波響』講義のための自筆メモ」より

アジア図像探検

杉原たく哉◆著
武田雅哉◆監修
杉原篤子◆編

集広舎

目次

アジア図像探検

アジア図像探検　7

論文選 157

アジア図像探検

001 隠れた文字①

人間が表現した「かたち」には、その背後に必ずなんらかの「意味」が隠されています。「かたち」と「意味」との不思議な関係。それを求めて広大で豊かなアジア美術の森を探検してみましょう。

まずは図をご覧ください。二頭の象が向かい合っています。左は現代中国の年画(ねんが)の象です。子供が象に乗り、騎馬ならぬ「騎象(きぞう)」の姿ですが、中国語では「吉祥(きっしょう)」と発音がほぼ同音になります。子供が手にするのは孫の手にあたる「如意(にょい)」。二つ併せて「吉祥如意(幸せが思いのままになる)」です。中国では象は、漢字を介して「しあわせ」のシンボルとなっています。

それは古代も同様です。右は紀元後二世紀、和林格爾(ホリンゴル)漢墓の壁画「仙人騎白象(養)」です。釈迦が六牙の白象に乗り、天から母の胎内に降りた姿を描いていますが、これが「天の恵み」を描いた祥瑞図にあるのです。

白象は、「白」が「百」と同音で「百祥」「百養」となり、騎は「吉」ですから、釈迦は「幸せの天使」といったところでしょうか。初期中国仏教では、釈迦は現世利益の吉祥仙人として語られていたのです。

漢字は形あるものから生まれました。形のなかに漢字を読み取る。それが中国の人々の感性なのです。

002 隠れた文字②

中国は漢字の国です。物の形を線に置き換えて漢字を創った古代の人々は、研ぎ澄まされた感性の持ち主だったのでしょう。「物を見ると文字が見える」感性はずっと後の時代の人々にも受け継がれています。

ここに清朝の年画に描かれた猫の絵があります。この絵の中には様々な文字が隠されているのです。発音の類似から「猫」は「耄（七十歳）」、上を飛ぶ「蝶」は「耋（八十歳）」とつながり、猫と蝶で「耄耋」つまり「たいへんな長寿を得る」というめでたい意味になります。

蝶の右にある花は木蓮。別名「玉蘭花」で「玉」が隠されています。また「木筆花」ともいうので「筆」。その「筆」から「必」が派生します。ですから、木蓮に海棠（堂）と牡丹（富貴）を添えると「玉堂富貴」。岩（寿石）を添えると「必得其寿」という吉祥句を表す絵になるのです。

猫の手前には鶏頭の花が見えます。鶏頭は「鶏冠花」ともいい、「冠」から「官」の字に展開します。よって鶏頭に雄鶏（鶏冠があるので「官」）を添えた絵は「官上加官」、つまり官僚として累進出世するという意味の絵になります。

さすがに漢字の国です。中国の人々にとって「絵と文字との関係」は、私たち日本人には想像もつかないほどに、奥深く豊かなのです。

003 形と文字

「中国の人々は、眼に映る物に漢字を読み取る」というお話を前回しました。逆に、「物の形を漢字に合わせる」というケースもあります。

図は画像石（漢代墳墓の壁面レリーフ）に表現された「崑崙山」です。崑崙山は西の彼方にある伝説の山で、高さが一万キロ、太陽や月さえもそこから出入りするといいます。山頂には不老不死の世界があり、「西王母」という女神が住んでいます。人の魂は死後、崑崙山に昇り永遠の命を得るといわれていました。

図では山頂にひときわ大きな西王母が坐っています。左方の「月兎」は不老不死の仙薬を臼で舂き、その下は西方の守護獣「白虎」です。西王母の右方は、不老不死の植物「芝草」を差し出す仙人、その下に太陽の「三足烏」と妖獣「九尾狐」が控えています。

それにしても不思議な形の山だと思いませんか。よく見ると「山」という漢字に似ています。

中国では山は古代から、まるで樹木か電信柱のような細く屹立した形で表現されてきました。実際、切り立った岩山が多いのですが、むしろそうした山から生まれた漢字「山」が山岳表現に影響を与えているのです。山であることを強調するために、あえて「山」字に似せた三山形式で表現したというわけです。

004 神になった文字

中国の人口は約十二億人。地球上の人間の五人に一人は中国人という勘定になります。ですから当然、中国国内は昔から生き残りを賭けた熾烈な競争社会でした。

とくに受験競争は尋常なものではありませんでした。役人採用試験である「科挙（かきょ）」は、三年に一回しか行われず、採用はわずかに二百〜三百人。並みの頭の良さでは太刀打ちできるものではありません。オリンピックで金メダルをとるような難しさといった方がよいでしょう。

その科挙への合格を祈るための神が「魁星（かいせい）」。北斗七星の第一星を神格化したものです。天空の中心にいる天帝（つまり北極星）の周りを、あらゆる星の先頭をきって回るので「一番の星」とみなされ、科挙を一番で合格させてくれる神様になりました。「魁」は本来「大きな升」という意味ですが、これにより「さきがけ」という意味が加わりました。

夜空の星「魁星」を誰もが納得する姿で神像化するにはどうしたらよいでしょうか。中国の人々は漢字そのものを使いました。「魁」は「鬼」と「斗（ます）」の組み合わせですから、鬼神に升を持たせた姿にしたのです。

魁星が走るポーズをとるのも、鬼という文字の形に近づけるための工夫です。ときに文字は神になることもあるのです。

005 文字とユーモア

漢字は中国の人々の誇りであり、中国文化の基本です。喜びにも悲しみにも、そして笑いにもみな漢字が関わります。図は「掛印封侯」と題された年画。サルがハチミツ欲しさに巣を棒でつつくと、一斉にハチが飛び出し攻撃してきました。サルは目を丸くして大慌て。なんとも愉快な絵です。

「掛印封侯」とは、科挙に合格して役人の印を腰に掛け、王侯に封じられるほどの出世を遂げること。そんな率直な欲望を楽しい絵で表現しました。サルは漢字で「猴」ですから「侯」、ハチの「蜂」は「封」です。

では、「掛印」は何でしょうか。それは木の枝にぶら下がっている蜂の巣なのです。印は役人の命。箱に入れ、布に包んで大事に保管します。その形が蜂の巣に似ているのです。よく見ると、左の蜂の巣には布の結び目まで描いてあります。枝に掛けてあるので「掛印」です。

サルはいつも高い樹の上にいるので、発音だけでなく、その意味でも「高貴」や「出世」の寓意となります。図は新年を寿ぐ庶民の安い版画ですが、有名な画家や文人が描いた水墨画でもサルはよく見かけます。掛け軸、屏風、障子など様々な画面にサルを配し、室内空間に吉気を呼び込んでいるのです。水墨画も生真面目なだけではないのです。

006 山を背負う亀

文字と深い関わりを持つ動物に亀がいます。「夏王朝の禹王が洪水を治めたとき、甲羅に文のある神亀が洛水から出てきた」という「洛書伝説」がもとになり、亀は「天から授かった聖典を背負う動物」とされてきました。甲羅を焼いてできるひび割れから、天の意思や吉凶を占う「亀卜占い」が古代から行われていたことも関係しているでしょう。中国の石碑が必ず亀趺に乗っているのもこのためですし、奈良の法隆寺に伝わる天寿国繡帳の銘文も亀の背に書かれています。

聖典を乗せる亀は、中国人の憧れのパラダイスも背負っています。伝説の不老不死の島、蓬萊・方丈・瀛洲などの東海の神山です。それらは鼇という巨大亀の背に乗って海を漂っているとされました。『列子』湯問篇によれば、神山は五つあり、流失しないよう、天帝は十五匹の鼇に命じ、五匹ずつの三組に分け、六万年交代で背負うようにさせました。三組十八万年単位で交代する、なんとも雄大なスケールの話です。

私たちはこうした神山を、日常の様々な所で目にしています。庭の池の中之島や岩がそれです。お祭りの山車も同様で、昔は本当に山の形に作られていました。中国のパラダイスは大亀の背に乗り、私たち日本人の身近にやって来ているのです。

007 絵に込めた親心①

「子孫繁栄」それはDNAに組み込まれた生物の根源的な欲求です。子供を授かることは、人として何物にも代え難い喜びであり、親は子供の立派な成長を願わずにはいられません。中国の年画には、そんな深い願いがとても面白い手法で表現されています。

図の右には麒麟に乗った女神がいて、元気な赤ん坊を抱きかかえています。「麒麟送子」という画題で、「出世する運命をもった素晴らしい子供に恵まれる」という意味です。孔子が生まれる時、母の前に麒麟が現れ、偉大なる人物の出生を告げた故事にちなんでいます。赤ん坊が手に持つのは「科挙合格」を意味する「桂枝」です。

左には二人の童子がいて、大きな壺を抱えています。壺の中には三本の「戟」という武器が入れてあり、真ん中の戟には「へ」の字形の「磬」という打楽器が結びつけられています。中国語では「戟＝吉」「磬＝慶」となり、「瓶＝平」に「安」置されているので、この絵は「吉慶平安」と読みます。

また「戟＝級」なので、戟三本で「三級」。それが瓶の上に乗っていますから「平陞三級」、つまり「三階級特進の急速な栄達」をあらわします。

絵に隠された文字が、子孫繁栄と一家の平安を約束しているのです。

008 絵に込めた親心②

人間の欲望は、とどまる所を知りません。いま世界では、富や権力、面子を懸けた血なまぐさい戦いが続いています。

しかし、一番根本的な欲望は「子孫繁栄」です。自分の命を捧げても子を守り育てたい、そんな真摯な母心に皆が目覚めれば、世界はもっと平和になるのではないでしょうか。

年画「三元報喜（さんげんほうき）」には子を思う母の心がいっぱい詰まっています。母親の眼差しには愛が溢れ、子供は背中にぴったりと寄り添って安心しています。

三元とは、科挙の一次試験の首席合格者「解元」、二次試験での首席「会元」、最終試験の首席「状元」のこと。子供が科挙にトップ合格してほしいという願いが、お盆に盛られた三つの円い果物で表現されています。円と元は同音なので、「三元及第」という意味になるからです。

母が手にするのは、日本では珍しい仏手柑（ぶっしゅかん）という柑橘類です。「ふ（仏）」の発音との類似から、「福」や「富」の象徴で、わが子の幸せと経済的な安定への祈りが込められています。

木の枝から舞い降りて来た鳥はカササギ。古来その鳴き声が「幸せの到来を告げる」と信じられ、「報喜鳥（ほうきちょう）」の異名があります。

この図は、幼い子を持った若い母親にとっての夢の光景なのです。

009 中国の天狗

高い鼻、赤い顔、山伏姿でお馴染みの天狗は、日本妖怪の代表です。でも、そうした姿になるのは江戸時代あたりから。それ以前の天狗は、鳥の嘴と羽をもった「烏天狗」でした。さらに遡っていくと、天狗の源流は中国にありました。

紀元前から中国では、流星を別名「天狗」とよび、地上に落ちると姿を狗に変え、この世を戦乱に陥れる恐ろしい妖怪と考えていました。流星というと、光る物体が空を流れていくだけのように思いがちですが、大流星の場合は衝撃波による猛烈な爆発音を広範囲に轟かせます。人々はむしろその音の方に驚き、犬の吠え声のようだと感じて「天の狗」としたのです。

中国の天狗はいまに至るまで、ずっと狗の姿です。図の右上、雲に乗って天を駆ける黒い犬がそれです。中国の民間信仰で、天狗は「若い夫婦が子供を授かるのを邪魔する」「子供を病気にする」妖怪でした。それを退治するのが、弾弓（パチンコ弓）で天狗を射る道教神・張仙です。

唐宋八家のひとり蘇洵は、結婚後、永く子宝に恵まれず悩んでいました。ところが、張仙に祈るとたちまち蘇軾・蘇轍の二子を授かり、喜びを文に記しています。天狗は、中国の書や文人文化の発展も阻害しようと企んでいたようです。

010 鹿と鶴の意味するもの

中国の人々には、古来変わらぬ三大願望があります。「子孫に恵まれること」、「お金に恵まれること」、「長生きすること」です。夜空には、その願いを叶えてくれる三つの星「福星・禄星・寿星」があるといいます。三星の神は「三星図」に描かれ、今も中国各地でお正月などに飾られています。

図はその一例です。普通は神様の姿なのですが、ここではみな変身しています。まず福星は「福」字になりました。禄星は「福」字の上にいる鹿です。「禄」と「鹿」は発音が似ているからです。寿星は鶴です。「鶴は千年、亀は万年」というように長寿の象徴だからです。

しかし、解釈はこれで終わりではありません。まだ先があります。「鹿」は「六」とも発音が似ており、「鶴」は「合」と音が近いのです。鹿と鶴の組み合わせで「六合」、つまり「東西南北・上下」の六方向を意味する言葉になります。簡単に言えば「辺り一面」「世界中」ということです。

これにより、図には「辺り一面が幸せだらけ」、「世界中が幸せに包まれる」という意味が添えられることになるのです。動物たちが発音や性質を介して、いろいろな文字や意味に変化していく。中国の人々の豊かな発想力を、こんな所からもうかがうことができます。

011 漢字世界のおおらかさ

中国の道教には、たくさんの神様や仙人がいます。なかでも大人気なのが八仙です。颯爽たる剣士の「呂洞賓」、折り畳み式の驢馬で旅する「張果老」、皇族のお坊っちゃま「曹国舅」、団扇を持つ太ったオジサン「鍾離権」、カスタネットを叩く歌手仙人「藍采和」、死体に憑依して再生したゾンビ仙人「李鉄拐」、韓愈の甥で花籠をもつ「韓湘子」、蓮の葉を持つ紅一点「何仙姑」と、いずれも個性派揃い。

時代もまったく異なる仙人を集めてグループ化した八仙は、昔の中国では、誕生日のお祝いや宴会、お祭りなどのめでたい場には欠かせない福の神として、様々に美術化されてきました。

ちょっと珍しい例では、組字の対聯があります。八仙をうたった七字八行、計五十六字の七言律詩を、対聯に適当な八字二行の計十六字に集約するために、組字を使っています。

図はその一部で「鍾離点石、把扇揺（鍾離権は石に点じて、扇をとりて揺らす）」と読みます。複数の字を組み合わせて一字にしてしまう、何とも楽しい言葉遊びになっています。中国は漢字の本場。でも、まともに書くのが面倒なので、簡体字まで作ってしまいました。中国の漢字世界は、意外に自由でおおらかなのではないでしょうか。

012 コウモリは「幸せの天使」

コウモリは損な動物です。たいへん臆病な性格で、人に危害は加えないのに、悪魔の使いのように忌み嫌われています。きっと外国の吸血コウモリや、ドラキュラ映画などのイメージがわざわいしているのでしょう。たしかに、羽毛のない皮膚状の翼をひろげ、暗闇でぶら下がっていると、さすがに不気味ですね。

でも、中国では「幸せの天使」としてとても人気があるのです。図の年画では、コウモリが円銭と桃をくわえてぶら下がっています。コウモリは漢字で「蝙蝠（へんふく）」と書き、「遍福（へんふく）」と音が通じるので「福を呼ぶ」と喜ばれています。「逆さ」つまり「倒」は「到」の字とつながり、「福到る」の意味になり、さらに良い意味が加わるのです。

「円銭」は真ん中の穴を「眼」といい、「眼前」と音がつながります。コウモリとあわせて「福在眼前」（幸せはもう目の前）です。円銭が二枚あるので「双」、銭は「全」と音通。あわせて「双全」です。

桃は西王母の「蟠桃（ばんとう）」、つまり三千年に一度花を咲かせ、三千年に一度実を結ぶ桃。不老長寿の象徴です。コウモリと桃と二枚の円銭の組み合わせで「福寿双全」（幸せと長寿の両方を全うする）の意味になります。コウモリは、中国の吉祥美術では引っ張りだこの人気者なのです。

013 ニワトリは出世鳥

今年は酉年。中国ではとてもラッキーな年といわれます。鶏がたいへんな吉祥鳥だからです。

一日は雄鳥の鳴き声とともに始まります。鳴き声に促されるように朝日が昇るので、「光明来臨」という縁起のよい意味があり、鶏の絵は昔から好んで描かれてきました。雄鳥の鳴き声は夜の闇に潜む悪鬼を追い払うとも言われ、悪鬼鎮圧の効果もあります。

また、中国語で鶏は「吉」と音が近く、大きな鶏の絵は「大吉」。だから、酉年は吉年なのです。

まだあります。雄鳥は闘争心に富み、闘鶏にも使われるので「英雄」。雄鳥が一羽勇み立つ姿で描かれた絵は「英雄独立」という素晴らしい画題です。

図は「状元及第」。鶏に乗った子供がかぶる烏紗帽（うさぼう）は、「状元」（科挙のトップ合格者）のしるしです。鶏が「及」と音が通じるので、全体でこの題になります。鶏は受験合格を約束する鳥でもあるのです。

図では地面に銭や元宝などの財物が落ちています。鶏と合わせて「功名富貴」です。雄鳥は別名「公雞」。鳴いて「公鳴」となり、「功名」と音が通じるからです。子供の立身出世を願う親心が伝わってきますね。鶏は飼って良し、食べて良し、描いて良しの三拍子揃った鳥なのです。

014 天狗と鬼神

「中国の天狗は犬の姿をしている」と以前に述べました。一方、日本の天狗は十三世紀末に半鳥半人の姿、通称「烏天狗」として画像化されます。中国と日本では、天狗の姿が大きく異なっているのです。日本の烏天狗はいったい何処からきたのでしょうか。

図には二羽の烏天狗が並んで飛んでいます。右は十三世紀末の『天狗草子』のもの。「阿弥陀の来迎」を偽装し、僧侶を騙して連れ去る場面の天狗で、典型的な烏天狗の姿です。

左は宝篋印塔(ほうきょういんとう)を捧げ持って飛んでいます。右の烏天狗とそっくりですが、それより百年以上も前、十二世紀の南宋時代に中国で描かれ、十三世紀に日本に伝来した仏画の鬼神です。

実は、日本の天狗は中国の鬼神をその源流にしているのです。中国の鬼神もいろいろですが、唐宋時代に半鳥半人の有翼の鬼神が登場してきます。古代の有翼の仙人、仏教の迦楼羅(かるら)などの影響を受け、仏画や道教絵画などに描かれるようになりました。鬼神の代表といえば雷神です。お馴染みの太鼓をたたく雷神も、中国では宋代以降になると烏天狗型鬼神に変貌しています。

日本独自の妖怪と言われる天狗は、日本に打ち寄せた「アジア鬼神の波」から生まれ出たのです。

015 天狗の鼻はなぜ高い

日本の妖怪・天狗の特徴は、何と言っても鼻でしょう。ピノキオのように高く突き出した鼻は、その驕慢な性格の象徴ともなっています。すでにご説明したように、発生初期の天狗は「烏天狗」という半鳥半人の姿をしており、顔には鳥の嘴がついていました。それがなぜ鼻高の顔になったのでしょうか。

その原因は、やはり鳥であったことが関係しています。図・右にある僧侶の顔は、日本の『是害坊絵（ぜがいぼうえ）』（十四世紀初頭の絵巻物）に出てくる天狗の顔です。僧侶に化けていましたが、高僧の法力に驚いて霊力を失い、鳥頭に戻る瞬間が描かれています。鼻と顎が前方に伸び、鳥の嘴に変化するのです。その伸びる過程が、マンガのように二重・三重の線で表現されています。鼻高は、鳥と人間の中間段階で出現する特徴なのです。

実は鼻高天狗の原型は、すでに中国で唐時代に有翼鬼神として出現しています。図・左は敦煌で発見された仏画の鬼神です。仏教世界の守護神・毘沙門天に撃退され、すごすごと逃げ帰っています。顔には高い鼻、その下にわめき声をあげる口が描かれ、背中にはコウモリのような翼がついています。

天狗の高い鼻は、かつて半鳥半人であったことの名残なのです。

016 なぜか似ている悪魔と雷神

生物の進化に「収斂進化」というものがあります。生物学的には全く系統を異にするにも関わらず、餌や生息環境が似ていると、同じような姿となることを言います。恐竜とともに絶滅した生物が、現代のある種の動物の姿形と瓜ふたつというようなケースなどに当てはまります。

図像の世界にも「収斂進化」のようなことが起こります。図の左はイタリアで十四世紀初頭に描かれた悪魔。右は中国で十三世紀に描かれた雷神です。中国では唐時代以降に、雷神などの鬼神がコウモリの羽を持ち頭に角のある姿になります。それが西洋の悪魔とたいへんよく似ているのです。

悪魔はキリスト教世界では「神への敵対者」であり、「悪霊」や「悪鬼」も意味します。また「堕落した天使」でもありますから、天使のように翼があり、悪のイメージを出すためにコウモリの翼を持つようになりました。中国のコウモリも、近世では「福」の象徴ですが、それ以前はやはり不気味なイメージがあったようです。

西洋の悪魔と中国の鬼神の類似は、普通に考えれば系統を異にする収斂進化です。でも、十三世紀末にはマルコ・ポーロも中国に行っており、中東経由での中国文物の影響も見られる時期ですから、東から西への影響も想定できるかもしれません。

017 雷神の冠、天狗の頭巾

中国の雷神と日本の天狗がほとんど同じ姿をしていることは、以前にご紹介しました。生物界の収斂進化に似た現象が、図像の世界にも起こるのです。十五世紀以降になると、その似た者ぶりはさらにはっきりしてきます。

図には、空を飛ぶ二人の山伏風烏天狗が描かれています。これが実は中国の雷神なのです。明代絵画に描かれた道教諸神の中にこうした雷神が登場します。

一人は手に鑿(のみ)と木槌を持っています。この器具で稲妻の殺傷力を表現しており、漢代画像石以来の伝統的な雷神の持ち物です。後ろの雷神は、やはり稲妻の象徴物である剣と、雨を降らせる道具である瓢箪(ひょうたん)を持っています。眉間には第三の目がついています。どちらの雷神もコウモリのような翼をひろげており、口は鳥の嘴となっています。

面白いのは頭の小さな冠です。山伏が頭につける頭巾(ときん)とそっくりですね。山伏姿の天狗が右手に剣を持つことも共通しています。不動明王が右手に剣、左手に牽索(けんさく)を持つことの影響を天狗は受けたのですが、結果として中国の雷神ときわめて似た姿となってしまいました。天狗もきっと苦笑いしていることでしょう。

018 快適！ 流木ロケット

いつの時代でも、宇宙旅行は人間の憧れです。いまはロケットがありますが、昔の人も夜空を旅するための乗り物をいろいろと考えていました。

図（上）は十九世紀前半の中国の画家・張宝の自画像です。彼が乗る奇妙な形の舟は、じつは流木。中国で古来、宇宙への乗り物とされてきたものです。

海は東の彼方で天の川とつながっている。西方でも黄河の源流が天の川とつながっている。それが中国の古代人が考えた宇宙構造でした。ならば、海や黄河を遥かにたどって行けば、天に昇れるわけで、その時の乗り物が何故か流木だったのです。仙人は古来、鶴だけでなく、しばしば流木にも乗って仙界へと飛んでいきました。

張宝は、中国各地を旅し名勝を描いてきた自分の生涯を、流木によって暗示させたのです。そこは黄河の源流にして、海の彼方、夜空に浮かぶ天の川でもあります。

中国では既に南北朝時代から流木ロケットは有名でした。その快適な旅の夢を、何と私たち日本人も共有していました。図（下）は奈良時代の海磯鏡（かいききょう）という鏡に刻まれた「流木に乗る仙人」です。左端に枕を置き、のんびりと仙界への長旅を楽しんでいます。

019 張騫は宇宙飛行士

人間を宇宙に送り出すための乗り物、それが昔の中国では「流木」でした。そうなった原因は、前漢時代の偉大な旅行家・張騫（ちょうけん）にあります。「シルクロードの開拓者」として知られる彼は、実は「宇宙飛行士」としても有名だったのです。すべては張騫自身の誤解に端を発します。

ヒマラヤの峰々から流れ出る川の水は、みな西域の砂漠に吸い込まれてしまいます。その水が地下で合流し黄河になる。張騫はそう考え、自分の遥かな旅の譬（たと）えとして「黄河の源流まで行ってきた」と人々に話しました。

この話が、当時流布していた別の民話とゴチャ混ぜになり、なんと「張騫は流木に乗って黄河を遡るうちに天の川に昇り、織り姫・彦星に会ってきた」というベラボウな話となって流布したのです。

古来中国では、毎年七夕のころになると、ロマンチックな牽牛織女（けんぎゅうしょくじょ）の恋物語とともに、張騫の銀河への旅の話も語られてきました。

もちろん美術にも張騫の姿はたくさん出てきます。図右は十七世紀中国の、図左は十六世紀日本の張騫像です。二年前、楊利偉（ようりい）が神舟五号で宇宙に行くまでは、二千年もの間、張騫が「中国初の宇宙飛行士」だったのです。

020 龍と鯉の中間生物

穿山甲（せんざんこう）（図下）という生き物をご存知でしょうか。全身が大きな鱗で被（おお）われていて、長い舌で蟻を食べて暮らしています。南米のアルマジロに姿はそっくりですが、別種だそうです。遺伝子分析によると、なんと猫と同類。密林に豊富にいる蟻を猫が食べて生きるうちに、安全を確保するための甲羅を身に着けたというわけです。

中国では古代から南方に生息していて、ときどき史書に登場します。陸上動物なのに鱗があるので「陵魚（りょうぎょ）」（図上）の名がつき、魚の一種のように思われていました。鱗が鯉のように大きいので「鯪鯉（りょうり）」の名もありました。

さらに、見ようによっては「鯉に手足が生えた」ようにも見えます。そこで「龍鯉（りゅうり）」とも呼ばれていました。「黄河上流、龍門の大滝を昇りきった鯉は龍に変化する」という有名な「登龍門」伝説。鯉から龍に変化する途中の姿ということなのです。大出世の意味をもつ良い名前ではありませんか。

この穿山甲が、日本の江戸時代の画家・曽我蕭白（そがしょうはく）の代表作「群仙図屏風（ぐんせんずびょうぶ）」に描かれています。西王母の横で、不老長寿の桃の実を狙う可愛い穿山甲は、出世という吉祥の意味を絵に込めるための、蕭白らしい奇抜な工夫といえます。

021 ヒツジ幻想の東西

「美」という漢字が、「羊」と「大」で出来ていることは、ご存知でしょう。羊は、生活になくてはならぬ家畜でした。美味しい肉はもちろん、毛や皮からは衣服、乳からはチーズまで造れます。「大きな羊」は美しいもの、美味しいものの代表でした。

古来、中国では羊は「幸せの動物」として尊ばれてきました。発音は陰陽の「陽」とつながり、字形は「祥」につながります。古代の墳墓の前には羊の石像がよく置かれていました。

図右の年画では、サルが羊に乗って曲芸をしています。中国でサルは「猴」と書き、王侯貴族の「侯」と発音が同じなので、出世の象徴でした。手に持つ桃は長寿のシンボル。サルは羊に騎乗しているので「騎羊」となり、発音や字形から「吉祥」に変換される、めでたい図像です。

驚くべきことに、西洋では古代から十七世紀まで、東洋には「樹木に実る羊」がいると信じられ、「スキタイの小羊」と呼ばれていました（図左）。布生地は西洋では、ほとんどがウール。東洋から木綿がもたらされても、それが植物の実から採れるとは、とても信じられなかったのです。

「東洋には、羊が実る木があるに違いない」。そんな奇天烈な羊幻想の時代がルネッサンス後まで続きました。ダ・ヴィンチやミケランジェロも、そんな時代に生きていたのです。

022 中国の巨人伝説

スイフトの『ガリバー旅行記』には「巨人国」や「小人国」の話が出てきます。いまの私たちが宇宙人の姿をさまざまに想像するように、昔の人々も、この地球上に奇天烈な別世界を想像してきました。

図は清朝の『離騒図(りそうず)』に出てくる「長人」です。古代の名作『楚辞(そじ)』を図化したもので、屈原(くつげん)が語る神話伝説上の不思議な事物の中に巨人も登場します。よく見ると腰のあたりで雲を突き抜け、切り立った岩山と同じくらいの背丈です。おそらくは数百メートルはあるのでしょう。でも、草花をアンバランスなサイズで描いたために、本当に巨大なのか、疑問を抱かせる結果となってしまったのは、残念な気がします。

中国の神話伝説は、こうした巨人の宝庫です。『列子』湯問篇に出てくる龍伯国の人々は、悪さをして天帝から罰を受け、背を低くされてしまいました。それでも身長は一〇〇メートル前後あったといいます。もっと背が高かった頃にした悪さというのが、スゴイです。海の島々を背負って泳いでいたガメラのような巨大カメを、六匹も捕まえて殺し、その甲羅を占いに使ったというのです。巨大怪獣ガメラが、縁日の夜店で見かけるミドリ亀程度にしか見えないほどの大巨人だったというわけで、「白髪三千丈」の面目躍如といったところです。

023 龍がうごめく中国大陸

神話によると、堯という名の帝王のとき、中国全土は大洪水にみまわれ、水浸しになったといいます。堯は鯀に命じて治水をさせましたが、鯀は失敗し、鯀の息子の禹がその仕事を継ぎました。

そのとき、禹の仕事を助けに「応龍」がやって来て、尾を曳いて地に筋を引き、水が滞らずにうまく流れるようにしたといいます（『楚辞』天問）。

応龍とは「翼のある龍」のことです。中国の大地の上を飛び回り、長く巨大な銀色の体を使って大地に溝を掘り、黄河や長江などの河川の道筋をつけて、大地に降り注ぐ大量の雨水をうまく東海へと導いたのです。

図はその様子を描いたもので、応龍が禹を乗せ、翼を広げて空を飛んでいます。尻尾を下におろし、荒海のようになってしまった大地に溝を掘っているのです。

中国は「龍の国」ともいいます。風水思想でも同様で、中国の大地には吉気が流れる龍脈があり、それが吹き出すポイント（龍穴）に家や墓を建てると、一族に幸運が訪れると考えられています。天空を駆けめぐる稲妻のように、中国の大地には、たくさんの巨大な龍が跋扈している。

中国の人々は、古代から現代に至るまで、自分たちが踏みしめる大地に、そんな感覚を抱いてきたのです。

024 羽人と羽民

飛行機やロケットのなかった時代、人間にとっての究極の異界は「天空」でした。水中や地下ならば、何とかもぐることは可能です。でも、重力がある以上、それに逆らって自由に空を飛行することは、翼のない人間には不可能でした。天に近づく唯一の方法は、山登りです。それは、飛行の切ない疑似体験とも言えます。やっとの思いで山頂にたどり着いたときの達成感には得難いものがありますが、目の前を鳥が悠々楽々かすめ飛ぶのを見ると、何やら虚しさも覚えるものです。

人間が鳥に抱く憧れと嫉妬、アンビバレントな感情は、古代の図像にも現れています。図右は漢代画像石の羽人（うじん）です。古代中国では、仙人は不老不死であるだけでなく、背中に羽があって自由に空を飛ぶことが出来ると考えられていました。人間に不可能な二つの能力をともに備えた者、それが仙人だったのです。

同じ姿をした鳥人が、奇妙な怪物となったものが、図左の『山海経（せんがいきょう）』の羽民です。東海の沖合にある謎の国の住民で、鳥のように翼があり、体毛が生えていて、人面で口は嘴状であるといいます。魚をとって食べる海鳥のような生活をしていると考えていました。羽人と羽民は、人間の鳥に対する複雑な感情を反映しているのです。

025 「食われても」の覚悟

「人を食った話」といえば、「ひとを馬鹿にした、あり得ない話」という意味です。でも、これが昔の中国の場合は、まったく洒落になりません。文字通り「人を食べる話」がたくさん残っているからです。「菹(しょ)」(固形のままの塩漬け)や「醢(かい)」(肉片の塩辛)なる語も使われていました。

『水滸伝』では、主人公の英雄たちが悪人どもを殺し、焼き肉にして楽しく酒を飲んだなどと書いてあります。孔子の愛弟子・子路(しろ)も、塩漬け肉にされるというショッキングな最期を遂げています。人口過多による軋轢(あつれき)と、激しい動乱の続く社会では、殺しただけでは飽き足らないほどの憎しみが生まれ、食うことによってやっと晴らされるのでしょう。

悪名高い暴君ともなると、これが日常茶飯事ですから、臣下たちもたいへんです。殷(いん)の紂王(ちゅうおう)を諫(いさ)めた箕子(きし)は、被髪(ひはつ)姿となり狂人のふりをして難を逃れましたが(図左)、実直なる梅伯(ばいはく)は塩漬けにされてしまいました(図右)。壺から顔や手足が出ていますね。何とも猟奇的な図でご不快でしょうが、これが「菹(しょ)」の実態です。文字記録ではよく出てくるものの、このように図化されたものは極めて稀といってよいでしょう。

中国の歴史は、「敢えて塩漬けも辞さず」という真の忠臣たちの覚悟によって支えられてきたのです。

026 桑から生まれた子供

桃太郎は桃の実から生まれ、かぐや姫は竹から生まれました。童話の主人公や世界の偉人たちは、しばしば不思議な生まれ方をするようです。常人とかけ離れた異常出生こそが、人類に共通した「偉大さの指標」なのです。殷の湯王（とうおう）を補佐し、夏の桀王（けつおう）を倒した名宰相・伊尹（いいん）もそのひとりです。

図は伊尹が桑の木から生まれる場面です。母が伊尹を身籠もっていたとき、夢に神が現れ、「もうすぐ洪水があるが逃げても振り返るな」と告げました。母は振り返ってしまい、溺れ死んで桑の木になりました。水が引いたあと、木の中から赤ん坊の鳴き声がするので、人が取り出して育てたのが伊尹なのだそうです。

右に立っている男女は、まるで出生を見守る両親のようですね。でもそうではなく、木から取り出した人でもありません。伊尹が仕えた湯王夫妻なのです。湯王は才能ある伊尹を招聘（しょうへい）し、同時に伊尹の勧める娘を娶りました。新婚当時の湯王夫妻の仲むつまじき様子ということです。

つまり、図の右と左では時間にずれがあります。桑から出生した伊尹と、ずっと後に彼の勧めで結婚した湯王夫妻。両者を並べて描いた面白い図です。夫妻の子供が水辺で遊んでいるかのように見えるのは、時間の矛盾を補うための工夫なのです。

027 虎に育てられた人間

古代神話には、動物に育てられた人々の話がよく出てきます。イタリアの首都ローマの紋章「雌狼に乳を与えられる双子」がそうです。処女であるべき巫女が軍神マルスに犯されて双子を生みました。王は川に捨てましたが、狼に育てられ、長じて王を打ち倒して、ローマの町をつくったというのです。

中国にもよく似た話があります。楚の名臣として名高く、孔子も『論語』の中でその忠を讃えている子文（しぶん）は、虎に育てられたと言われています。貴族の娘が、あるとき、社（やしろ）の向こうにある丘で男と密かに交わりました。娘は、生まれた赤ん坊を無人の湿地帯に捨てました。その湿地を通った人が見たものは、虎が人間の赤ん坊に乳を与えている光景でした（図）。人々は、それに感動し、赤ん坊を引き取って育てたといいます。子文は成長して楚の副王となりました。

こんな話もあります。周の祖である后稷（こうしょく）は、母が巨人の足跡を踏んだことにより妊娠しました。異常な妊娠ゆえに、母は生まれた赤ん坊を氷の上に捨てました。すると鳥が翼で赤ん坊をおおって温めました。母は、それを見て捨てるのをやめ、養うことにしたといいます。偉大なことを成し遂げる人間は、神に護られているということなのでしょう。

028 河伯と浦島太郎

中国文明の母ともいえる黄河は、昔から豊かな水をたたえ、氾濫を繰り返してきました。四方を海で囲まれた日本と違い、海が東方にしかない中国では、海を見たことのある人は少数派。水の象徴といえば、目の前を流れる黄河でした。

黄河の神を「河伯」といいます。水の象徴ですから、旱魃時の雨乞いの神でもあります。その姿は図のように、巨大な白いスッポンに乗り、龍や魚を従えて水上を行くというのが一般的です。手には壺を持ち、下に向けて水をこぼしています。これは雨の神としての持物です。龍が吹き上げる水の上にあるのは、河伯の水中宮殿。漆塗りで、魚や龍の鱗で飾られ、キラキラと輝いているそうです。宮殿の門も紫貝で鮮やかに彩られているといいます。

さて、わたしたち日本人は、この姿から直ぐに思い起こす人物がいます。浦島太郎です。亀に連れられて海中の龍宮城に行き、乙姫さまと楽しく過ごすという例の昔話は誰もが御存知でしょう。浦島伝説には、中国の河伯のイメージが重なっているのではないかとも想像されるのです。『楚辞』「九歌」で、河伯は美女と結ばれますし、河伯は女性との関係が深い神様です。浦島が会った乙姫さまは、ひょっとしたら河伯の奥さんだったのかもしれません。

029 許されて恥を知る

紀元前六世紀のこと。刺客の要離(ようり)は見事に王慶忌(おうけいき)を剣でひと突きし、致命傷を負わせた。場所は長江を渡る舟中である。

図では、舟上にいるのが要離のように見えるが、実は逆。要離は水中に投げ落とされ、王慶忌に髪の毛を摑まれて、ザブンザブンと沈められ溺れる寸前、青息吐息である。

王慶忌は天下に名だたる勇猛の士。致命傷でも、ただでは死なず、さんざんにいたぶるのだ。しかし要離を殺さず、釈放してしまう。「お前を生かして天下に名を成させてやる」と。

王慶忌は呉王に恨みを抱き、復讐の機会を狙っていた。妻子を呉王に焼き殺された要離と意気投合し、二人で呉王暗殺に向かうところであった。剣を突き刺された時に王慶忌は悟ったのである。要離は呉王の刺客であり、自分を信用させるために、妻子を呉王に酷(むご)たらしく殺させたことを。功名心ゆえとは言え、そこまでの非情さはむしろ天晴れ、さすがの豪傑も恐れ入ったというわけだ。

暗殺の成功を喜んだ呉王は、帰還した要離に褒美をあげようとするが、要離は拒否し、剣に伏して自殺する。彼は惨めだった。王慶忌に許された恥辱で目が覚め、妻子への不仁不義、自身の狭量さに気が付いた。刺客と言えども、仁義を欠いては、人間失格ということであろう。

030 「義」に生きる男たち①

『水滸伝』や『三国志』などを読んでいると、中国の人間関係の根本に「義」、つまり「死を賭しても守るべき絆」があることに気づきます。

図は予譲という名の刺客の活躍を描いた漢代画像です。予譲は、戦国時代の晋王智伯に仕え、厚遇されていました。その智伯を趙王襄子が殺し、頭蓋骨を杯としたことを知ると、予譲は「士は己を知る者のために死ぬべきだ」と、王宮に忍び込み、趙襄子を刺そうとしました。発覚して捕まりますが、趙襄子は「主の仇討ちをする者は義人である」といって予譲を釈放するのです。

諦めない予譲は、身を傷つけて乞食に変装し、橋の下で死人のふりをし、趙襄子の馬車（図左）を待ち伏せします。しかし今度も気づかれて捕まります。二度目ともなれば趙襄子も許すわけにはいかず、処刑することにしました。予譲（図右）は処刑前に趙襄子の衣服（図の馬の足下）を請い、「主人の仇」と言ってそれを刺すと、自刃して果てました。

待ち伏せする予譲を最初に見つけた趙襄子の部下は、予譲の昔からの友人でした。報告すれば友情に背き、しなければ君臣の道に背くので、その場で自殺したといいます。

この図には予譲、趙襄子、趙襄子の部下、三者三様の「義」が凝縮されているのです。

031 「義」に生きる男たち②

「義」という概念は、「死を賭しても守るべき絆」とでも言うものでした。絆にもいろいろありますが、なかでも「親子の絆」は、昔の儒教では最も重視されました。ですから「親の仇討ち」ともなれば、尋常な世界ではなくなります。

図の画像石は、戦国時代の聶政（じょうせい）という名の男が、父の仇である韓王を刺殺した場面を描いたものです。自分が生まれる直前に父が韓王に殺されたことを母から聞き、聶政は仇討ちを心に誓います。

王宮に入るために左官業を学び、工人として潜入しました。隙をみて韓王を剣で刺そうとしましたが、失敗し逃走します。

再び韓王に近づくことは、極めて困難です。御尋ね者の自分の顔は世間に知れ渡っているからです。まず、聶政は仙人から琴の演奏を必死で学びました。次に、漆を顔や体に塗って皮膚をただれさせ、石で前歯を打ち折って、人相をすっかり変えました。さらに炭を飲んで声まで変えたのです。

韓国に行き、街で琴を弾くうちに徐々に評判が立ち、ついに王宮から声がかかりました。聶政は琴の中に刀を隠し、韓王の前で弾きながら、刀を抜いて一気に刺し殺しました。聶政は恐ろしいまでの執念で、図の場面にたどり着いているのです。

032 「義」に生きる男たち③

映画などで見る現代の「殺し屋」は、裏社会の稼業、つまり人を殺して金を稼ぐ一種の職業人にすぎません。あくまでも「生業」で、犯罪者でもありますから日陰者扱いです

一方、司馬遷の『史記』刺客列伝に出てくる暗殺者は、みな社会的に高い評価を得て、歴史に名を刻んでいます。金銭や自己の生存には目もくれず、「義」のために命を捧げたからです。昔の中国は儒教社会。命よりも「義」を重んじたのです。

図は、専諸という名の殺し屋が呉王を暗殺する場面です。料理人になりすまし、焼き魚を王に捧げる時、魚に仕込んだ短剣を引き抜きます。その瞬間、呉王の護衛が戟で専諸の胸をえぐりました。しかし、それより一瞬早く、専諸の短剣が呉王をひと突きに殺していたのです。

専諸は暗殺の指令を受け、すぐに王宮に行ったわけではありません。事前調査で、呉王が食い道楽で焼き魚がとくに好物であると知りました。そして三年間も太湖のほとりに住み、魚の焼き方を研究して、名うての料理人の世評を得るという周到な準備をしていたのです。

彼の殺し屋としての才能を見いだしたのは伍子胥、雇ったのは闔閭です。勇士たることを認め、それにふさわしく礼遇しました。専諸は己を認める者のために命を捧げたのです。

033 「義」に生きる男たち④

中国の歴史や物語には、義のために命をかける男たちがたくさん登場します。なかでも抜群の人気を誇り、いまでも盛んに映画化やテレビドラマ化されるのが、始皇帝暗殺を試みた荊軻（けいか）です。

図は漢代画像に描かれた始皇帝暗殺の場面で、真ん中の柱を挟んで、左が始皇帝、右が荊軻です。荊軻は始皇帝を短刀で追い回し、始皇帝は宮殿内を無様に逃げ回るという醜態を演じました。結局、唯一の武器である短刀が柱に刺さり（図参照）、暗殺は未遂に終わりますが、始皇帝に醜態を晒させた一事によって、荊軻は中国史上のヒーローとして不動の地位を確立したのです。

御存知のように、始皇帝は、万里の長城や始皇帝陵などの土木事業で多くの国民の命を奪いました。中国では今にいたるまで、悪の親玉的存在です。当時の人々は暗殺者を次々と送り込みますが、悪運も強い始皇帝はそれらをみなクリアし、天寿を全うしてしまいます。以来、国民の怨念は燻り続け、映画や美術の中でそれを晴らそうとするのです。

図でも、歴史事実は故意に歪められています。荊軻は、持っているはずのない棍棒を振り回し、腰には剣まで下げています。「もっと始皇帝をいたぶってくれ」という民衆の思いがよく伝わってくる作品です。

034 古代中国のエドモン・ダンテス

エドモン・ダンテスがモンテ・クリスト伯爵となり、自分を陥れた者たちに復讐を遂げる。デュマの有名な小説『巌窟王』のこのストーリーとよく似た話が、古代中国にもあります。戦国時代、前三世紀の人・范且（范雎）の復讐譚です。

范且は魏の須賈に仕える優秀な官僚でした。斉に使いしたとき、范且の才を知る斉の襄王は、金品で斉に仕えるよう誘いました。范且は魏への忠誠心から断りましたが、主人の須賈は「范且が魏の秘密をリークした見返りを貰おうとしたのだ」と宰相の魏斉に密告します。范且は捕らえられて拷問を受け、死んだふりをすると厠に投げ込まれました。

なんとか脱出して秦に逃れた范且は、「張禄」と改名し、才能を発揮して秦の宰相に上り詰めます。ある時、須賈が魏の使者として秦に来ることを知ると、范且は乞食に変装して須賈の宿を訪ねました。須賈は范且が生きていたことに驚きますが、翌日、宰相「張禄」の官邸に行き、張禄が昨夜の范且に他ならないことを知ってさらに愕然としたのです。

范且は、諸侯を招いた宴会の余興に須賈を引き出し、獄卒の手で馬の飼い葉を食わせ、笑い物にして恨みを晴らしました。図の右端に立つのが范且。左端で跪く男が、飼い葉を食わされる須賈です。

035 孝養の光景①

儒教は、中国世界の根本思想です。そこでは人間の「徳」が強調されますが、目上の者や親に対する「忠・孝」もたいへん重視されます。当然、中国の美術には、孝行息子や忠義者の図が沢山あります。

図は、孔子の弟子・閔子騫の話を描いた画像石です。閔子騫は幼いころに母を亡くし、継母に育てられていました。よくあることですが、継母に自分の子供ができると、継母はその子を可愛がり、閔子騫の待遇は極端に悪化しました。中国の寒い冬、弟は暖かな綿入れを着せてもらいましたが、閔子騫の上着には麻くずしか入っていませんでした。

父と弟と一緒に馬車で外出するとき、馬を御していた閔子騫は、凍えて鞭を落としてしまいました。不審に思った父は、閔子騫の服を触り、その冷たさから事情を察知しました。父は継母と離縁しようとしましたが、閔子騫は「いま寒い思いをしているのは私一人です。もし、お母さんがいなくなれば、(次の継母のために)今度は私と弟の二人が寒い思いをすることになります」といって、継母と弟を庇いました。父も継母も感動し、その後、円満な家庭となりました。仇を仇で返すのではなく、徳で返す。なかなか出来ないことです。

036 孝養の光景②

最近は日本も豊かになり、働かずに親元に留まる「ニート」なる人々も増えているそうです。でも、結構難しいのが、子の「親離れ」より、親の「子離れ」かもしれません。親にとって、我が子はいつまでも子供。たとえ中年になっても、幼い頃の可愛い姿が眼に浮かんでしまうものです。「もう一度、あの思い出の日々に戻りたい」。親のそんなピュアな願望にしっかりと応えた男の話が、中国にあります。

周の老萊子（ろうらいし）は孝行息子で、嫁とともに老父母の面倒をよく見ていました。ある日、両親の部屋に飲物を運ぼうとして部屋の敷居につまずき、転んでしまいました。老萊子自身が既に七十歳を過ぎていたのですが、両親に心配かけまいと、まるで赤ん坊が転んだ時のように泣きまねをして見せました。すると、両親は喜んで老萊子をあやすのでした。ボケのせいもあるのでしょうが、とにかく、両親は、七十歳の息子に幼児期の姿を重ね合わせ、幸せを感じていたのです。

図の画像石は、食事のお盆を運んでいた老萊子が、敷居で転んだ場面を描いています。お盆は床に落ちています。顔を見合わせる両親の表情には、きっと幼い頃の息子に出会えた喜びの表情が現れていたのでしょう。

037 孝養の光景③

日本はこれからますます高齢化社会になると言われています。国家財政的にも大きな問題ですが、年老いた親の面倒をどう見るかという問題が、私たちひとりひとりに突きつけられています。

儒教の徳目で最も重視されるのが親孝行ですから、老親の介護を立派にやり遂げた人物の逸話には事欠きません。図は、邢渠（けいきょ）という孝行息子を描いた漢代画像石です。

邢渠は独身で、母が既に他界し、老いた父と二人で暮らしていました。雇（やと）われ仕事で貧しい生活をなんとか支える傍ら、老父の介護も怠りませんでした。老父はすでに歯がなく、食事が困難だったので、邢渠は自分で食べ物を噛み砕き、柔らかくしてから父に食べさせました。父のせわしい息のタイミングをはかって口に入れたり、口移ししたりしたのです。図の右側が父親、左側で箸を持っているのが邢渠です。

邢渠の努力の甲斐あって、なんと父親に歯が生えてきて健康となり、百歳まで長生きしたといいます。邢渠の一所懸命さ、真心のこもった世話ぶりを讃える話です。

このように努力が報われれば、介護疲れの問題も解決するのでしょうが、現実はもっと厳しいものがあるような気がします。

038 孝養の光景④

どんなに元気な人でも、最後は老い衰えて、他人の世話を受けるようになります。老人介護は今も昔も深刻な問題です。日本の姨捨山（うばすてやま）伝説は、老いた母を山に捨てた男が、夜空の月を見て後悔し、連れ戻すという話です。これに類した話が中国にもあります。

図の画像石は、原穀（げんこく）という名の子供の話を描いたものです。右端が原穀の父、左端が祖父。中央に、タンカを指さす原穀がいます。原穀の父は親不孝者で、自分の老父が早く死なないことにいらだち、タンカに老父を乗せ、息子の原穀と二人で担いで山に捨ててきました。家に帰る途中、原穀は引き返してタンカを持って戻ってきます。その理由を父が問うと、原穀は答えました。「子供は老父を山に捨てるものだと私は知りました。お父さんが年老いたらこれに乗せて捨てようと思います。新しくタンカを用意しなくてもすみますから」。父はこれを聞いて反省し、老父を山から家に連れて帰りました。子供は親を見て育ちます。原穀は素直に親の行いを学んだだけでしょうが、結果的に祖父の命を救い、父親を人の道に引き戻しました。「子は親の鏡」と言います。子供を叱るとき、たまに思い起こすとよいかもしれませんね。

039 孝養の光景⑤

儒教では、老親の死後、その墓をしっかり維持管理することも、重要な親孝行に挙げています。中国古代では、墓の前に住みつき、何年も喪に服するなどということもあったようです。

図の画像石は、「羊公雍伯（ようこうようはく）」という名の孝行者の話を描いています。右が羊公で、壺の水を左の通行人にふるまっています。

羊公は両親の死後、墓を無終山（むしゅうざん）に造り、そこに住みつきました。無終山はとても高く、山道を行く旅人は喉を渇かします。羊公は奉仕の気持ちで、飲物を作り、旅人にふるまっていました。

三年後、一人の旅人が通りかかりました。羊公から水をふるまわれると、御礼に沢山の小石をくれ、平らな石の上に撒かせました。そして「きっと良いお嫁さんをもらうよ」というと、突然消えてしまいました。その小石は数年で、玉（ぎょく）に変化しました。

さて、当時名高い美女に、北平の徐氏の娘がいました。求婚する男は沢山いましたが、誰も許可されません。羊公が求婚に行くと、徐氏は「結納の品として、一対の白玉（はくぎょく）を持ってくれば許可しよう」と言いました。羊公は山に戻り、白玉を五対も採ってきて見せると、徐氏はとうとう結婚を許可しました。「親孝行には果報がある」というお話です。

040 孝養の光景⑥

元気な親も、徐々に歳をとります。気がつけば意外なほど老いている、そんなことに、ふと気付くことがあるものです。石川啄木の短歌にも、親孝行のつもりで母を背負い、あまりの軽さに驚き、立ち尽くしてしまうというものがあります。子供に与えた愛情の分だけ、親は軽くなっていくのかもしれません。

図の漢代画像石には、韓伯游（かんはくゆう）（兪）の話が描かれています。右が伯游。左で杖をつく老女が母親です。伯游は孝行者で、自身も七十歳過ぎの老人であるにも関わらず、色鮮やかな服を着て母の目を楽しませるなど、日頃から老母の面倒をよく見ていました。

ある日、何らかの手違いから、伯游は世間に不義理な事をしてしまいました。母がその失態を怒り、伯游を笞打つと、伯游はすすり泣きました。昔から笞打たれても泣かない子だったので、母が不思議に思って尋ねると、伯游は答えました。

「以前、お母さんに笞打たれた時は、とても痛く感じました。でも、今日は痛くありません。お母さんがずいぶんと弱っているのがわかり、悲しかったのです」。

左端の鳥は、天の祝福の徴（しるし）です。美しい鳴き声で、天に代わって伯游の孝行を讃えているのです。

041 孝養の光景⑦

親の死後も、墓前で生前同様に仕える孝行息子の話は以前にしました。でも、それでは生活に支障が出ますし、なかなか出来ることではありません。そこで親の肖像彫刻を作り、家に祀（まつ）り仕えることが行われたようです。

後漢の丁蘭（ていらん）は、幼いときに両親を亡くしたので、親の肖像彫刻に孝養を尽くしていました。たいへんな徹底ぶりで、諸事の決断も、まず両親の彫像に伺いをたて、その表情から可否を判断していました。

ある日、丁蘭の不在中、隣家の妻が物を借りに来ました。丁蘭の妻が、彫像に伺いをたてると、あまり良い顔をしなかったので貸し与えませんでした。隣家の主人はそれに怒り、のりこんで来て、彫像を罵り、杖で、叩きました。帰宅した丁蘭は、彫像の表情を見て不審に思い、何があったのか妻に尋ねました。妻が事情を説明すると、丁蘭はすぐに剣を抜き、隣家に行って主人を殺しました。罪を負って連行されるとき、丁蘭が彫像に暇乞いをすると、なんと彫像が涙を流したのです。丁蘭の至孝が起こした奇跡は皇帝の耳にも入り、宮中の雲台（うんだい）の壁画に、丁蘭の姿が描かれたということです。図の画像石では、左が親の彫像、中が伺いをたてる丁蘭、右が彼の妻です。

042 孝養の光景⑧

中国史上には孝行息子と言われる人物はたくさんいますが、なかでも「孝子の代名詞」とも言われる人物が曽子(そうし)です。孔子の弟子で、『孝経』は曽子の著作であるとも言われています。実際、とても優しい人柄だったようで、虫を殺したり、花を摘んだりすることも、広い意味での不孝になると考えていました。

ある日、曽子が柴刈りに出かけているとき、家に来客がありました。母は応対が不得手で、どうしていいかわからず指を噛みました。山にいる曽子は、突然痛みを感じ、母の窮地を察して直ぐに帰宅したといいます。「二十四孝」の一つとして伝えられる話です。

そんな曽子でも、母から疑念を抱かれたことがあります。ある時、曽子と同名の男が殺人を犯しました。その話が広まるうち、「曽子が人を殺した」という誤報となり、母のところに通報に来る者が続出しました。母は二人目までは取り合いませんでしたが、三人目のときにはさすがに動揺し、機織りの器具を手から落としたといいます。

図は、その瞬間を描いた画像石です。左には、その場にいないはずの曽子がいて、母をなだめています。孝行に「これで充分ということはない」ということでしょう。

043 女もつらい「義」の世界①

「死を賭しても守るべき絆」、それが「義」でした。儒教の説話では、「義」のあり方が男女で微妙に異なります。男の場合は、信じる者のために命を捧げる潔さが特徴です。でも、女性にとって、捧げるべき最も大切なものは、自分の命ではなく、しばしば自ら生んだ子供の命となります。

図の画像石は、斉国のある未亡人の話を描いています。短刀で殺された死人が横たわり、右から捜査官が来ています。容疑者は二人。左端にいる母親の息子たちで、前妻の子（死人の左、短刀を持つ男）と自分の子（死人の上）です。兄弟は、ともに自分が殺したと主張しました。困り果てた捜査官は、母親に犯人を尋ねました。母親は「自分の子を処刑してください」と答えました。可愛い我が子を差し出す母を、捜査官は不思議に思い、重ねて理由を尋ねると、母親はこう言いました。「主人が死に際に、前妻の子をくれぐれも頼むと言いました。主人はこの世にいませんが、義に背くわけにはいきません。わが子もそれを理解していて、兄をかばうのがいじらしいです」。斉王はこの話を聞き、兄弟を許し、母親を「義母」と讃えました。女にとっての義は、男よりも辛く酷（むご）いものでした。

044 女もつらい「義」の世界②

儒教世界の「義」は、局面によってさまざまに分化します。既婚女性の場合は「貞節」です。当たり前のことのようですが、歴史に名を残すほどの貞女の行為は、常識の範囲を大きく逸脱しています。

図の画像石は、梁国の美女（右端）の物語を伝えるものです。片手に鏡、片手に刃物を持っています。

彼女は、国中に知られるほどの美女で、夫に先立たれ、子供と二人で貧しい暮らしをしていました。言い寄る男はたくさんいましたが、亡夫への貞節を守り、全て振り払っていました。

あるとき、梁王の使者が黄金を持ってやって来ました。尋常な断り方はできないと覚悟し、彼女は鏡で顔を見ながら、鼻を刃物で斬り落とし、こう言いました。

「二夫に仕えず、貞節を守ることこそ女の道。貧しさに負けて玉の輿に乗れば、人間失格です。夫の後を追って自殺すべきところですが、子供がいるので死ねません。代わりに、鼻斬りの刑を受けた罪人の顔になりました。王様がお求めの美しい容貌は、もはやありません。これでご容赦ください」。

話を使者から聞いた梁王は、彼女に「高行（こうこう）」の名を与え、その貞節を顕彰したといいます。女の道も、相当つらいものですね。

045 女もつらい「義」の世界③

子は親に孝行せよ、それが儒教の教えのひとつです。子が成長すると結婚し、今度は「義」が発生します。娘は実家の親に対して孝、嫁ぎ先では義を尽くすのです。両家の利害が一致している場合はよいのですが、ずれが生じたとき、女性は娘の立場と嫁の立場の間で苦悩することになります。

図の漢代画像は、日本の『平家物語』などにも引用される有名な「東(とう)帰(き)の節女」の話を描いています。

ある人物に恨みを抱き、仇討ちを企てている男がいました。男はその人物の妻の実家へ行き、父を脅して、娘に手引きさせるよう迫りました。実家に呼ばれた娘は、断れないことを悟り、男の要求を受け入れます。「二階の部屋で東を頭にして寝ているのが主人です。扉をあけておきましょう」と男に伝えました。

その夜、男は計画どおり忍び込み、首を断って持ち帰りました。夜が明けて見ると、それは妻の首でした。前夜、妻は夫に頼んで寝室を換えてもらっていたのです。

男の要求を断って父が殺されれば「不孝」、夫が殺されれば「不義」。どちらも受け入れ難く、結局、自分の命で解決することを選んだのです。その思いを知った男は、仇討ちを諦めたということです。

046 女もつらい「義」の世界④

「義」とは、死を賭しても守るべき絆でした。口で言うのは簡単ですが、実際に生死の岐路に立たされたとき、義を全うできるかどうか、真価が問われます。

図の画像石は、楚の昭王の夫人貞姜(ていきょう)の話を描いたものです。右端が貞姜、左端が使者、中央が使者を取り次ぐ侍女です。

あるとき昭王と貞姜は、長江近くの別荘に出かけました。昭王が外出していると、洪水が起こったとの急報が入りました。別荘は洪水で水没してしまう低地にあります。別荘からすぐ避難するよう夫人に命じる使者を、昭王は出しました。

使者は急な命令に慌て、王の命令であることを証明する符を忘れてしまいました。使者を迎えた夫人は、符がないゆえに使者の言に従おうとしません。夫人は言いました。

「命令には必ず符を使う、それが王と私の約束です。符がない以上、従えば約束に背き、貞女の道に反します。留まれば死ぬと分かっていても、義に背くことはできません」。

使者は仕方なく、符を取りに行きました。別荘に戻ったとき、夫人は溺れ死んでいました。

昭王はそれを聞き、信義を守った夫人の貞節を讃えたといいますが、現代の私たちには、やや納得のいかない話かもしれません。

047 女もつらい「義」の世界⑤

不慮の火事で家が焼け、幼い子供たちを含む家族が犠牲になる。そんな悲惨なニュースを、しばしば見聞きします。亡くなられた方々もかわいそうですが、残された家族の思いを想像すると、さらに心が痛みます。

図の漢代画像石は、そんな火事による悲劇を描いたものです。家は燃え盛り、軒先から炎が上がっています。髪を振り乱し、火中に飛び込んで子供を救い出そうとする女性。手をつかんでそれを必死に止めようとする女性。緊迫した場面です。

子供に手を差し伸べているのは、梁の国の節(せつ)おばさんと呼ばれた女性です。彼女の子供たちは、すでに救出され、左上に描かれています。では、室内の子供は誰なのでしょうか。夫の兄の子なのです。

たまたまその子が家に遊びに来ていたときに、火事になりました。節おばさんは、夢中で子供たちを救い出しました。見ればそれは自分の子でした。もはや家は炎に包まれ、兄嫁の子の救出は不可能です。それでも彼女は、再び家に飛び込もうとします。そうしなければ、「不義」の汚名をきて生きていかなければならないからです。「義のために死を選ぶ」、それが彼女の選択でした。天井から垂れ下がっているのは、天の神がその行為を讃えて派遣した龍です。何度見ても、つらくなるシーンです。

048 女もつらい「義」の世界⑥

嫁いだ家で妻に課せられた最大の義務は、夫や舅に対して義を尽くすことでした。たとえ夫や舅がだらしなく、尽くすに値しない場合でも、妻は自らの命をもって手本をしめす必要すらありました。

図の画像石は、魯(ろ)国の秋胡(しゅうこ)という男の物語を描いています。左端の荷物を担ぐ男が、旅人の秋胡。右端は桑の木。葉を入れる籠が枝に掛けられています。中央の女性は枝を引っ張り、葉を摘んでいます。

秋胡は長期の出向を終えて故郷に戻ってきました。ふと、桑畑で働く美しい女性が目にとまり、挨拶しつつ、黄金を見せて口説きます。女性は取り合わず、黄金には目もくれませんでした。

秋胡は家に帰り着くと、老母に黄金を捧げました。そこに妻が帰ってきます。なんと、さきほど桑畑で声をかけた女性でした。夫が自分の妻の顔を見分けられないとは奇異ですが、何年も単身出向していたので、幼くして結婚した妻が立派な婦人に成長していることに気付かなかったのです。

妻は覚悟を決めて帰宅していました。不義の夫に三行半(みくだりはん)を突きつけ、川に身投げして自殺したのです。義の意味を、身をもって示すために。夫たるもの、日頃の行いから心して慎まねばなりません。

049 匈奴に勝てた理由①

図は、漢と匈奴（きょうど）との闘いを描いた漢代画像石の一部です。逃げる匈奴騎兵、追う漢の騎兵。ありふれた戦闘図に見えます。でも、ここに、漢が打ち立てた対匈奴必勝戦法が隠されているのです。

まったく歯が立たなかった匈奴に何故勝てたのか。歴史教科書には、「機動力ある匈奴騎兵に対抗して漢も騎兵を養成し、汗血馬（かんけつば）など優秀な馬を育てたから」などと書いてあります。

これが本当なら、いまごろ日本はサッカー・ワールドカップでブラジルやアルゼンチンなどの強豪を撃破して優勝しているはずです。Jリーグを作って選手を養成した、全国に立派なスタジアムを作った、そんなことで世界一になれるほど世の中は単純ではありません。

相手は生まれたときから馬に親しみ、馬上で弓を射ることを訓練してきた遊牧部族です。一方、漢兵は、大人になってから軍隊に就職して練習した人たちです。漢兵に勝ち目がないことは明白でしょう。

画像史料を駆使する図像学は、文献資料ではわからない歴史の実相を生き生きと甦らせます。図で漢の騎兵が持っている武器は何か、どんな時に使えるのか。それらを含め、漢が編み出した新戦法は、次回、詳しくご説明いたします。

050 匈奴に勝てた理由②

乗馬と弓に圧倒的な技量を発揮する匈奴。なぜ漢軍が彼らに勝てたのか、その理由を画像石から明らかにできます。

図の画像石では、左から漢軍、右から匈奴軍が突進しています。最初は当然、飛び道具の弓矢を持つ射騎（しゃき）どうしの闘いです（図左下）。

両軍が交錯すると、漢軍は戟騎（げきき）（槍と戈（ほこ）の合成武器を持った騎兵）を投入し、目の前の匈奴騎兵を突き刺す攻撃に注力します。こうなると射騎しかいない匈奴は不利。逃走することになります。すかさず漢の戟騎は追走し、横に突き出た戈の刃先で匈奴騎兵を引っかけて落馬させるのです（図左上）。

漢の騎兵の賞金は、獲得した敵の首級や捕虜の数で決まります。落馬した匈奴兵はお金と同じ。さて、どうしましょう。これをいちいち馬から下りて捕まえていたのでは、非効率というもの。追撃戦には歩兵が投入され、落ちた匈奴兵を次々と処理していくのです。図右がその場面で、短刀を持った漢の歩兵、首なし死体が二体、二頭の空馬（からうま）が描かれています。前回ご紹介した鉤騎（こうき）は、引っかけ専門の追撃部隊。矢も尽きて逃げるだけの匈奴騎兵を獲物とします。漢軍は、こうした頭を使った組織的戦法で難敵を撃破したのです。

051 見返り美人風の孔明

人物を描くのは意外に難しいものです。その人の特徴や人柄を描出できるようになるには相当の訓練が必要ですし、ポーズにしても、何かよい資料でもなければ、すぐには思い浮かびません。

そこで、ポーズ集として昔の中国や日本で盛んに使われていたのが北宋・李公麟（りこうりん）の「聖賢図（せいけんず）」です。孔子と七十二人の弟子たちを描いた画巻で、南宋時代には首都杭州の孔子廟の壁面をかざる肖像群として石刻されました。七十二人がさまざまなポーズをしているので、杭州孔子廟は、画家たちの人物画勉強の場にもなっていました。その石刻は、さらに『聖賢像賛（せいけんぞうさん）』という版本に写し取られて広く流布し、中国や日本の画家たちからポーズ集として愛用されたのです。

図左側は杭州孔子廟石刻の拓本で、孔子の弟子「漆雕子（しっちょうし）」です。後ろを振り返る粋なポーズをしています。図右側はこれを手本にして描かれた『繡像（しゅうぞう）三国志演義』の孔明です。孔子廟壁画の人物ポーズが三国志の英雄にも利用されたというわけです。

日本の菱川師信（もろのぶ）筆「見返り美人」は、日本舞踊の美しいポーズを描いたものですが、その背後には中国のこうした見返り人物図の伝統があったと筆者は考えています。

052 鎖国日本に吹く大陸の風①

日本史の世界では、江戸三百年は「鎖国の時代」と言われてきました。交易の場は長崎出島に限られ、厳しい規制がかけられていたイメージがあります。しかし、当時の世界情勢は十九世紀以降に比べればノンビリしており、鎖国の実態もかなりユルかったことが分かってきています。

図は、北海道松前藩の家老だった蠣崎波響が寛政二年（一七九〇）に描いたアイヌ人の肖像画です（筆者模）。豊かな髭を蓄えた堂々たる族長を描いています。マントの内側の衣装に注目してください。荒海の上を龍が飛翔する模様が見えます。

これは、江戸時代の貴顕層が喉から手が出るほど欲しがった「蝦夷錦」という織物です。もともとは中国の高級官僚たちが着ていた制服でした。それが中国北方のアムール川流域に住む山丹人に下賜され、彼らと交易のあったアイヌ人たちが輸入したのです。松前藩は、アイヌ人たちを酷使して、この手の中国織物を輸入させ、ブランド名「蝦夷錦」で国内に流し、金を稼いでいたようです。

アイヌ文化のエキゾチックなイメージと鎖国を利用した「ヤミのアルバイト」といってよいでしょう。

北の海域は国家支配の空白域で、アイヌの人々はカラフトなどの島づたいに海を渡り、中国北方の少数民族と交易をかさねていたのです。

053 鎖国日本に吹く大陸の風②

今回の図も、蠣崎波響が寛政二年（一七九〇）に描いたアイヌ人の肖像です（筆者模）。やはり中国北方の少数民族との交易で手に入れた蝦夷錦を着ており、毛皮の上で体育坐りのような妙なポーズで座っています。

このポーズは、日本の画家・月僊が挿絵を描いた『列僊図賛』に載る「広成子」という中国の伝説の仙人のポーズをそのまま借りて描いていることが、すでに先学の研究で明らかになっています。

また、蝦夷錦はアイヌの貴重な輸入品ですが、アイヌがそれを着ることはほとんどありませんでした。史料によれば、松前藩が用意し、彼らに着せて描いたらしいのです。

つまり、この肖像画はアイヌ人の姿を忠実に描いたもののように見えて、実はアイヌ人のエキゾチックなイメージを誇張するために、中国の衣服や仙人のポーズを使って松前藩が捏造した架空のアイヌ像なのです。

なぜ、彼らの肖像がこのような形で描かれるようになったのか。その背後には、日本の鎖国と東アジアの国際情勢の変化のなかで、難しい立場に立たされていたアイヌ人たちの状況がありました。複数民族による共生の日本観が近年立ち上がりつつありますが、その実態はなかなか微妙です。次回は、この作品が生まれた複雑な事情をご説明いたします。

054 鎖国日本に吹く大陸の風③

最近、国際的な「先住民族の権利保護」の流れを受け、日本政府もアイヌを日本の先住民として認める方向で動き始めています。古代から日本北部を支配してきたアイヌは、毛皮や海産物を主産品とし、十三世紀には自前の大型船を使って大陸との交易に乗り出しました。豊かな経済力を背景に、アムール川河口で元王朝の軍隊と直接戦闘するほど、アイヌは軍事にも秀でていたのです。

そうした豊かさに目をつけた和人は、十六世紀ごろからアイヌと交易を始め、巧妙な手口で徐々に自らの支配下に組み込んでいきました。十八世紀には経済的・政治的に従属させ、奴隷のように使役するまでになりました。松前藩は、そうしたアイヌ支配の尖兵でした。

厳しい搾取、僅かな報酬。アイヌの不満は爆発し、寛政元年(一七八九)、クナシリ島と道東で叛乱を起こしました。たびたびご紹介している蠣崎波響の絵は、その鎮圧記念に描かれたものなのです。

図(筆者模)は、クナシリ島の族長の妻、チキリアシカイです。なんとも恨めしそうな眼をしています。叛乱に参加した息子が、松前藩によって殺されたことも一因ですが、松前藩の無慈悲で高圧的な戦後処理に対する、アイヌの人々のドス黒い怒りが籠められているのです。

055 鎖国日本に吹く大陸の風④

蠣崎波響の『夷酋列像（いしゅうれつぞう）』は、アイヌ反乱の終結後、藩主松前道広（波響の兄）が命じて波響に描かせたものです。細密な描写によって、アイヌの特徴を写実的に描いているように見えます。

松前藩の家老でもあった画家・波響は、松前に連行されたアイヌの族長たちのスケッチを描いており、それを基に作品を制作してはいますが、実際には相当の演出・改変を加えているようです。

図（筆者模）を見てください。「ションコ」という族長を描いたときの画稿です。左側が下絵、右側がその前段階です。右側ではアイヌ独特の幾何学文様があるアットゥシ衣（オヒョウの樹皮繊維で織ったもの）を着ています。でも、下絵では中国から輸入した蟒衣（ぼうい）を着ており、五本爪の龍の足が見えています。頭の形も左右ではまったく異なり、別人の頭蓋となっています。

つまり、写実的な描写は、事実を伝えるためではなく、和人にとって見栄えのよいアイヌ像を捏造するために使われているわけで、作品自体がまるで商品カタログのような趣となっているのです。

それでも、前回ご紹介したチキリアシカイ像の表情には、強い憤りが感じられます。次回はいよいよ、本作品制作の裏事情をご説明します。

056 鎖国日本に吹く大陸の風⑤

蠣崎波響の『夷酋列像』は、一七八九年のアイヌ反乱を鎮圧した直後、松前藩主松前道広が、弟の波響に命じて描かせたものでした。反乱は藩政の失態とも言えます。しかし、何事にも尊大な考え方をする藩主道広にその意識はありません。むしろ反乱鎮圧を「救国の偉業」と自己陶酔的にとらえ、全国に喧伝しようと考えたようです。

辺境の小藩が全国に名を轟かすには、どうしたらよいでしょう。その手段が『夷酋列像』制作だったのです。お披露目の場は京都。最終目標は天皇の御覧を賜ることでした。

藩主道広は、絵が完成するとすぐに波響に命じて京都に持ち込ませました。絵は京都の貴顕層や文人墨客の間で大評判となり、ついに光格天皇の叡覧を賜ったのです。

ところで当時、ロシアは北海道方面への南下の動きを見せており、幕府は国土防衛の観点から神経を尖らせていました。道広の失政と身勝手な行為は幕府の逆鱗に触れ、強制的に隠居させられ、なんと藩も福島県北部に転封となってしまったのです。

波響はこの絵の制作後、画風を一変させ、円山派風の穏やかな雰囲気の作品ばかりを残しています。藩命による天皇叡覧を目指した若き日の必死の制作、藩主らの指示により写実表現を利用して実態を歪曲し極度な美化を行うことへの疑問、それでも表現せざるを得ないアイヌたちの怨念に満ちた眼差し。おそらく波響は、画家として、このときの苦い経験に懲りたという思いがあったのではないでしょうか。

『夷酋列像』は、波響にとっての紛れもなき代表作です。また、そこに込められた技術レベルや迫力においても、近世日本絵画の白眉でさえあります。でも、波響にとっては、忘れてしまいたい苦い思い出だったのではないかと筆者は考えています。

057 馬は飛ぶか①

競走馬ディープインパクトが勝利するたびに、スポーツ紙一面に「飛んだ！」という見出しが躍りました。馬が空を飛ばないことぐらい誰でもわかっていますが、驚異的な速さで疾走する馬に鳥のイメージを重ねるのは、人間の共通した感性でしょう。有翼の馬ペガサスも、そうした感性から生み出された幻獣です。

美術の世界では東洋・西洋ともに、馬が疾走する様は、宙を飛ぶような姿で描かれてきました。図の漢代画像石でも、前後の足をのばしきって、空中に浮かんでいるような表現となっています。西洋では、これを「フライング・ギャロップ」と呼びます。十九世紀の英国競馬の絵でも、競争馬がこのポーズで描かれました。その当時まで、馬がどのような足の運びで走っているのか、速過ぎてよくわかっていなかったのです。

障害飛越は別にして、馬がフライング・ギャロップで走ることはありません。それが証明されたのは、ごく近年のことです。一八八一年に英国の写真家エドワード・マイブリッジが馬の走る姿を連続写真に撮って発表し、大反響をよびました。今では当たり前の「連写」ですが、当時は史上初の試みでした。この「馬は飛ぶか」の実験に触発され、なんとエジソンやリュミエール兄弟が「映画」を発明したのです。

058 馬は飛ぶか②

自動車が登場するまで、馬は長きにわたり人類にとって最も速い乗り物であり、農耕でも頼りがいのある動力でした。それだけ親しみ深い存在であるにもかかわらず、人間は古来、馬が全速で走る姿をフライング・ギャロップ、つまり前後の足を開いた姿で描いてきました。十九世紀末、連続写真によって、それが間違いであることがわかったのです。

では、馬がフライング・ギャロップをしていると、なぜ人間が思い続けてきたのでしょう。それには次のような理由があると筆者は考えています。

馬は全速で走ると後足の動きが左右で揃ってきます。後足を蹴り上げたとき、前足は片方が後ろ足と連動し、もう片方は前方に伸びています（図上半）。足の動きが速過ぎるゆえ、人間はこの瞬間をフライング・ギャロップとして脳裏に焼き付けているのです。馬が実際に空中を飛ぶのは、次の瞬間、後足を前に戻すときです（図下半）。確かに馬は飛んでいるのです。

また、乗っている人間の実感として、フライング・ギャロップと感じやすいこともあります。後足が蹴り上げられたとき、首が前に出て馬体は前傾します。後足を前に戻すとき（図下半）、体勢も元に戻ります。全速時におけるこの前後の揺れが、後足の蹴り上げによる飛翔と、前足による着地と感じさせるのです。

059 三国志と日本①

最近は映画『レッドクリフ』の公開もあり、再び三国志ブーム到来かとも言われています。いつの時代も人気絶大、永遠不滅の戦国絵巻、それが三国志です。中国に劣らず三国志好きの日本には、それに因む文物・美術が数多く残されています。

たとえば、中国・日本の文人の間で「文房の至宝」と讃えられた銅雀硯（どうじゃくけん）（図）もそのひとつです。建安十五年（二一〇）、曹操（そうそう）は魏の首都・鄴（ぎょう）に銅雀台という高層建築を建てました。台とは見晴台のこと。日本人の想像を越える高さと規模を誇り、上には宮中晩餐会を開けるような広く豪華な宴会場がありました。曹操はそこに官僚・武将・文化人・美女たちを集めて大宴会を度々開きました。銅雀台は三国時代の代表的な文化サロンでもあったのです。銅雀台で生まれた詩文は、唐時代以後の詩文の原型となり、中国文学史上「建安文学（けんあん）」の名でよばれています。

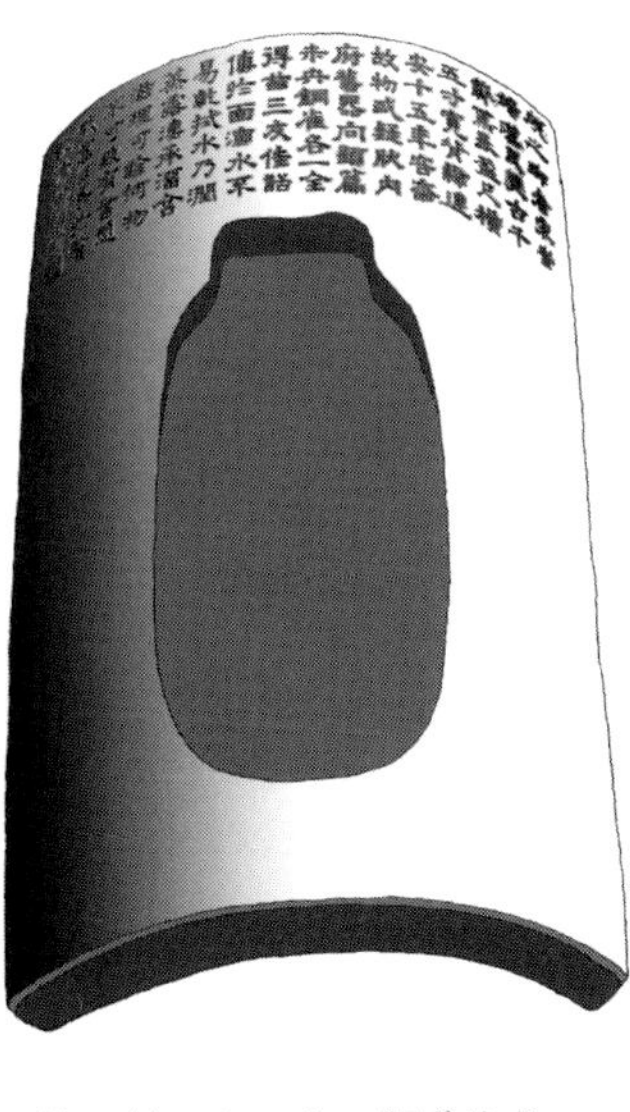
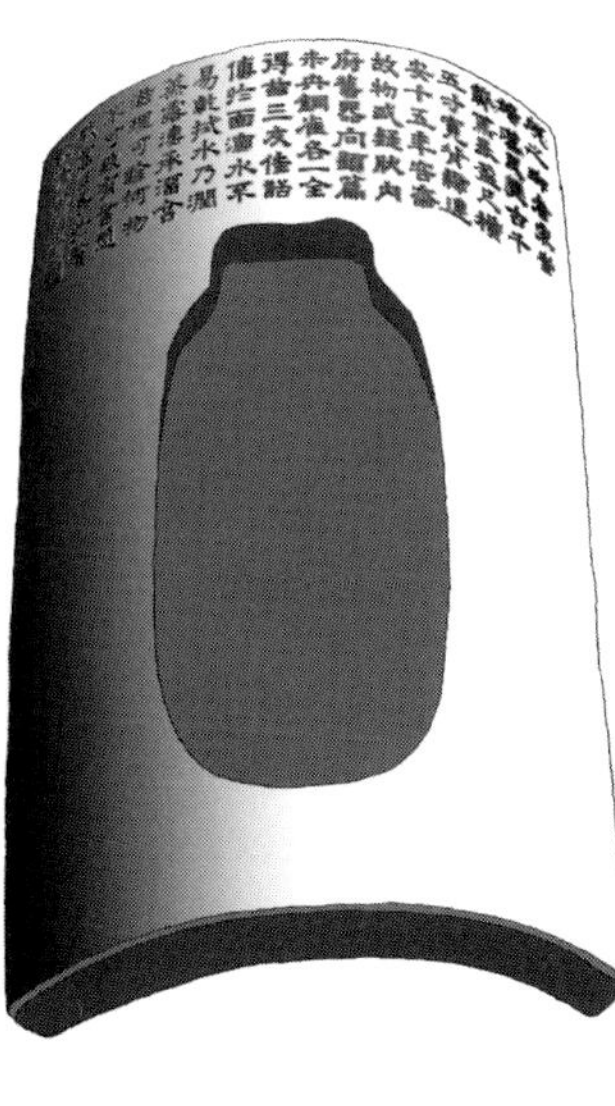

銅雀硯は、銅雀台の建物の遺跡から掘り出された屋根瓦を硯（すずり）に仕立てたものといわれています。一風変わった形をしているのはそのためです。ふつう瓦は水を吸うので硯には不適ですが、銅雀台の瓦は緻密で水を弾き、硯としても十分に使えるものでした。でも、曹操が建てた銅雀台の瓦を使った本物の銅雀硯は、実はただの一つも存在しないのです。

060 三国志と日本②

魏の都・鄴に建てられた銅雀台。曹操はそこに「孫策と周瑜の美人妻を侍らせたいと願っている」と、『三国志演義』で孔明は述べています。三国志の中でも最も有名な建築物といえます。そんな建物の瓦で作った銅雀硯は、日本でも文化人垂涎の的となりました。銀閣寺を建てた足利義政は、中国と交易していた大内氏から贈られて大喜びしています。北方からもアムール川とサハリンを経由して、一四八五年に北海道の松前家にもたらされ、現存しています。日本の戦国時代を平定した徳川家康も銅雀硯を手に入れて(図)、晩年、愛用していました。

ただし銅雀台は、曹操が建てた場所に百年後、後趙の石虎がより広大にして再建し、六世紀には北斉の高洋がさらに大きな銅雀台を同所に建てています。つまり、銅雀台は同じ場所に三度も建てられたわけで、「最も古い曹操の銅雀台の瓦など残っているはずはない」と『河朔訪古記』にも記されています。本物の瓦がないのに需要は多く、高値で取引されるとなれば、偽物で対応するしかありません。鄴の他の遺跡から出土する瓦を代用したものなどは、まだ良心的な方でしょう。銅雀硯は、銅雀台を想起させるイメージ装置として価値があったわけで、真贋を追究しても無意味なのです。

061 三国志と日本 ③

『三国志演義』は劉備や孔明が主役。魏の曹操は悪役を押しつけられてしまいました。本来、曹操は文武両道の英雄として讃えられてきた人物です。彼に深い縁をもつ銅雀硯に人気があったのも当然でしょう。

室町時代の禅宗を代表する臨済宗は、中国との交流のなかで、銅雀硯をはじめとする彼の地の文化財を数多く手に入れていました。それらは、洗練された中国文化に強い憧れを抱いていた権力者たちへの贈答品として利用され、臨済宗の教勢拡大に大いに寄与していたのです。

たとえば、十四世紀後半、室町幕府の東国支配を任されていた鎌倉公方(くぼう)足利基氏(もとうじ)・氏満(うじみつ)親子に対して、京都の臨済宗総本山天龍寺は、銅雀硯と絵画「銅雀台図」という曹操ゆかりの品を続けざまに贈っています。

臨済宗にとって鎌倉は、建長寺と円覚寺という二大寺院がある東国の拠点都市でした。鎌倉公方との良好な関係が、教勢の維持拡大に欠かせぬ条件となります。

では、なぜ鎌倉公方への贈答品として、銅雀台がらみの品に固執したのでしょうか。

実は鎌倉は、曹操が都した鄴と繋がりがあるのです。鄴は後世「相州(そうしゅう)」と呼ばれました。一方、鎌倉も「相模国(さがみ)」の中心地。鄴に因んで雅名が「相州」でした。京都を洛陽に見立て、上京することを「上洛」と言うのと同様です。当時の人々の中国に対する憧れから発したことです。つまり銅雀台がらみの贈答品には、「鎌倉を統治する足利基氏・氏満さまは、中国でいえば鄴に都した曹操にも匹敵する文武両道の英雄でございます」というゴマスリが込められていたのです。

銅雀硯だけでも「文房の至宝」として充分に喜ばれるものでした。臨済宗はさらに日本独自の、粋な趣向の付加価値を添えて贈ったのです。

062 三国志と日本④

図は、江戸時代の画家曽我蕭白（一七三〇〜八一）の「月夜山水人物図」に描かれている人物です。蕭白は奇矯な画風のために従来は不人気でしたが、いまは異彩を放つ個性が評価され、注目を浴びています。

この作品は掛軸二幅で一対となっており、右幅にこの人物が、左幅には夜釣りをする太公望が描かれています。太公望と対で描かれるこの人物はいったい誰なのでしょうか。

これまでは宋代の文人林和靖といわれてきました。林和靖は杭州西湖の畔に住み、仕官を拒み、町に出ることすら嫌った隠逸の代表ともいうべき人物です。後世、文人の理想として尊ばれました。彼は、庭に梅を植え、鶴を飼って、「梅が妻、鶴が子」と言ったというほど、梅と鶴を愛好した人物としても知られます。確かに絵でも、屋外に梅と鶴が描かれていて、林和靖としてもよいような気もします。

でも、妙に浮かない表情をしていると思いませんか。隠逸の境地に満足した顔とは言えません。それに、この姿、皆さん見覚えがあるはずです。そう、三国志のヒーロー諸葛孔明ではないですか。頭にかぶる諸葛巾、手に持つ羽扇が目印ですよね。林和靖ならば太公望とあわせて「隠逸」が主題、諸葛孔明なら別の主題を考えなければいけません。

063 三国志と日本⑤

奇抜な作風で注目されている江戸時代の画家曽我蕭白。彼の「月夜山水人物図」は二幅対の掛け軸で、釣りをする太公望と、茅廬の窓辺に佇む林和靖が描かれています。でも、茅廬に佇む人物は諸葛巾をかぶり、白羽扇を持っています。「林和靖ではなく諸葛孔明ではないのか」、それが前回の問題提起でした。

林和靖とされた理由は、周囲のモチーフに梅の木と鶴が描かれているからです。日本美術では、特定の人物と特有の添景物には強固な結びつきがあります。ですから「梅と鶴で林和靖」としても、十中八九は正解となります。ただし、描画法だけでなく、主題にもひと捻りが加わる蕭白作品の場合は注意が必要です。

誌面の都合でご紹介できないのが残念ですが、茅廬の周囲には「梅・鶴」だけでなく「門前の小川」「そこに架かる小橋」「竹林」「雪に染まる岡の連なり」「茅廬の上を覆う松」などがあるのです。また、茅廬の人物が浮かぬ表情をしていることも見逃せないポイントです。

実は、臥龍岡で雌伏をかこっている時の孔明の描写を『三国志演義』で読むと、この絵とほとんど一致するのです。

孔明の住居をうたった詩には、「襄陽城の西二十里、一帯の高岡、流水に枕めり」とあり、「流水」に面した丘陵地であることがわかります。庵のたたずまいは「丹鳳の松蔭の裏にあるがごとし」で、庵を覆うように「松」の木がそびえていることが暗示されています。さらに「修竹は交々加わりて翠屏を列し」とあるので、庵の周囲には「竹」が繁茂していたようです。「門を守る老鶴は夜々経を聴く」ですから、夜の門外にいつも孔明の勉学につきあう「鶴」がいたことになっています。「三顧の礼」で劉備たちが二回目に訪れた時には、「雪」が降っていました。

064 三国志と日本⑥

曽我蕭白が描いた二幅対の「月夜山水人物図」。その右幅に描かれた人物が、林和靖でなく諸葛孔明だということは前回ご説明しました。では、左幅の太公望（呂尚）とはどのような関係になるのでしょうか。その答えも『三国志演義』の中にあります。臥龍岡で雌伏する孔明を太公望になぞらえる記述が頻出するのです。

孔明の住居近くの酒場からこんな歌が聞こえてきます。「壮士、功名なお未だ成らず。嗚呼、久しく陽春に遇わざりき。君見ずや、東海の老叟が荊榛を辞りて、後車、遂に文王と親しめるを……両人、聖天子に際わざれば、今に至るまで誰か復た英雄を識らんや」。

難しい表現ですが、簡単に言えば「孔明は才ありながら、いま不遇をかこっています。殷の紂王の暴虐を避けて東海の浜にいた呂尚が、後に文王と出会ったことは知っていますね。呂尚や（漢の劉邦に仕えた）酈食其のような大軍師でも、文王や劉邦のような立派な天子に出会えなければ、歴史に名を残すことはできなかったのですよ」という意味です。孔明を取り立てる名君が早く現れて欲しいという願いが裏に込められています。

三顧の礼のとき、不在の孔明に宛てた劉備の手紙にも、孔明を太公望に見立てる表現が出てきます。「先生が太公望の大才と、（劉邦に仕えた）張良の軍略を発揮されることを願います」と記されているのです。孔明に期待されたのは漢王朝再興の軍師の任であり、それは周にとっての太公望の役割に他ならなかったのです。

蕭白の「月夜山水人物図」に、江戸時代に大流行した中国の通俗小説『三国志演義』の影響が色濃く滲み出ていることはご理解いただけたと思います。それでは呂尚と孔明を対で描くことによって、蕭白は何を表現しようとしたのでしょうか。

065 三国志と日本 ⑦

蘇我蕭白の「月夜山水人物図」。呂尚と孔明を対で描くことによって、蕭白は何を表現しようとしたのでしょうか。「この作品の主題は何か」という問題ですが、その答えも『三国志演義』の中にあります。長い雌伏を強いられている孔明の胸中を思い、弟の諸葛均は「聊か傲を琴書に寄せて、以て天の時を待たん」（いまは琴の演奏や書作を楽しみつつ、「天の時」が来るのを待とうではないか）と歌っています。

この作品の主題は「隠逸」ではなく、「天の時を待つ」なのです。人間いくら努力しても結果が出ないことはよくあります。ふつうは適当なところであきらめてしまうものですが、それではいけないようです。倦まずたゆまず努力を続け、準備を怠らなかった者にのみ「天の時」は訪れ、人生に大輪の花を咲かせることができるということなのでしょう。

ところで、図は江戸時代後期の狩野派の総帥狩野養信が描いた作品です。「孔子像」と呼ばれています。でも、賢明なる皆さんには、「孔明像」の間違いだとお分かりになるはずです。蕭白作品で林和靖とされ、ここでも人違いされています。「私の顔はそんなにも売れていないのか?」、孔明の嘆きが聞こえてきそうです。気の毒にも、雌伏はいまも続き、「天の時」を待ち続けているようです。

066 西王母と牛首神①

漢代の墓室壁面を彩っていた画像石。そこには神話伝説を描いた図や、宴会や厨房の様子などの古代人の生活風景など、様々なモチーフが刻まれています。ただ、いまだに何を表現したものなのか解明されていないモチーフもたくさん残されています。

図は、陝西省横山県出土の墓室門柱の拓本です。最下部にしゃがみこんだ人物は、顔を上向きにして、口に何かを銜えています。これは風神が口から暴風を噴き出している図です。銜えているのは風の音を表す小さなラッパで、先から息が噴き出しています。

では、中段は何を表しているのでしょうか。実は、下段から上がってきた風が、家の屋根を吹き飛ばしている図なのです。しゃがんだ人物が持っているように見える筒状の物は家の柱で、実際には人物の後方に立っています。

暴風で屋根が飛ばされる図は、画像石によく見られるモチーフです。暴風、雷雨、地震などの天変地異は、天帝の怒りと考えられていました。不徳の行いをした人間に対する「反省の督促」なのです。

では上段の怪物は何者でしょう。体は人間、頭は牛です。「牛首人身」といえば、農業と医薬の祖「神農」の特徴です。でも、ここでは自然現象と関わる神かもしれません。

067 西王母と牛首神②

図は、陝西省の北部、米脂県で発見された漢代墳墓の地下墓室に刻まれていたものです。死後世界への入り口である墓門、その左右の柱に分けて表されていたものを、筆者がひとつの図にまとめました。

樹木のように見えるものは崑崙山です。全体として「山」の字形になっています。テーブル状の山上にいるのは、「牛首人身の神」と「鳥首人身の神」です。崑崙山は中国の西方にそびえ立つと考えられていた聖山で、太陽や月もそこから出入りするといわれていました。人間の死後の魂がこの山に昇り、永遠の命を得る場所でもあります。

不老不死の神仙境である崑崙山の主は、もちろん西王母です。画像石墓の墓門には、しばしば崑崙山上の西王母と東王父が表現されます。陝西省北部の画像石墓では、この二神に劣らず、牛首・鳥首の二神もよく登場するのです。崑崙山の住人であるこの異形の神は何者なのでしょう。

まず、鳥首の神は「青鳥」と考えられます。青鳥は西王母の僕で、彼女の食糧を調達する役割を担っています。画像石では、食べれば不老不死となる仙草を西王母に捧げる姿で表現されることもたびたびです。

それでは、牛首の神は誰でしょう。一見「神農」風ですが、筆者は「赤松子」と考えています。

068 西王母と牛首神③

漢代画像石墓の中は、崑崙山つまり「不老不死の神仙境」に見立てられていました。墓門は、その死後世界への入口です。左右の門柱に「鳥首人身の神」と「牛首人身の神」が表現され、牛首の神は「赤松子」だと前回申し上げました。

『列仙伝』によれば、赤松子は「神農の時代の雨の神」で、「崑崙山に昇り、西王母の石室に出入りし、風雨とともに山を上下していた」といいます。また「神農の娘が赤松子を慕って追いかけ、二人で去っていった」とも記されています。

さて、たったこれだけのプロフィールで「赤松子の肖像を描け」と言われたら、皆さんならどうしますか。モデルがいてこその肖像画なのに、誰も見たことも会ったこともない神様を、誰もが納得する姿で描かなければならないのです。画家という仕事もたいへんですよね。

でも、解決法は意外に簡単。モデルがいない場合、プロフィールからヒントを見つければよいのです。神農の時代の神ならば、神農に似ているはず。人の考えることはいつの時代も同じです。図は明代版本の挿絵です。右は神農、左は赤松子。ともに牛首の名残としての角の跡があり、葉っぱの蓑を着て、草を持っています。赤松子の特徴は、雨の神としての水瓶と虎皮の腰巻きです。

069 西王母と牛首神④

陝西省画像石の「牛首人身の神」が赤松子であること、その理由は赤松子が「神農の時代の雨の神」であることから神農の「牛首」を継承したため、それが前回の内容でした。また、赤松子は「西王母の石室に出入り」し、「慕って追ってきた神農の娘と去って行った」とも述べました。

一見不可解なこの話も、世界の神話と比較すると、見えてくる共通項があります。牛は「生産と豊穣のシンボル」であり、とくに牡牛は「セックス・シンボル」なのです。角は無敵の力と男根の象徴とも言えます。

西王母は春秋・戦国時代に西方から中国に伝えられた新来の神であると、最近言われるようになっています。西アジアからギリシアやインドにまで広がる大地母神の系譜の中に西王母はいるのです。

崑崙山にある西王母の石室とは、子宮といってもよいでしょう。そこに出入りする赤松子は彼女の愛人的存在なのではないでしょうか。神農の娘との駆け落ちも、性の匂いを感じさせます。

図の牛首神は、ギリシア神話のミノタウロスです。彼は、クレタ島のミノス王の后が牡牛と交わって生まれた半獣半人の怪物です。宮殿地下石室の迷宮に幽閉され、テセウス（図左）によって退治されるまで人間を食らって生きていました。

070 西王母と牛首神⑤

図は河南省出土の画像石です。立派な角の牡牛が突進し、後ろ足近くに屈強な体軀の人物がいます。よく見れば人物は牛の「睾丸」をナイフで切り取ろうとしています。「去勢」の場面なのです。

人物の風貌は、頭にトンガリ帽をかぶり、膝下までの短いズボンをはいています。上半身裸で毛深い様子がはっきり表現されています。顎にも濃い髭があります。トンガリ帽、短いズボン、毛深いというのは、西域から来た胡人の特徴です。前漢の張騫がシルクロードを切り開いて以来、西域からさまざまな文物と胡人たちが中国に流入しました。彼らは傭兵として、門番として、商人として、サーカス芸人として中国世界で活躍の場をひろげ、多くの画像石にその姿をとどめています。

図のような胡人による牛の去勢は、牡牛をおとなしくさせたり、肉を柔らかくするといった畜産的行為ではなく、走り暴れる牡牛に近づいて素早く睾丸を切り取る曲芸、つまり漢代に西域から伝わり、当時の人々の心に驚異の記憶として刻みつけられたエンターテインメントであろうと思われます。

前回、西王母と牛首神のセクシャルな関係を説明しました。それは西域で行われていた地母神（じぼしん）への「牛の供犠（くぎ）」とも関係しています。

071 西王母と牛首神⑥

画像石では、西王母と牛首神が結びついていました。それは地母神信仰と牛犠との関係とも対応しています。古代ミケーネやギリシア、オリエントでは、牡牛の儀礼的殺害「牛犠」が行われていました。太陽の化身で豊穣のシンボルの牡牛と、月の女神との「聖婚」。それにより再生と豊穣を祈っていました。

古代の小アジアの地母神キュベレは、祭祀に牛を殺す儀式を伴いました。キュベレの信仰は古代ローマにも伝わり、戦勝祈願と無事帰還の神としても崇拝され、前回ご紹介したような牛の去勢が行われ、その生殖器が奉納されていたのです。

こうした世界の古代文化に共通する男性原理の象徴としての牛の存在と女神との関係は、そのまま牛首神と西王母との関係にも適用できるものと筆者は考えています。

牛首の赤松子が「雨の神」であることも、両者の性的関係を示唆しています。たとえば「雲雨」という言葉は、肉体関係を含めた「男女の交情・情愛」を表します。「巫山雲雨」、つまり楚の懐王と巫山の神女が一夜の肉体関係を結ぶ故事に由来するもので、戦国時代末の宋玉「高唐賦」にその物語が語られています。

この説話は、神女や美女と男の交わりを語る一連の類話の原型となったもので、曹植の「洛神賦」、謝霊運の「江妃賦」、司馬相如の「美人賦」などに影響を与えています。

西王母は神話学上、太陽神と月神の「聖婚の花嫁」なのです。『穆天子伝』では、西周の穆王が崑崙山へ行き、西王母が宴でもてなします。両者の肉体的結合も推定されており、穆王以後も、黄帝、堯、禹、漢の武帝といった歴代の聖帝たちを西王母が訪問するという形で継承されています。最終的に東王父との婚姻が確定するまで、神女と聖帝の肉体関係は繰り返されていたのです。

072 毛沢東のイメージ論①

中国には建国の父が二人います。ひとりは紀元前二二一年に天下統一をなし遂げた始皇帝。もうひとりは現在の中華人民共和国を作り上げた毛沢東です。もちろん皇帝支配を終わらせ中華民国を立ち上げた孫文も忘れてはいけませんが、前記の二人こそ中国人にとって、良くも悪くも最も重要な歴史上の人物といってよいでしょう。

図は北京の土産物店で売っていた毛沢東の陶器人形です。ふくよかで堂々たる体軀、頼もしく慈愛に満ちた表情、両手を広げて若者たちを受け入れるポーズ。いずれも理想の国家指導者に相応しい表現になっています。若者たちの表情にも、憧れの人物に出会えた喜びと興奮が見て取れます。

手前の少女が右手に掲げるのは、日本の団塊世代にも懐かしき『毛沢東語録』です。この赤い表紙の小冊子は、一九六〇年代から七〇年代に青春を過ごした人なら、一度は手にして読んだことがあるはずです。指導者を囲む若者たちの服装、腕に巻いた赤い腕章、これらすべてが文化大革命期の毛沢東像であることを示しています。

「文化大革命」、この言葉に中国の中年以上の人々は複雑な思いを抱くはずです。建国の父と国民との愛憎劇はここから始まるのです。

073 毛沢東のイメージ論②

よく野球で「名選手、必ずしも名監督ならず」といわれます。グラウンドの上では傑出していても、ベンチワークでは破滅的な空回りを演じてしまう。毛沢東にもそんなところがありました。抜群のカリスマ性、天才的な統率力、無限ともいえる精神力によって十億の民を動かし、一九四九年に中華人民共和国を立ち上げます。これは文句なしに、彼ならずしては不可能な偉業でした。

ただし、建国以後、この超人的な能力が国家の安定的運営と経済的発展には向かわず、困った方向で発揮されることになります。敵を明確化し、民衆を動員して打倒する。毛沢東のこの行動パターンは、共産党内部の派閥抗争に向けられたのです。

農民出身の毛沢東は、農村と社会主義に揺るぎなき信頼を、富と資本主義に絶対的な嫌悪感を抱いていました。一九五六年の「百花斉放（ひゃっかせいほう）・百家争鳴（ひゃっかそうめい）」運動で自由な意見を募りましたが、これは資本主義的な考えを持つ者をあぶりだす罠でした。この色分け後、反右派闘争を始めます。

次に、社会主義の優越性を証明するため「大躍進」運動を始め、製鉄などの工業生産を農村に委ねます。当然、食料生産は遅滞し、なんと数千万人もの餓死者を出しました。中国の「赤い太陽」毛沢東は、国民を焼き尽くし始めたのです。

074 毛沢東のイメージ論③

「三つ子の魂、百までも」という言葉があります。幼年期から青年期にかけて培われた行動パターンは、老年になるまで繰り返されるようです。毛沢東の行動の型は、「敵を見つけ出し、人々を動員して打倒する」というものでした。

一九六六年に彼が始めた文化大革命は、社会の変革に燃える世界中の若者たちを熱狂させ、筆者のような日本の団塊世代にも大きな影響を与えました。でも、いまではそれが周恩来・劉少奇・鄧小平といった政敵を追い落とすための、権力闘争であったことが明らかになっています。

確かに、常識的に考えても変な運動がいろいろありました。「批林批孔運動」では孔子や儒教が徹底批判されました。『論語』をいくら読んでも、孔子が悪い人には思えなかったのですが、実は人格者周恩来を孔子に見立てたものでした。「水滸伝批判」も宋江を批判した不思議な運動でした。それもそのはず、鄧小平を宋江に見立てたものだったのです。

結果として、文化大革命は中国国民の人生を狂わせ、一千万人もの死者を出し、十年後に毛沢東の死をもってやっと終息しました。「暴走機関車」毛沢東の「壮大なる空回り」。それが文化大革命だったのです。あの世で孔子（図左）と対面した毛沢東は、どんな顔をしたでしょう。

075 毛沢東のイメージ論④

一九七七年、「文革終結」が宣言されました。絶対的権威の父親毛沢東に振り回され続けた国民は、十数年ぶりに安堵の息をついたのです。

一九九〇年、西安近郊、前漢景帝（けいてい）の陵墓で多数の兵馬俑（へいばよう）が発掘され、話題となりました。始皇帝陵の兵俑と違い、裸体の人形だったからですが（図）、もうひとつ理由があります。景帝とその父文帝が、始皇帝と好対照の統治者だったからです。

後世、「文景之治（ぶんけいのち）」と讃えられ、儒教政治のお手本とされたその時代は、始皇帝時代とはまったく逆でした。皇帝は節約を旨（むね）とし、法律を緩め、税を軽減したので、民衆は伸び伸びと労働に勤（いそ）しみ、国家財政も大いに潤いました。

始皇帝は法家を尊び、厳罰、重税、強制労働で当時の国民を苦しめました。現代の毛沢東は、国民に始皇帝崇拝を強要し、悲惨な結果をもたらしました。始皇帝後に登場した文帝・景帝は、現代でいえば毛沢東後の改革開放を進めた鄧小平、その師周恩来になぞらえられたのです。中国では、歴史は単なる過去ではなく、常に現代とつながる比喩としての価値を与えられます。景帝の子・武帝によって前漢帝国が大繁栄したように、現代中国もこれから大発展期を迎える、そんな予感を抱かせる、政治性の強い遺跡だったのです。

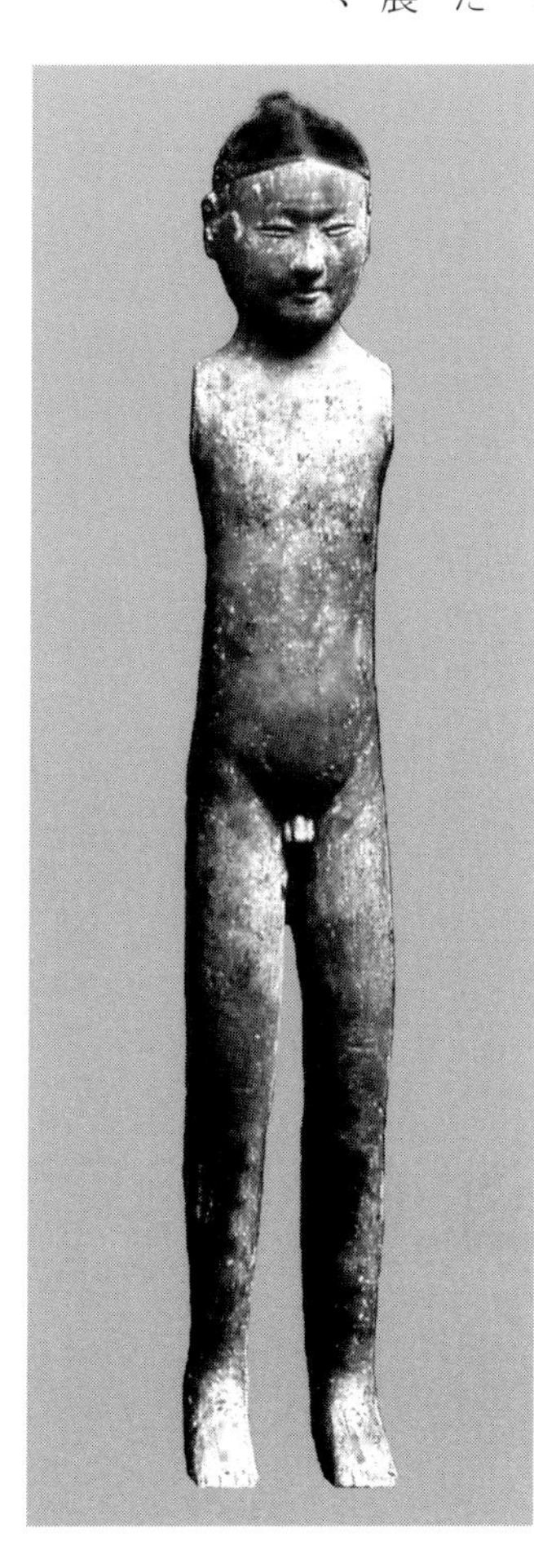

076 毛沢東のイメージ論⑤

張芸謀（チャン・イーモウ）は、言わずと知れた中国を代表する映画監督です。今やその活動領域は映画にとどまらず、北京オリンピック開会式の総合演出や、杭州西湖での水上スペクタクル「印象西湖」の演出など、中国の「国家イメージ戦略の総責任者」の趣さえ漂わせています。

さて、彼が撮った武侠映画に『ＨＥＲＯ』という作品があります。ジェット・リー主演で、二〇〇三年に日本でも公開されヒットしました。始皇帝暗殺未遂事件という、お馴染みの人気あるテーマを扱い、映像美・色彩美ゆたかな彼らしい作品に仕上がっています。

ただし、ストーリーに不可解な点がひとつありました。映画や文学で悪役として描かれてきた始皇帝が、一転、「救国の英雄」扱いされていたのです。中国の歴史、文化に知識がある人なら、これを見て「オヤッ？」と思ったのではないでしょうか。もちろん中国の人々なら、ある種の政治的な匂いを感じ取ったはずです。

始皇帝暗殺は当時の国民の切なる願いであり、それが叶えられなかったがゆえに、怨念はくすぶり、始皇帝の悪役イメージは二千年以上も維持されてきたのです。それゆえ、あと一歩まで追い詰めた荊軻は、今も語り継がれる英雄となりました。にもかかわらず、荊軻を下敷きにしたであろう刺客ジェット・リーも、また、それ以前に秦王宮に踏み込んだトニー・レオンも、決定的なチャンスを摑みながら、始皇帝の命を絶つひと突きを控えてしまっています。なおかつ、ジェット・リーは始皇帝に向かって「生きて国に平和をもたらし、国民を救ってほしい」と懇願さえするのです。なぜでしょうか。

ここに中国の直近の政治的課題と毛沢東との関係、国策監督張芸謀の役割が隠されているのです。

077 毛沢東のイメージ論⑥

張芸謀が撮った武侠映画『HERO』。そこでは始皇帝が「救国の英雄」として描かれていました。確かに、五百年を越える春秋・戦国時代の長き内戦は、民衆を疲弊させました。「分裂国家に終止符を打ち、平和と繁栄の統一国家を実現してほしい」、それが映画のなかで、始皇帝を敢えて殺さなかった刺客たちの願いでした。

お気づきのように、これは、国共内戦を経て、西欧列強や日本による植民地支配を排除し、統一国家「中国」を立ち上げた毛沢東のイメージと重ね合わさるものです。

ただし、とても大事な事実が隠蔽されています。統一後、始皇帝は民衆に残虐の限りをつくしました。毛沢東も「大躍進運動」や「文化大革命」という誤った政策により、民衆に塗炭の苦しみを与えたのです。では、なぜ事実に目をつぶり、始皇帝を再評価しようとするのでしょう。

実は、文化大革命が終結して三十年以上の歳月が流れ、中国でもその記憶は風化し、懐かしい思い出になりつつあります。また、中国の学校では、毛沢東の失政は故意に伏せられ、教えられていません。中国の中年以下の世代は、神のごとき「建国の英雄」のイメージしか知らないのです。

また、いま中国では、経済発展による「貧富の差の拡大」「汚職の蔓延」が問題になっています。貧しく苦しかった毛沢東時代は、ある意味、みな平等で公平・公正な時代でした。毛沢東時代の反省の上に、鄧小平の改革開放路線を中国は歩んできましたが、その弊害があらわになってきて、再び毛沢東の「表のイメージ」「平和・平等・公正のシンボル」に利用価値がでてきたのです。国策監督張芸謀の映画には、映像美の背後に、「隠された政治的意図」と「隠したい過去」があります。

078 毛沢東のイメージ論⑦

毛沢東には、彼が尊敬した始皇帝と同様、表裏一体をなす二つの顔があります。表の顔は「中国の建国者」「国民の父」「太陽」であり、「平和・平等・公正のシンボル」「他国の力に依存しない自力更生のシンボル」です。裏の顔は「権力闘争の亡者」「大躍進・文革などの間違った政策で国民に大災厄をもたらした元凶」です。

毛沢東の死去、文革終結から三十年以上の歳月を経たいま、裏の顔の記憶は風化し、表の顔だけが「国民統合のシンボル」として利用されるようになっています。近ごろ中国で公開された映画『孔子』は、社会に道徳を根付かせ、従順忠実な国民を養成するための国策映画ですが、主演のチョウ・ユンファの顔が毛沢東を彷彿(ほうふつ)とさせる点で、中国政府による「毛沢東イメージアップ作戦」の一環とも筆者は見ています。前回ご紹介した張芸謀の『HERO』はその先駆けだったといえます。

図は、中国製のトランプの図柄です。なんとジョーカーは毛沢東。災厄カードとして嫌われる「ババ」であると同時に、他のカードの代替や最高位の切り札としても大活躍するジョーカーは、その二面性において、まさに毛沢東そのものです。毛沢東は「現代中国のジョーカー」といえるのではないでしょうか。

079「かな」の文化発信力①

人間にとって最も理解が難しいもの、それは「自分」です。自分の姿や行動を、自分の目で、他者として客観的に見た人はひとりもいません。鏡に映った姿は左右が逆ですし、脳が勝手に自分に都合よく修正しています。写真やビデオに撮ったものを見ると、「自分はこんな表情や声をしているのか」と驚くではありませんか。その写真やビデオでさえ、画面上の過去の映像であり、自分の目で直接見ているわけではないのです。

私たちの日常は、他者の顔や表情、声、話し方、身振りなどから他者の人間性や心境を読み取り、過去の膨大な経験に照らし、瞬時に適切に反応して成り立っています。それが自分に対しては、一生に一度たりともできないのです。せいぜい他者の反応から類推する程度でしょう。

それは文化の面でも同様です。日本人にとって日本文化こそが、客観視することが最も困難なものです。

たとえば図を見てください。「優の良品」とあります。中国や東南アジアでよく見かける食品チェーン店の看板です。私たち日本人は、これに妙な違和感を覚えます。普通の日本人なら、「の」をこの位置には絶対に入れないからです。「間違った日本語だ」「優良品とすべきだ」と思うことでしょう。でも、ちょっと待ってください。変なのは、私たちかもしれないのです。かの地では全く問題なく通用していますし、「の」が強烈に日本らしさを発信しています。日本語は私たちだけのものではありません。外国で受容され、独特に変化した日本語も存在します。「共生言語」としての日本語です。

080 「かな」の文化発信力②

人間は、既知の事象とつながるものに興味を抱く傾向があります。逆に、全く知識のないものにはあまり引かれないのです。道で他人とすれ違うのと、友人とばったり出会うのとでは、感覚が違うのと同じです。アラビア語の文章があっても、多くの日本人は見ようともしないでしょうが、随所に漢字や平仮名が散りばめてあれば、「おや？　何が書いてあるのだろう」と顔を近づけるはずです。

ここに東アジアにおける「日本語の強み」があります。十億人以上いる漢字文化圏の人々にとって、仮名の間に漢字がふんだんに散りばめられた「漢字かなまじり文」は、強烈な魅力を放つ存在です。一見単純そうに見えて、非常に複雑微妙な曲線をもつ仮名こそ、「日本」を意識させる代表的記号となっています。とくに前回ご紹介した「の」は、「@」以上に、アジアの人々に強烈なインパクトを与えるフォルムなのです。

図は、台湾の喫茶店の看板文字です。中国語と日本語の折衷。仮名のフォントもバラバラ。日本人には違和感があります。でも、これで「高級・高品質」がしっかりアピールできています。「共生日本語」の世界では、「正しさ」へのこだわりは、ある程度捨てましょう。グローバル化のなかで、英語がかつて経験した段階に、日本語も突入したのです。

081 「かな」の文化発信力③

意外かもしれませんが、「情報」には基本的に「正しく伝わらない」という性質があります。「間違って伝わる」でもよいでしょう。言語や文字などの「象徴」という、人によって解釈が微妙に異なるツールを使うことが原因です。伝言ゲームをしてみれば、すぐにわかることです。

学校で先生が何度も説明し、練習問題を重ね、復習までしても、テストの平均点はだいたい六十点前後。つまり、情報は六〇％も伝われば上出来であり、その集積で人間社会は維持されています。不都合があれば、修正情報で補正すればよいのです。

けはテひん
ずとて
マツコスロ

外国で使われる共生日本語では、六〇％の世界が修正情報なく堂々と展開しています。図は中国の看板や商品に明示されている「かな」ですが、日本人にはかえって難解です。上が「けしょうひん」、中が「おとこ」、下が「マシュマロ」。そうなるには、明快な論理構造がありますので、考えてみてください。「は」が二文字に見えたら、外国人にとっての「かな」の見え方を実感するはずです。

「間違いだ、けしからん！」などと怒ってはいけません。「かな」を「音」として読み取ろうとするのは、世界人口の六十八分の一、日本人だけ。外国人には「表意記号」です。「かな」のパワーを、新鮮な視点から捉え直してみましょう。

082 「かな」の文化発信力④

マクルーハンは「メディアはメッセージ（情報・命令）である」といいました。つまり言語やテレビなどメディアそれ自体に「支配・被支配」「命令・服従」の関係が内包されているのです。前回、情報は「間違って伝わる」と申し上げました。それでも現実社会がさして支障なく動いているのは、支配・命令する側が常に「補正」情報を即時かつ大量に発信しているからです。

ただし、海外で使われている日本語は、現地に補正する「支配・命令」者は存在せず、変なまま流布し続けます。図の右は「あんぜん」。蓋付きマグカップの宣伝文句です。日本製品の定評ある「安全」のイメージが、この一言で外国製品に付与されます。「あ」は裏返し、「せ」に半濁点がついて日本人には発音不能です。左は「カレー」。縦書きのとき「長音記号は九十度回転」という例外規則は外国人には難関です。

あんぜぺん

カレー

ただし、こうまでしても「かな」を表記したいという世界の人々の思いに、私たちは気づくべきでしょう。産業界・経済界が打ち立てた輝かしい「日本イメージ」。私たち文科系の人間は、それをフォローし、世界に「日本」を発信するソフト・パワーの努力を怠ってきました。グローバル化の昨今、書道界も、「かな」を武器に、世界に「日本」をアピールしてください。

083 権力と美術①

「美術」という言葉に、私たちは「感動を呼び起こす崇高な芸術」をイメージしがちです。また、作家の人間性や独自の描写法など、個別的な視点から作品を捉えようともします。でも、そうした芸術観は近代以降に生まれたといってもよいのです。

人類の長い歴史において、美術が主に担ってきたのは「権力メディア」としての役割でした。以前にも述べましたが、言語や画像などのメディアは「命令と支配のために人類が生み出した文化ツール」なのです。この基本の上に、作家は個性や感動を載せています。たとえ古美術といえども同様で、なぜ権力がそれを描かせたのか、権力はそれによって何を伝えようとしたのかということが、作品理解の根本にあるべきでしょう。人類の偉大なる文化遺産であるエジプトの壁画も、ギリシア・ローマの彫刻も、ルネサンスの絵画も、みな権力がその財力にものを言わせて造らせたものだからです。

図は有名な武氏(ぶし)祠画像の伏羲女媧(ふくぎじょか)像です。今更なにをと言われそうですが、この左に神農や聖帝、周囲に貞女や孝子、刺客たちの肖像が並びます。全体として、こうした肖像群は、中国のみならず、朝鮮半島や日本などの中国文化圏において、近世に至るまで継承されてきた権力アートのイメージ・セットでした。

084 権力と美術②

武氏祠に刻まれた画像石（権力メディア）のイメージ・セット。それは神・聖人・賢人・貞女・孝子・義士の整然たる列像でした。儒教帝国「漢」の歴史・政治・道徳理念をこうした人物像で表現したのです。

権力メディアは国家の統合・支配の理念を「四つのロジック」で明示します。これは人間社会すべてに共通です。第一は「賛美」、第二は「称揚」、第三は「警告」、第四は「懲罰」。

神や聖人、理想世界など異論を許さぬ絶対的価値は、ひたすらな（常軌を逸するほどの）賛美を捧げます。その絶対的価値のために身命を賭した人物（貞女・孝子・義士）は偉人として称揚され、民が目指すべき手本とされます。絶対的価値に反する行いをした者は悪い見本、反面教師として、反省を促す警告となります。敵の残虐さの表現も、敵への憎しみをかき立て、現実化しないよう危機感を煽る警告です。この警告を無視する「ならず者」には死刑その他の懲罰が加えられるのです。

図は織田信長が建てた安土城天主の最上階の列像配置（諸説あり、一例としての愛知万博での復元例）です。三皇・孔子・文王・周公旦など儒教聖人のオンパレードとなっています。儒教統治のイメージ・セットが、動乱の戦国期、信長によって日本にリセットされたのです。

085 権力と美術③

「日本の城」というと、ふつう姫路城や名古屋城などの高く美しい天守をイメージします。でも、本格的な高層天守が建てられたのは、織田信長の安土城「天主」（安土城ではこの字を使う）が最初です。信長は日本人の城郭イメージを一新した、建築史上画期的な人物でもありました。

ヒエラルキーの視覚化（見せる権力構造）は、日本では古来「中心性」「深奥性」の面的構成をとりました。京都御所のように、中心へ行くほど、奥へ行くほど高貴化する空間構成で、建物は一階建てが基本でした。

一方、安土城は、標高二〇〇メートルの山上に建つ、六階建て高さ約五〇メートルほどの高層建築だったのです。その最上階（前回ご紹介した儒教空間）に信長は坐し、天下を睥睨しました。古代の出雲大社のような、日本に稀有な垂直志向を建築に導入したのです。仏塔も高層建築ですが、重要なのは心礎下（地下）の仏舎利であり、上階ほど重要度が上がる訳ではない点が安土城と異なります。

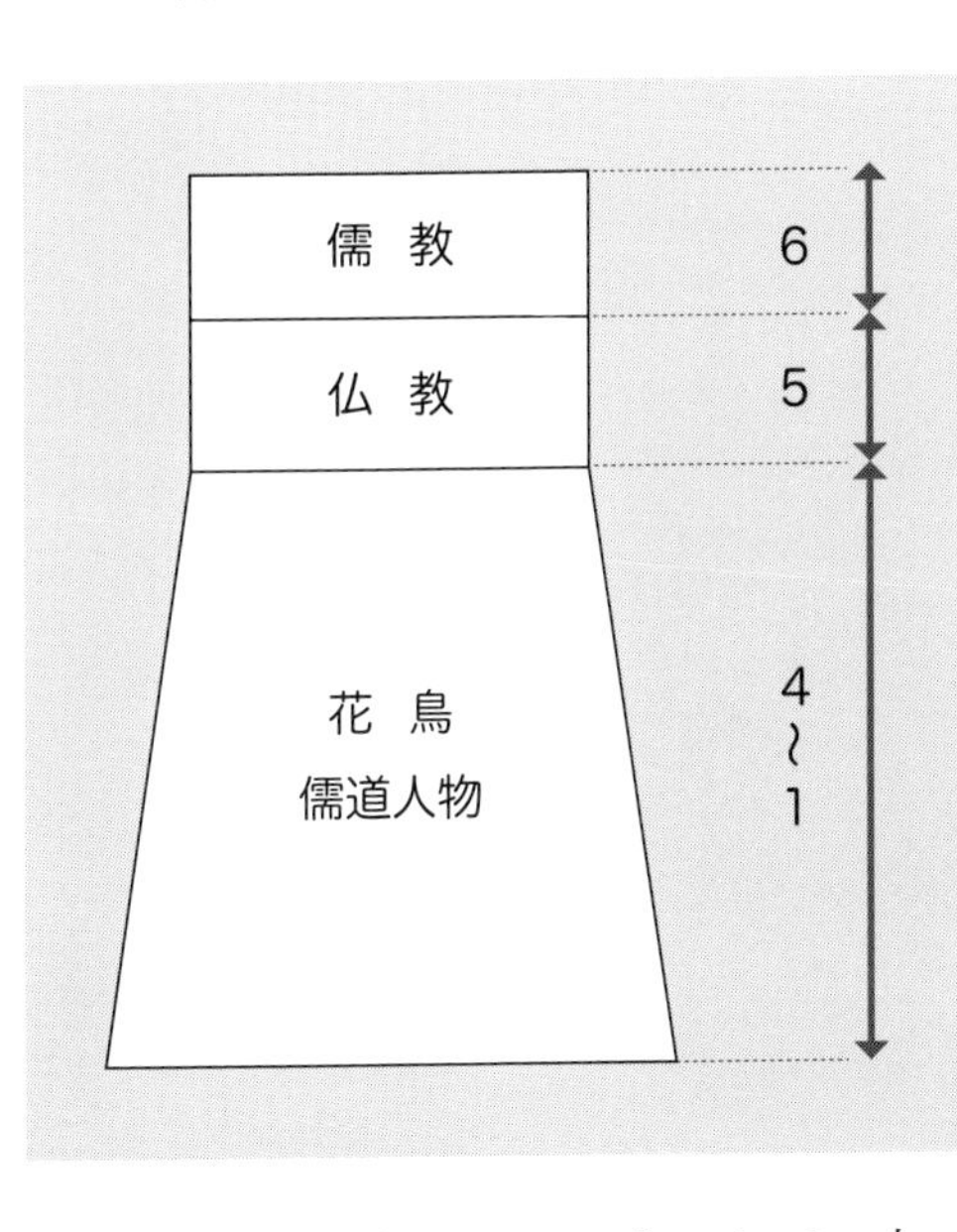

最上階の直下（五階）は、八角平面の仏殿でした。図は各階の装飾テーマの概略です。仏教弾圧をした信長も仏教を尊重していた証拠と言われますが、「ヒエラルキーの視覚化」が安土城のテーマであるならば、儒教的支配が仏教の上にあることを天下に示したとも考えられます。

086 権力と美術④

日本の城の代名詞「天守」、それは「織田信長の発明品」と前回申し上げました。垂直志向の「見せる権力」として出現した安土城は、日本建築史上きわめて特異な存在なのです。

では、信長はどのようにしてその着想を得たのでしょう。ゼロから閃いた「完全なる独創」でしょうか。あるいは「モデルとなる建物」があったのでしょうか。

安土城の構造については、多くの碩学によって賑やかに論争が続いています。でも、着想の源泉については、ほとんど議論されていません。

筆者の考えを申し上げましょう。安土城にはモデルがあります。信長が参考にしたのは「モン・サン＝ミシェル」（図参照）、言わずと知れたフランスの世界遺産です。

読者諸氏は、きっと「ドン引き」されたことでしょう。「正体見たり！　やはりトンデモ本の世界のヤツだった！」。あるいは「ゲーム〝鬼武者3〟のやりすぎか？」と。明智光秀の重臣・左馬介が信長をつけ狙うそのゲーム。安土城とモン・サン＝ミシェルでバトルが展開するそうですが、筆者は未経験です。

安土城の「モン・サン＝ミシェル祖型説」。一見「トンデモ系」の議論ですが、筆者は全くの大真面目、本気そのものです。次回からその根拠を明らかにしていきます。

087 権力と美術⑤

モン・サン＝ミシェルと安土城、その関係を少しずつ説明していきます。まず、モン・サン＝ミシェルとは「聖ミカエルの山」という意味です。ミカエルはキリスト教の大天使の一人。悪魔や悪龍と戦い撃退する頼もしき戦闘神・守護神です。古来、イスラエルやキリスト教徒の守護神となり、英仏百年戦争のときにはフランスの守護神でもありました。ジャンヌ・ダルクに「フランスを救え」と啓示を与えたのもミカエルです。その姿は甲冑を着け、剣を持っています。

この大天使ミカエルが「日本の守護神」でもあることをご存じでしょうか。一五四九年に来日したフランシスコ・ザビエルがそう決め、以来キリスト教世界では常識となっています。どの宗教でもそうですが、教勢拡大には、帝王などの世俗権力との融和・一体化が鍵となります。難しい教義より「国家守護」を唱えるのが一番効果的なのです。日本神道ではタケミカヅチや神功皇后。仏教では護国鎮護の東大寺大仏などが挙げられます。戦国時代の武将たちにアピールするため、キリスト教が選んだのが大天使ミカエルでした。

図は十七世紀頃の日本人が描いた「悪魔を退治するミカエル像」です。長年、隠れキリシタンの礼拝対象でしたが、残念ながら、長崎の原爆で焼失してしまいました。

大天使ミカエルの図（長崎／浦上天主堂所蔵）

088 権力と美術⑥

織田信長に面会したルイス・フロイスは、信長が「眼に見えないものは信じない、極めて現実的な人間」であると見抜きました。それは「眼に見える視覚的象徴」を重視し、大胆に利用するということでもあります。安土城を見たイエズス会宣教師は、その瓦が「青色」であると記録しています。いま出土する瓦はすべて黒に変色していますが、完成当初は青だったと発掘調査の担当者も述べています。天守に瓦を使ったのは安土城が初めて。その色も前例のない青。これは当時の人々にとってインパクトのある光景だったでしょう。

さて、青がキリスト教を象徴する色であることをご存じでしょうか。キリスト教世界では、数ある色の中で「神の色」「三位一体の色」として特に青を重視し、聖母マリアの羽織るマントや大天使たちの衣服などに青を用いてきました。織豊（しょくほう）政権期のキリシタン教会でも、そこで働く日本人信徒の服の色を青と規定しています。そして安土の町に建てられたセミナリヨの瓦の色も青だったのです。信長が特別に青瓦の使用を許可したもので、安土で青い屋根瓦の建物は安土城とセミナリヨだけでした。

図はヨーロッパで描かれた安土セミナリヨの想像図です。洋風のレンガ建築となっていますが、実際には、和風の木造三階建でした。

089 権力と美術⑦

清洲城から小牧城、そして岐阜城と拠点を移してきた織田信長。彼が天下取りの最終基地として新築したのが安土城でした。信長の意図は、その位置からも読み取れます。

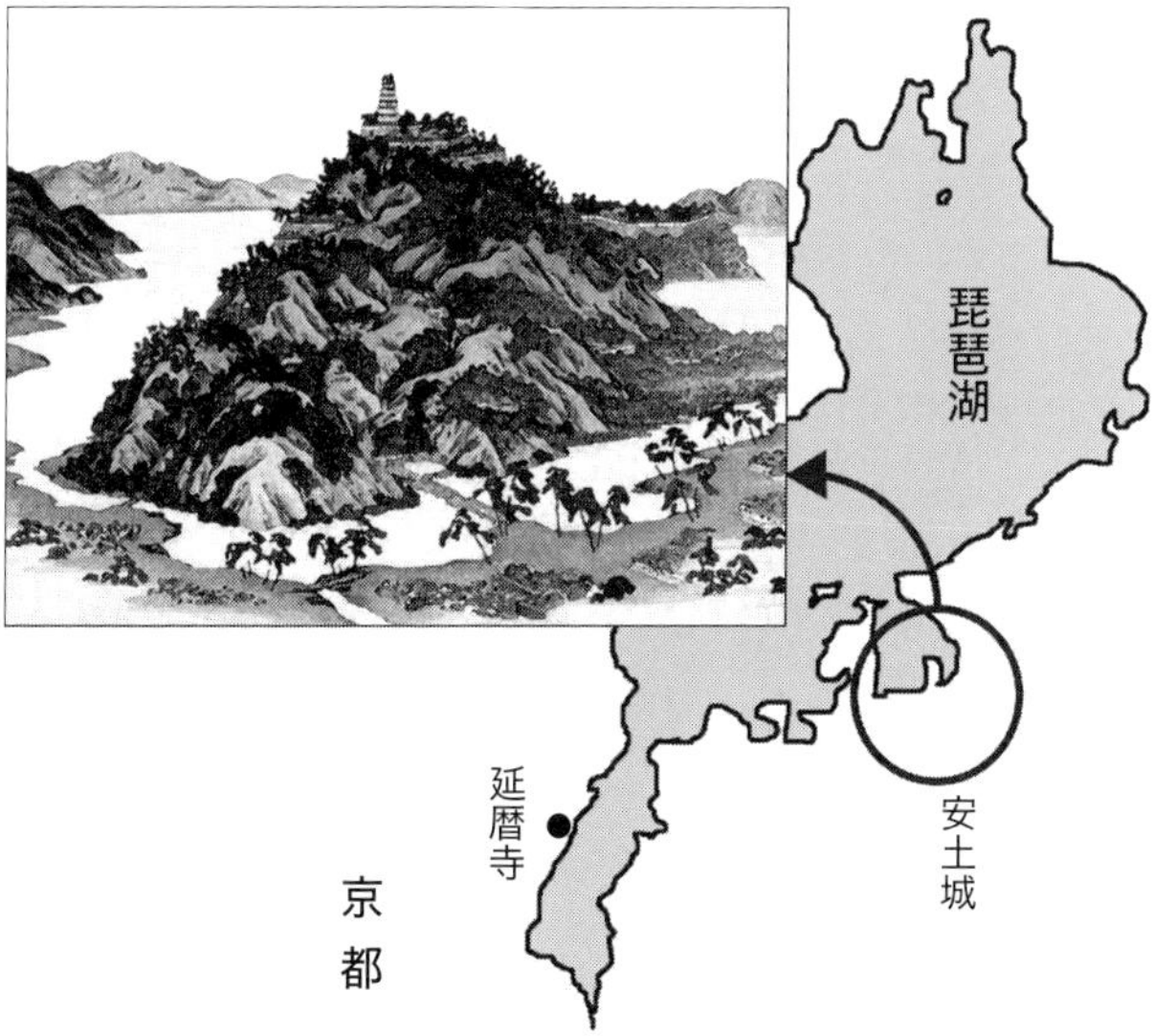

琵琶湖の東岸、少し引っ込んだ内海、そこに突き出すように安土城は建っています（図参照）。信長は六角氏の観音寺城を攻め落とし、この地を手に入れましたが、観音寺城は継承せず、隣接する湖中の山上に築城しました。安土の山は、観音寺城の山とわずかに繋がっているので、よく言えば半島、でも実質的には琵琶湖に浮かぶ島でした。江戸時代に描かれた安土城図（筆者模）は、城の描写は不正確ですが、山が湖中に浮かび、わずか二つの橋で陸と繋がる様子を、実景に忠実に描いています。

　信長がこの地を選んだ理由は、琵琶湖を南北に、対岸にと結ぶ湖上交通の要衝だったからといわれます。選地はそれでよいとして、単なる軍事拠点であれば、築城は観音寺城でよいはずです。わざわざ湖に突き出た半島上に建てたというところに、安土城の存在意義があるのでしょう。

　対岸にそびえる宗教権力の象徴・比叡山延暦寺、その西に国家権力の中枢・京都があります。それら旧来の権力と琵琶湖を挟んで対峙する。対決の意志を、目に見える形で天下に示したものが安土城でした。

090 権力と美術⑧

琵琶湖を挟み、旧権力との対決姿勢を天下に明示するためのシンボル、それが安土城でした。ならば信長は、いつ、どのような契機から、その構想を得たのでしょうか。安土の築城開始は天正四年（一五七六）です。でも、工事を始めるには、天主や周辺施設の全体設計、資材・人員の調達計画ができていなければならず、相当な準備期間が必要でしょう。

近年の研究によると、安土での築城を現地で表明したのは元亀元年（一五七〇）といわれています。この年の三月、安土の常楽寺で信長は相撲大会を催しています。近江国中の相撲取りを集めた盛大なものでした。この時から準備を始め、浅井・朝倉氏との戦い、比叡山の焼き討ち、長篠の戦いなど、たび重なる戦争を経て、六年後に着工となりました。

元亀元年の春に安土築城が決定したということは、それ以前に選地に関わる何らかの出来事があったということでしょう。筆者は、その出来事を、永禄十二年（一五六九）、岐阜城（図）に居を構えていた信長を訪ねてきたイエズス会宣教師ルイス・フロイスとの面会であると考えています。当時、天皇がバテレン追放を決定し、イエズス会は危機的状況にありました。決定を覆せるのは信長だけ。フロイスは、信長を前に、一世一代、起死回生のプレゼンをします。

091 権力と美術⑨

キリスト教の勝利の守護神、それは大天使ミカエルです。四九〇年のこと、イタリア東部の岩山、ガルガーノ山の山頂にミカエルが出現する奇蹟がありました。以来、ミカエルは「山頂に居る神」となります。七〇八年にフランス西岸の岩山にミカエルが出現し、モン・サン＝ミシェルの聖堂が建てられたのも、その流れからでした。後に、東方のガルガーノ山のミカエルは「十字軍勝利の守護神」となり、西方のモン・サン＝ミシェルは英仏戦争における「フランス勝利の守護神」となりました。

さて、一五六九年にルイス・フロイスは、岐阜城に織田信長を訪ねます。図は当時の岐阜城の想像復元図です。一枚岩の急峻な稲葉山の山頂に天主があり、山麓に壮麗な御殿がありました。信長は御殿で来客や家臣と接見し、普段は山頂の天主で暮らしていました。天主で起居した最初で最後の大名、それが信長でした。

「バテレンを追放せよ」という天皇の命令、それを引っ繰り返せるのは信長だけ。イエズス会の危機だけでなく、日本でのキリスト教布教の成否を決する重大局面。フロイスは乾坤一擲の覚悟で信長との会見に臨んだことでしょう。信長が心底求めているものを推測し、キリスト教とイエズス会が提示しうる最大限のオファーをする必要がありました。

092 権力と美術⑩

宗教が勢力拡大を図るとき、常套手段は「国家権力との一体化」であり、お題目は「王＝神」「国家の繁栄と守護」です。雲岡石窟の大仏群は「皇帝＝如来」の認識から皇帝そっくりに造られました。奈良の東大寺が莫大な国家予算を投じて造営されたのも、それが「護国之寺」であり、大仏が「日本の守護神」ゆえです。

ルイス・フロイスも、「世俗権力との一体化」が日本での布教に欠かせないと、岐阜で信長と面会した後『日本史』に記しています。信長の方もキリスト教の利用価値に気づいており、何者も立ち入れぬ山上の天主にフロイス一行を招き入れ、三時間の密談をしています。以後、バテレン追放は撤回、布教は進展します。

キリスト教布教の成否がかかった山頂での密談が『日本史』に記された世間話に終始したはずはありません。金華山山頂にいる信長こそ「日本の大天使ミカエル」であるというコンセプトとともに、信長が天下統一するために必要な戦略を、キリスト教と西欧文化のエッセンスを傾けて伝授したことでしょう。

信長は「岐阜城が諸外国の城と比較して見劣りするのではないか」と気にしていました。世界に誇れる壮麗な城を築くため、モン・サン＝ミシェルなどの西欧建築についても、議論は及んでいたはずです。

093 権力と美術 ⑪

信長やフロイスにとっての共通の敵、それは延暦寺や石山本願寺等の仏教勢力でした。キリスト教布教拡大は、その勢力掣肘（せいちゅう）の有効な手段となることも、フロイスのアピールポイントだったはずです。岐阜・金華山上での三時間の密談のなかでフロイスは、キリスト教内の同様な事例として、政治経済面で西欧中世を牛耳っていたテンプル騎士団が十四世紀初頭に弾圧された事実を、信長の参考に供することも可能だったでしょう。もちろん信長を「日本の大天使ミカエル」とおだてもしたはずです。後にフロイスは、比叡山焼き討ちの日がたまたま「聖ミカエルの日」だったことに驚喜しています。

岐阜城が世界の城に見劣りすることを気にしていた信長に、フロイスは、当時のヨーロッパ大聖堂の主流だった垂直性に特徴があるゴシック大聖堂の知識を伝授し、安土城の構想にヒントを与えたと思われます。安土城は城塞というよりは、信長を神にまつる高層神殿のようなものでした。ゴシック大聖堂も実は『旧約聖書』にでてくる「ソロモン王の神殿」を再現しようとしたものなのです。ソロモン王は大天使ミカエルの援助を得て神殿を完成させました。ちなみにテンプル騎士団の名は、エルサレムのこの神殿に由来しています。黄金に彩られていたソロモン神殿は、安土城の金箔瓦に影響を与えたと筆者は考えます。フロイスはキリスト教の重要なシンボル群を信長に教示したのだと思います。

094 権力と美術⑫

日本にキリスト教を伝えたイエズス会。それは、ポルトガルの東方進出と一体ゆえに、ポルトガルの組織と思われがちです。実際は一五三四年、パリ、モンマルトルの丘で結成された宗教集団でした。メンバーはパリ大学で神学を学んでいた学生たちで、イグナチオ・ロヨラ、ザビエルなど六人でした。指導的役割を果たしたのはロヨラです。もとは軍人で、スペイン、モンセラートのベネディクト会修道院での厳格な修道生活に感動し、宗教家に転じた若者でした。ですから、イエズス会には、イベリア半島的な面だけでなく、フランス的、ベネディクト会的、軍隊的な面が複雑に絡み合っています。

図は十五世紀前半のフランス写本に描かれたモン・サン＝ミシェルです。山頂にゴシック聖堂、上空には悪龍に向かって剣を振り上げる大天使ミカエルが描かれています。ミカエルはキリスト教の守護天使ですが、モン・サン＝ミシェルのそれは、イギリスとの百年戦争に勝利をもたらした「フランスとフランス王の守護天使」でもありました。

モン・サン＝ミシェルも、ベネディクト会の修道院です。イエズス会の思想の根幹を流れるフランス文化とベネディクト会の文化。それらが巡礼地としても名高きモン・サン＝ミシェルで交錯しているのです。

095 権力と美術⑬

慶長十九年（一六一四）十月、「大阪冬の陣」の直前のこと。豊臣方に加勢するため、一人のキリシタン武将が大阪城に入城しました。名を明石全登（てるずみ）といいます。徳川幕府によってキリスト教が禁止されていた当時、豊臣家だけはそれを許容していました。イエズス会宣教師の記録によれば、明石全登率いる隊列には、十字架やキリスト像とともに、「聖ヤコブ」を描いた幟（のぼり）がはためいていたといいます。

クリスマスや聖母マリアには、子供の頃から私たち日本人も馴染んでいます。でも、「聖ヤコブ」となると「さて誰だっけ？」という方が多いのではないでしょうか。ヤコブは、弟ヨハネとともにキリストの十二使徒のひとりです。ガリラヤ湖で漁師をしていましたが、キリストと出会い、弟子となりました。元漁師ヤコブの肖像が、なぜ日本の戦国時代の幟に描かれたのでしょうか。

図は、スペインにおけるヤコブの聖地「サンチャゴ・デ・コンポステラ」に祀（まつ）られている彫刻です。ヤコブは白馬に跨がり、剣を振り上げています。下方の人物たちは頭にターバンを巻いており、イスラム教徒のようです。ヤコブ像は普通、穏やかな聖人然とした姿ですが、ここでは漁師の面影ともかけ離れ、なぜか勇壮な白馬の騎士に変身しています。

096 権力と美術⑭

大阪冬の陣で豊臣方に「聖ヤコブ」の幟(のぼり)がはためいていました。ヤコブが大天使ミカエル同様、キリスト教の「勝利の守護神」だったからです。

ヤコブはキリストの十二使徒のひとりで、一世紀半ばにエルサレムで殉教した人物です。イスパニアで布教をしたという伝承があったので、イベリア半島がイスラム教徒に支配されていた中世期に、「レコンキスタ」(国土回復)の象徴としてキリスト教勢力が大いに喧伝しました。八一三年にガリシア地方でヤコブの墓が発見され(これも伝承)、そこがサンチャゴ(聖ヤコブ)巡礼の聖地となっています。

前回ご紹介した図は「サンチャゴ・マタモロス」(ムーア人殺しの聖ヤコブ)といいます。八四四年のグラビホの戦いで、白馬に乗った聖ヤコブが天から舞い降り、イスラム軍(ムーア人)を撃退したという伝承を表現したものです。中世期のキリスト教世界は、東のエルサレムと西のイベリア半島、東西両面でイスラム勢力と対峙していました。「異教徒撃退のシンボル」として、ミカエル以外にもう一人必要だったのです。

でも、撃退される側にとっては厄介です。図は「サンチャゴ・マタインディオス」。馬の下で横たわるのはインディオ。信長・秀吉の時代に中南米で起こっていたことです。

097 権力と美術⑮

まずは図をご覧ください。もちろん我が日本国の地図ですが、表記は「ポルトガル領日本」です。日本史のどこを探しても日本がポルトガルの領土となった事実はありません。

でも、日本史は日本人だけのものではないのです。十六世紀後半のヨーロッパでは、日本人の知らないうちに、立派にポルトガル領として認知されていたのです。

スペインとポルトガルは、一四九四年のトルデシーリャス条約により、世界を両国で二分支配することを決定し、ローマ教皇が承認していました。さらに一五七五年にローマ教皇グレゴリウス十三世が大勅書によって、日本がマカオ司教区の管轄下にあることを認定し、日本のキリシタン教会の保護者がポルトガル国王であることを確定しています。

ポルトガル領日本

これに呼応するように一五八〇年、イエズス会の巡察使ヴァリニャーノは長崎にポルトガルの要塞建設を指示し、一五八五年には日本準管区長ガスパール・コエリョがフィリピンのスペイン艦隊の日本への派遣要請をしているのです。

前回ご紹介した「サンチャゴ・マタインディオス」で馬の下で横たわるのはインディオでしたが、イベリア半島両国の計画が順調に進んでいれば、日本人に置き換わっていても不思議ではなかったのです。

098 権力と美術 ⑯

日本は、十六世紀ヨーロッパでは「ローマ教皇公認のポルトガル領」でした。もし軍事制圧されていれば、植民地と化していたわけです。「大航海時代」とは聞こえは良いですが、「先に見つけて制圧すれば領土」という、欧州列強の勝手なルールでの「領土獲得競争」でもありました。「見つける」側は楽しいでしょうが、運悪く「見つけられてしまった」側はそうはいきません。欧州から近かったアメリカ大陸のインディオたちは悲惨な目にあったわけです。

日本はある意味ラッキーでした。欧州から最も遠い「極東」に位置し、また戦国時代だったからです。軍事大国日本を、遠く欧州から直接制圧するのは非現実的だと、ポルトガルもすぐに理解しました。

さらに、欧州も転換期にさしかかっていました。全盛を誇った海洋帝国ポルトガル・スペインに、新興勢力オランダ・イギリスが挑戦してきていたのです。スペインは一五八八年の「アルマダの海戦」でイギリスに破れ、一六〇七年の「ジブラルタルの海戦」でオランダに破れました。

ポルトガルも、スペインやオランダとの戦いで疲弊していきましたが、一七五五年に決定的なダメージを負います。図をご覧ください。建物は崩壊し、大津波が押し寄せています。リスボン大震災です。

099 権力と美術⑰

いかなる権力にも栄枯盛衰があります。人知で制御可能なら「枯・衰」は努力で未然に防げます。でも、相手が地球となると厄介です。ヨーロッパは「地震と無縁」の印象ですが、たまに大地震があるようです。一七五五年にイベリア半島を襲った地震では、ポルトガルの首都リスボンが壊滅的打撃を受けました。

図の左の海辺、ドームを持つ大きな建物が崩れています。ポルトガルの王宮です。地震と津波がこうした建築群を崩壊させ、多くの人命を奪いました。海洋帝国ポルトガルは、艦船と港湾設備も失い、世界史の表舞台から退場していきました。

同じく、イエズス会もポルトガルから追放されてしまいます。地震の日がカトリックの祭日で、教会に集まっていた多数の信者が瓦解した教会の下敷きになり亡くなったからです。「神はあてにならない」ことが証明されてしまったのです。これがヴォルテールやルソーなどの啓蒙(けいもう)思想の発展を促すことになりました。

最近日本の報道では、首都直下型地震が遠からず起こるといわれています。国家財政は火の車、東日本大震災の痛手、ここに首都圏壊滅(かいめつ)が加われば、日本史上最大の危機となるはずです。「想定外」ではすまされぬ、国家存亡の瀬戸際に、いま私たちは立たされているのです。

100 最終回　権力と美術⑱

第二次世界大戦のヨーロッパ戦線、その山場は「ノルマンディ上陸作戦」でしょう。イギリスに陣取った連合軍とフランスを制圧したドイツ軍が英仏海峡をはさんで対峙しました。連合軍の上陸地点がカレーかノルマンディかで、ドイツは迷いましたが、結局カレーを予想して失敗しました。この戦いは、主役こそ異なりますが、歴史上何度も繰り返された英仏戦争の現代版といってよいでしょう。

ノルマンディやブルターニュは、フランスの都パリから遠く、英仏の戦争ではイギリスの拠点となることが多かった地域です。それだけに戦闘の中心地ということもできます。その喉元にあるのが、フランスの主護神・大天使ミカエルの聖地、モン・サン＝ミシェルです（図参照）。

ヨーロッパ中から多くの巡礼者を集めただけでなく、カール大帝、聖王ルイ、シャルル六世、シャルル七世、ルイ十一世、フランソワ一世など歴代のフランス王もここに参詣しています。ヨーロッパは複雑で広大ですが、百年戦争当時の英仏両国の視野は、この図の範囲内に絞られていました。

狭い海をはさんでの対峙。これとよく似た図を第八九回でご紹介しました。琵琶湖を挟んでの信長と旧権力との対峙です。琵琶湖の西側の旧権力と、東側から京都へ攻め上ろうする東国大名たち。彼等が染め上げていた当時の日本の政治状況が、欧州における英仏の関係に酷似していることを、パリで結成されたイエズス会、その中心メンバーだったザビエルや、フロイスほかの宣教師たちは当然気づいていたはずです。

以前（第八六回）、織田信長が建てた安土城のモデルはモン・サン＝ミシェルであると書きました。権力の統合や興隆のためには、強力な政治的シンボルが必要です。たとえば奈良の大仏、サン・ピエトロ寺院、自由の女神のようなものです。宣教師たちがキリスト教日本布教の援助を戦国大名たちに要請するとき、提示するインセンティブは鉄砲だけでなかったはずです。ハードのみならずソフト、つまりあらゆる文化的ツールも用いたと考えられます。日本の守護天使をミカエルとしたり、大坂城に聖ヤコブの幟がはためいていたり、キリスト教や西洋の文化が日本の権力の興隆・護持につながることをアピールしたことでしょう。

信長が岐阜城でフロイスを謁見したとき、諸外国の城と比べて見劣りするのではと信長らしくもなく卑下していました。彼が西欧の建築に興味を持っていた証拠です。おそらくフロイスは、ここぞとばかりに、信長を日本のミカエルと讃え、百年戦争勝利のシンボルであるモン・サン＝ミシェルの情報も伝えたと私は想像しています。

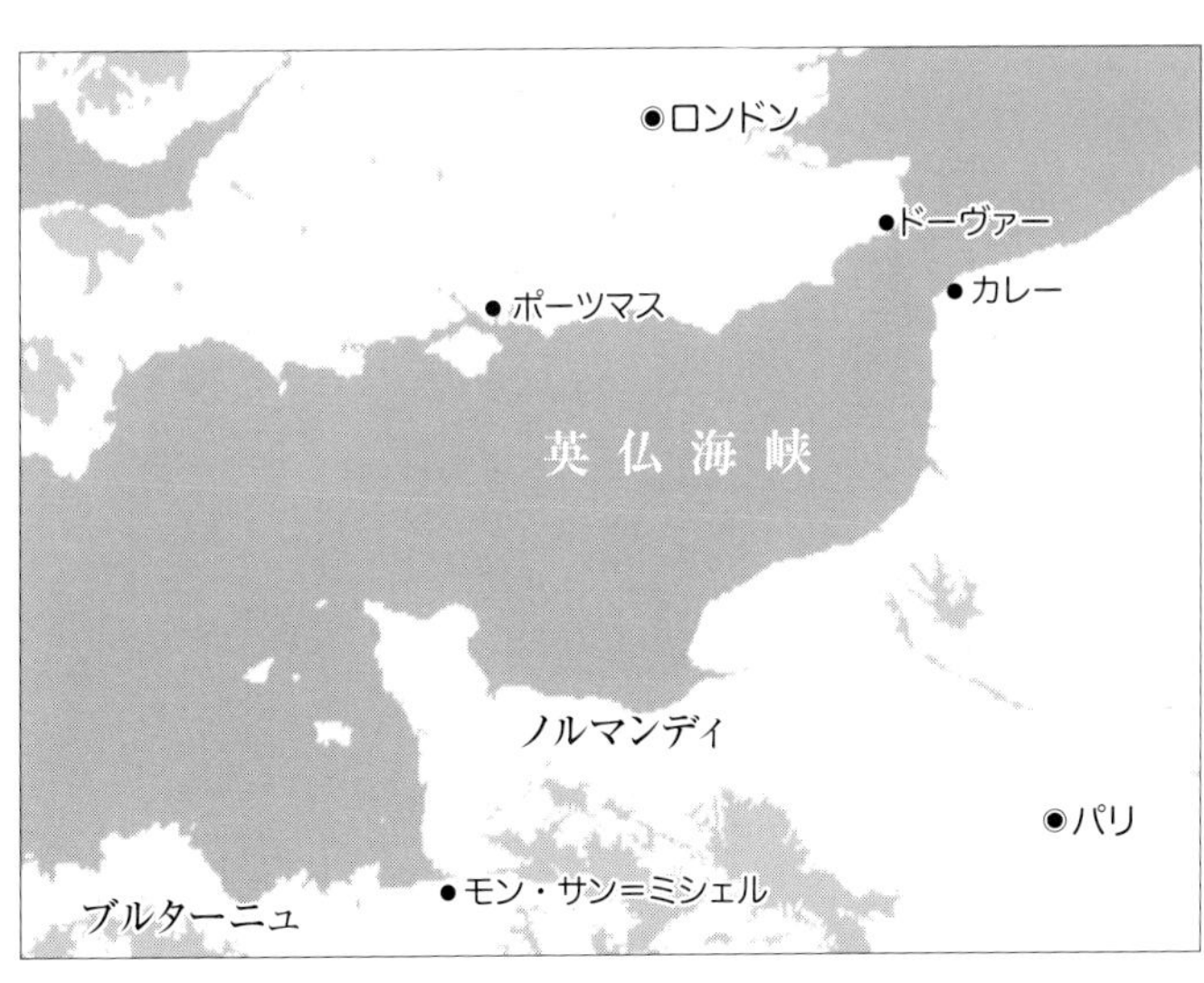

ところでこの時期、キリスト教会での日本人によるストーリー性豊かな宗教劇が人気を博していました。それが歌舞伎の成立にも影響を与えたことが近年指摘されています。もちろん小唄踊りなど、歌舞伎の基礎となった旧来の芸能はありますが、大きな変革にはトリガーとなるようなインパクトのある事象が必要です。進取の精神に富んだ信長は、安土城の構想に、西欧からの情報を盛り込んでいたのではないでしょうか。

さて、この連載も気がつけばちょうど百回。『書道界』の読者の皆さまと、八年余りのお付き合いをさせていただいております。アジアの図像世界を自由に飛び回る楽しい日々、私にとってこの上なく幸せな経験となっております。奇想天外、驚天動地の愚説の開陳（かいちん）はまだ続きます。

読者の皆様、どうぞこれに懲（こ）りませず、今後ともよろしくお付き合いのほど、お願い申し上げます。

101 金閣幻想と五台山①

一八五八年、フランス南部の洞窟で、ひとりの少女の前に聖母マリアが出現しました。洞窟前からは泉も湧き出し、その水を飲むと諸病が平癒(へいゆ)する奇蹟も起きました。「ルルドの聖母・泉」として語られるその洞窟はキリスト教の聖地となっています。

こうした幻視体験と奇蹟を、もし私たちが軽々にカミングアウトすれば、休養を勧められたり、カルトとして危険視されたりもするでしょうが、宗教世界では神の存在の証として肯定的にとらえられます。古来、美術が表現してきたものの多くは、こうした幻視と奇蹟でした。ダ・ヴィンチやエル・グレコの絵画、バロック芸術、日本の絵巻物や浄土図などを想起すればよいでしょう。

図はもちろん京都の金閣寺です。日本美の極致ともいわれ、三島由紀夫の小説とあいまって、世界中に知れ渡る名建築です。この金閣出現の背景に、筆者は仏教的幻視が存在すると考えています。

現状の金閣は、一九五〇年に焼失後、明治期の資料をもとに再建されたものです。二層・三層が金色に輝くその姿は、まことに美しくはありますが、実は一試案による復元であり、絶対的なものではありません。あまり知られていませんが、創建時から江戸期まで、金色に輝いていたのは三層のみだったのです。

102 金閣幻想と五台山②

まずは図をご覧ください。右側は明治期の金閣です。観光客が二階から池を眺めています。彼等は一階から上がったのではありません。右に見える高い渡り廊下を通って別棟から移動してきたのです。江戸末から明治にかけて、このような渡り廊下が設置されていたようです。

これは金閣の東側に接続していますが、実は創建当初の金閣には、北側に「複道」という二階建ての渡り廊下が接続していたことが記録に残されています。『門葉記』が引く一三九八年（創建年）の「安鎮法御斎文」、『臥雲日件録』の一四四八年条、『翰林葫蘆集』に載る一五〇七年の足利義満百年忌の文がそれで、信頼に足る記録といってよいでしょう。すでに川上貢氏や宮上茂隆氏などの研究者がこうした指摘をしています。

二階建ての渡り廊下は中国庭園建築の基本アイテムで、中国では珍しいものではありません。「複廊」といい、図の左側のように二階と二階をつなげ、池を空中から見下ろしたり、池上に渡して空を飛んでいるような感覚を楽しむための工夫です。足利義満は中国趣味をふんだんに盛り込んで北山殿（のちの鹿苑寺）を造営しました。おそらくは、複廊を通ることにより空にも昇るような気分を演出し、金閣を空中楼閣に見立てていたのではないでしょうか。

103 金閣幻想と五台山③

足利義満が建てた金閣。その北にあった天鏡閣（てんきょうかく）との間は、壁のない複道、つまり二階建ての楼廊でつながっていました。『臥雲日件録』では「往来する人は空中を歩いているようだ」とあり、景徐周麟（けいじょしゅうりん）は『翰林胡蘆集』に「虹が空に架かっているようだ」と記しているので、金閣への道は、周囲を見下ろしながら、空を飛ぶような気分で向かう演出がなされていたのです。

当時の日本建築は平屋が基本で、二階建は珍しく、三階建以上となると仏塔以外は絶無でした。ですから、いまの私たちの感覚とは異なり、上から見下ろす経験は極めて新鮮な感動を受けるものだったはずです。一五六五年にここを訪れたルイス・フロイスの記録によれば、義満は金閣から池や庭園全体を眺め、気が向けば二階から釣り糸を垂らして楽しんでいたといいます。「空の上から魚を釣る」という余人には叶わぬ贅沢を味わっていたのでしょう。

図は金閣三階から池を眺めたものです。手前の小島は左が鶴島、右が亀島。鶴亀に見立てた日本庭園に必須のアイテムです。その向こうの大きな島は通称「葦原島（あしはらじま）」と呼ばれる中島です。金閣からの眺望の主役で、「日本国」を象徴しているものだといわれています。義満は金閣から日本全体を睥睨していたのです。

104 金閣幻想と五台山④

図をご覧ください。中国の世界遺産雲岡石窟です。「金閣寺の話をしていたのに何の関係があるのか」とお思いでしょうが、大有りなのです。足利義満は応永元年（一三九四）に突然、将軍位を九歳の義持に譲り、翌年には出家してしまいます。さらにその翌年、北山殿（鹿苑寺）を建てて移居し、院政方式で政治を牛耳り、日本国王として君主の如く振る舞いました。

あまり知られていませんが、応永十一年（一四〇四）、義満は北山殿に高さ一〇〇メートルの七重塔を建てています。ですから金閣と高層塔の二つが、北山殿でとくに目を引くモニュメンタルな建物だったはずです。

義満は生前、朝廷から「法皇」の扱いを受けていました。そして死後に「太上法皇（上皇）」の尊号が贈られることまで検討されていました。

こうした義満の一連の行動、つまり幼児への譲位、出家と院政、北山殿の創建、七重塔の建立、上皇の尊号贈呈の検討といった行動の背後には、義満がモデルとした中国の人物の影響があります。それは「北魏の献文帝」という人です。北魏は遊牧部族の拓跋族が建てた王朝で、北から中国に侵入して大同に都を置き、献文帝のころには、さらなる南下を目論んでいました。雲岡石窟はその当時造営された石窟なのです。

105 金閣幻想と五台山⑤

鹿苑寺を解説した諸書には、三国時代の魏の文帝（曹丕）が「崇光宮に建てた鹿苑寺」が義満の北山殿のモデルであり、魏の文帝が「長安の北台に建てた七重塔」にならい北山殿に七重塔を建てた、と書かれています。でも、それは間違いです。曹魏の時代に仏教はさほど普及していませんでした。『翰林葫蘆集』等に記される「魏の文帝」とは、「北魏の献文帝」という中国史上まことにマイナーな皇帝のことなのです。なぜ義満ほどの男が、そんなマイナー皇帝を自身のモデルと崇めたのでしょう。

義満が献文帝を知ったのは、北山殿を造る十五年前、永徳二年（一三八二）のことです。まだ二十五歳だった義満が高僧・義堂周信に質問します。「釈迦が（インド・サールナートの）鹿野苑で初説法したことに因み、寺を建て、寺名を鹿苑としたいのだが」。義堂は、「絶好です。中国にも同名の寺があります」と答えました。その「中国の鹿苑寺」を建てたのが献文帝です。場所は北魏の首都平城（大同）で、さらに献文帝は平城に永寧寺を造営し、高さ一〇〇メートルの七重塔を建てました。

義満の仏寺建立の願いは、まず相国寺として結実、自分の修行場として鹿苑院を併設、一〇〇メートルの七重大塔も建てました。図は、サールナート出土の初説法をする釈迦像です。

106 金閣幻想と五台山⑥

北魏は書の世界ではメジャーな王朝です。雲峯山の鄭道昭の摩崖碑文、龍門古陽洞の石刻銘など、独特の風格をもつ書を生み出した時代でした。ただし、そうした評価を得るのは、中国でも近世以降で、長くマイナー王朝に位置付けられていました。

一方、仏教史の面では極めて重要な時代なのです。足利義満が目をつけたのはそこでした。遊牧民の拓跋族が平城に都を置き、北朝の基礎を固め、「仏教立国」で国家を運営しました。『二十四史』の中で仏教史に一章を割いたのは『魏書』だけです。南朝も仏教崇拝では負けていませんが、日本の南朝同様、所詮は滅亡した王朝であり、義満にとっては取るに足らぬものでした。

平城
鹿苑寺
永寧寺七重塔
雲崗石窟
五台山

洛陽
永寧寺九重塔
龍門石窟
嵩山少林寺

図をご覧ください。北魏は平城時代に雲崗石窟を造営し、五台山を文殊信仰の聖地としました。献文帝が鹿苑寺や永寧寺七重塔を建てたのはその頃です。献文帝の子・孝文帝が洛陽に遷都し、雲崗石窟に代わる龍門石窟を造営しました。五台山信仰を維持しつつ、新来の禅宗のために嵩山に少林寺を建て、禅宗興隆の基礎も築いたのです。少林寺での「達磨の面壁」は学問的には伝説の類ですが、大事なことは室町時代には事実と認識されていたということです。重要なのは、当時の人々に目に、世界がどう映っていたかです。

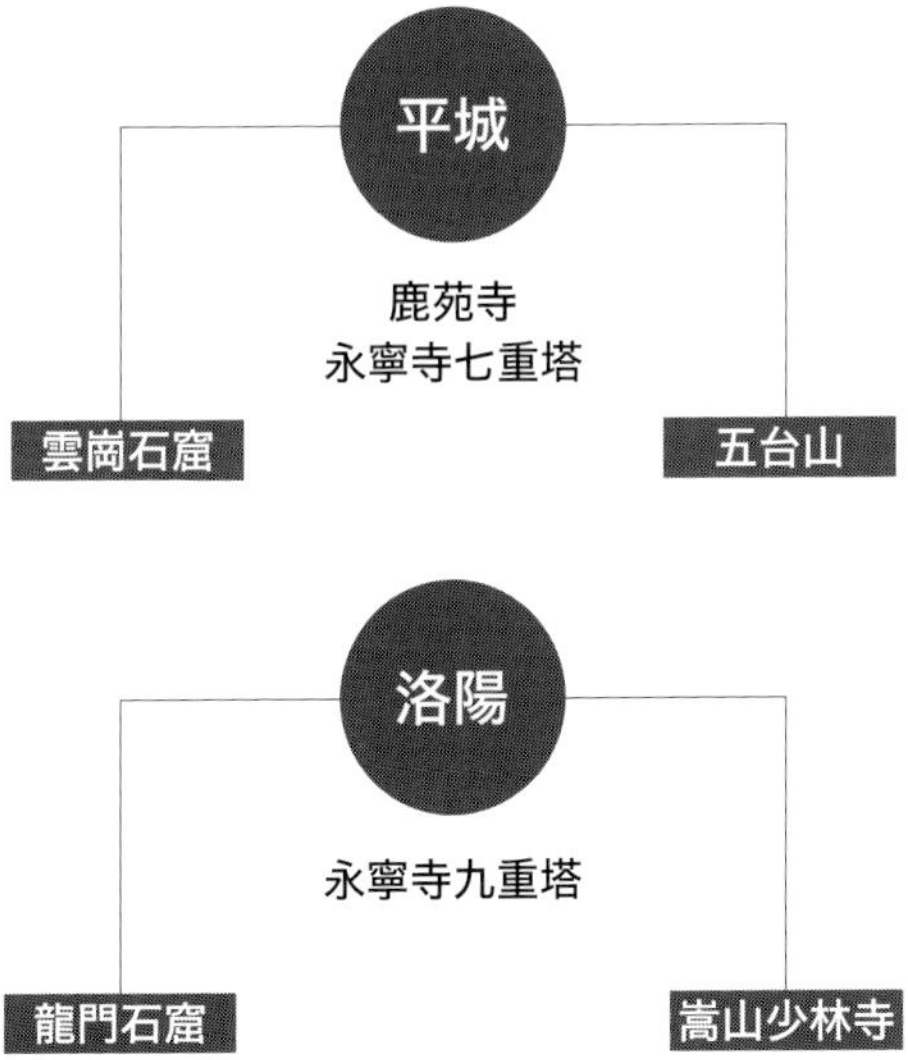

107 金閣幻想と五台山⑦

四七一年、北魏の献文帝は、当時わずか四歳の息子（孝文帝）に譲位し、平城の鹿苑寺に隠居しました。禅道修行に励んだことになっていますが、これは建前。幼帝に不安を抱いた臣下たちが献文帝に「太上皇帝（上皇）」の号を贈り、引き続き国政を担ってもらったのです。献文帝は中国初の上皇であり、日本の上皇（太上天皇）や院政の起源となっています。十二歳の義持に将軍職を譲り北山殿に隠居して上皇気取りの足利義満が、自己のモデルとしたのが、この献文帝です。相国寺七重塔が消失するとすぐに北山殿に七重塔を再建したのも、献文帝の永寧寺七重塔の模倣を維持したかったからです。

義満は日本の南北朝統一を達成しましたが、中国の南北朝も意識していたようです。中国の南北朝は、漢民族王朝から遊牧部族系王朝（北魏・隋・唐）への移行で終結します。皇位簒奪を計画したとして悪評高い義満は、自身が天皇になろうとしたのではありません。次男の義嗣を天皇にし、従来の天皇・公家に代わる武家系（足利家）天皇を誕生させようと画策していたと思われます（図）。

漢民族王朝の権威ある都洛陽に首都を置いた初の遊牧部族王朝北魏は、日本では室町幕府にあたり、京都（雅名洛陽）で武家系天皇を誕生させるという構想だったのです。

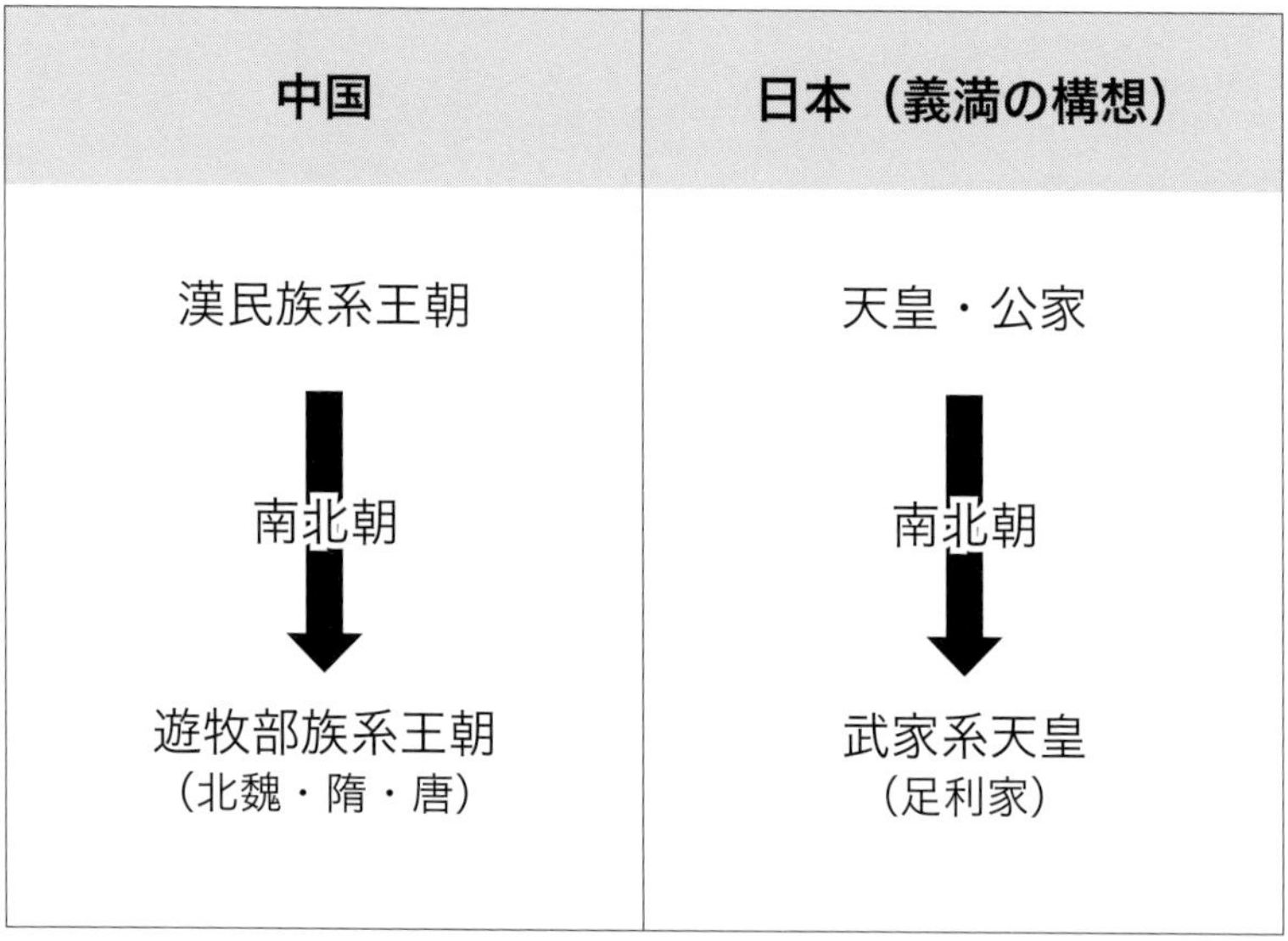

中国	日本（義満の構想）
漢民族系王朝	天皇・公家
↓ 南北朝	↓ 南北朝
遊牧部族系王朝（北魏・隋・唐）	武家系天皇（足利家）

108 金閣幻想と五台山⑧

鹿苑寺金閣の正式名称はもちろん「舎利殿」。派手な見た目とは裏腹に、釈迦の遺骨を納めるための建物です。足利義満はその舎利をどこから手に入れたか、御存知でしょうか。鎌倉の円覚寺なのです（図は舎利殿）。

鎌倉幕府の三代将軍・源実朝は少し変わった人物でした。自身が中国に渡り仏寺を参詣する計画を立て、船まで造らせました。計画は頓挫しましたが、代わりに使節を南宋に送り、貴重な仏舎利（釈迦の歯）を手に入れたのです。

舎利のような聖遺物は、存在としての神聖性だけでなく、驚異的な呪術パワーを持つと信じられていました。所有する人物に長寿や栄華を、一族や王朝には繁栄をもたらし、侵略を図る外敵を撃退する力さえ持つというのです。実朝が手に入れた舎利は、元寇の撃退に一役かったともいわれています。北条時宗は元寇の直後に円覚寺を建て、息子の北条貞時がこの舎利を円覚寺に奉納しました。北条氏の繁栄と国家平安をもたらす護符としたのです。

霊力際立つ円覚寺の舎利は、権力者垂涎の的でした。円覚寺は、後醍醐天皇などの献上要求を拒否し続けましたが、権勢に物を言わせる義満の要求を拒むことはできませんでした。義満が金閣に込めた思いの一端がご理解いただけるでしょう。

109 金閣幻想と五台山⑨

舎利殿である金閣は、なぜ金色なのでしょうか。理由のひとつが「舎利と金色の結びつき」にあります。

仏教は釈迦が創始した宗教です。しかし、時代が下ると大日如来が説いたという「密教」が生まれ、従来の仏教は「顕教」と呼ばれるようになりました。仏教信者は率直な疑問を抱きます。「釈迦と大日、どちらが偉いのだろう?」。

この矛盾の解決策が、釈迦の遺骨でした。舎利は金色の光を放つ至高の仏「一字金輪仏（いちじきんりんぶつ）」と同体であり、一字金輪仏はさらに「釈迦金輪像」と「大日金輪像」という二種類の姿に変身して人々を救済するというのです（図参照）。つまり、密教と顕教は根本において同じであることが舎利によって保証されるわけです。

一字金輪仏は、便宜上「屋上屋（おくじょうおく）を架（か）す」存在として創作されたものですから、実際に仏像に造られたり描かれたりすることは稀で、舎利で代替される場合がほとんどです。聖遺物である舎利の放つ金色の光は、仏教界の最高存在の証であり、金閣はその象徴といえます。

金閣の前には池が広がり、そこに浮かぶ葦原島は日本を表していることは前述しました。足利義満の意図は、仏の偉大な力によって守護され繁栄する日本の姿の形象化と、仏と自己の一体化だったのです。

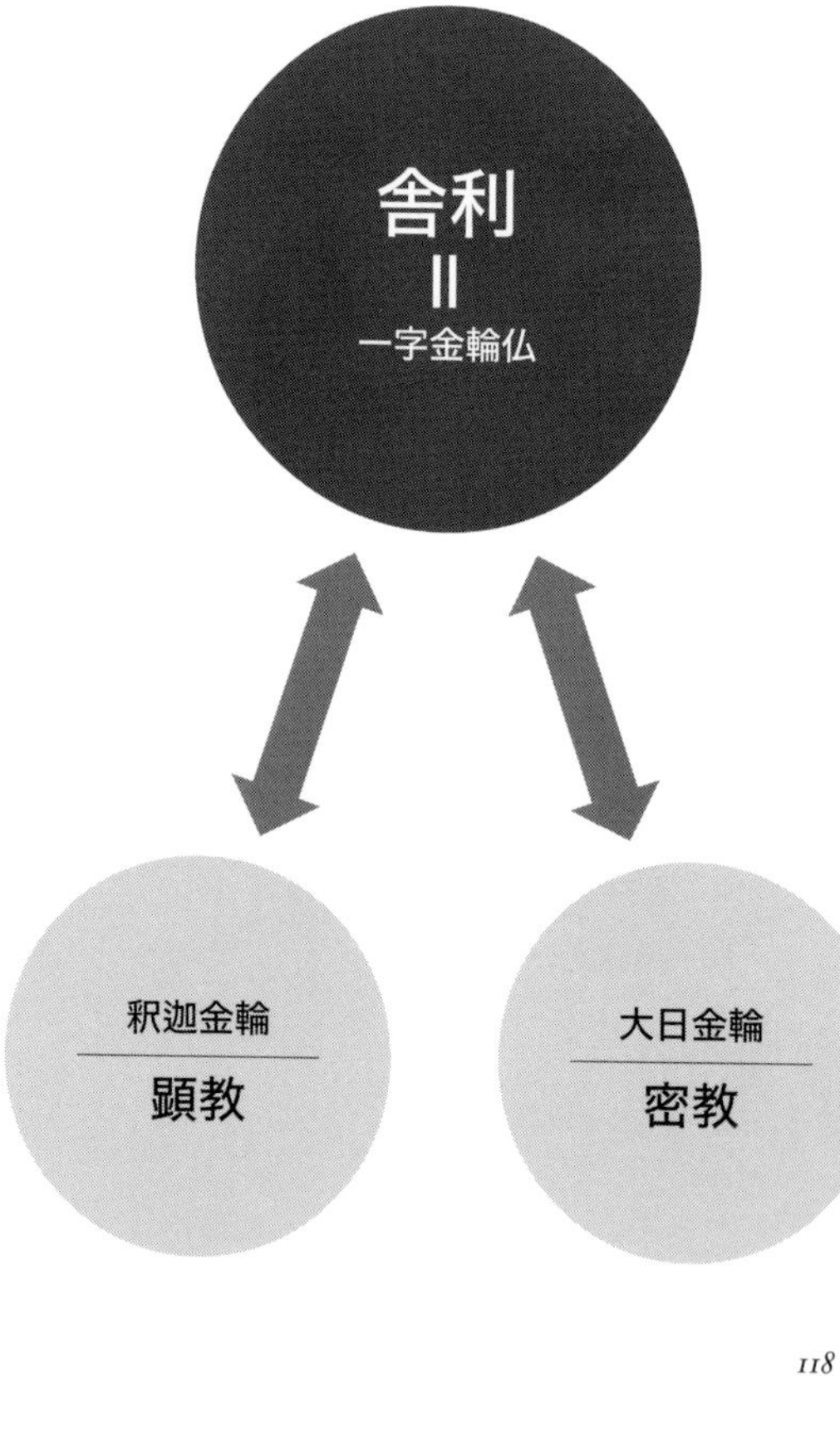

舎利
Ⅱ
一字金輪仏

釈迦金輪
顕教

大日金輪
密教

110 金閣幻想と五台山⑩

足利義満が「政権構想と人生のモデル」としたのが「北魏王朝と献文帝」だと以前に述べました。図は中国の九朝の都洛陽と北魏の首都平城（大同）の位置関係を、京都の御所と足利義満の執政邸・相国寺と対応させたものです。相国寺は献文帝が建てた平城の永寧寺、北山殿は献文帝が院政を行った平城の鹿苑寺にあたります。義満の位置取りは、遊牧部族王朝北魏が漢民族の古都に迫る形勢に一致していることをご理解いただけるでしょう。

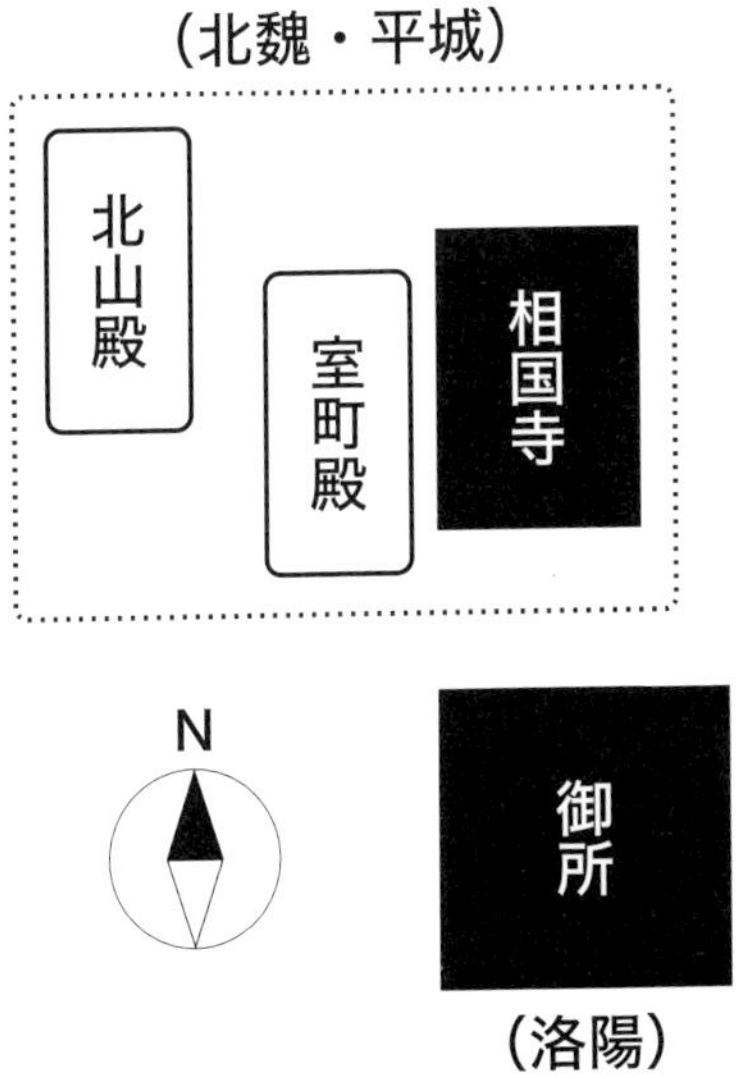

（北魏・平城）
北山殿
室町殿
相国寺
N
御所
（洛陽）

五台山清凉寺

図の左端、御所の西にある「五台山清凉寺」とは、平安時代後期の僧奝然ゆかりの嵯峨野清凉寺です。奝然は京都の北西部、嵯峨野から愛宕山にかけてを中国山西省五台山に見立て「日本の五台山」にしようとしました。比叡山が「日本の天台山」であることと同じです。日本人の深層心理には「憧れの国との一体化」という欲求が潜んでいるのです。

もちろん五台山は、北魏王朝が育て上げた仏教の聖地です。そこに文殊菩薩が住んでいて、会うこともできるといわれ、実際、五台山では文殊の実在を確信させる不思議な現象が多発したため、中国はもちろん、仏教の本場インドからも巡礼者が訪れるようになりました。奈良時代から室町時代の日本人が是非訪れたい聖地、それが五台山でした。

111 金閣幻想と五台山⑪

北魏が育てた仏教の聖地五台山。そこに文殊菩薩がいると信じられたのは、『華厳経』という経典の記述と、五台山で多くの人々が体験した幻視の影響です。「仏が実在する証」とされた幻視の実態は、ほとんどが太陽光の屈折現象といえます。

日本人僧侶の円仁や成尋が実見し記録した「五色雲」は、「彩雲」という現象です。空気中の水蒸気の粒を通過した光スペクトルが、背景の白雲で明確化したものです。虹は太陽の反対側にアーチを描きますが、彩雲はまだらで太陽側にも現れます。

五台山では「金橋」出現の記録も多く、敦煌壁画にも描かれています（図右）。仏の世界に人々を導いてくれる黄金の橋が空中に現れるという、仏教徒にとっては夢のような奇跡です。これも「環水平アーク」（図左）という現象にほかなりません。空気中の氷の粒（平たい六角柱）の中で屈折した光が水平に広がるのです。虹はアーチ状ですが、環水平アークはまさに七色の橋です。下が青色、真ん中が黄色なので、水上に架かった黄金の橋に見えるのです。

「目に映るものが何に見えるか」は、その時代の文化や個人のメンタリティーが決定します。篤実な仏教徒には仏教がらみの物に見えますし、現代人ならUFOの仕業か地震の予兆といったところでしょう。

112 金閣幻想と五台山⑫

文殊菩薩が実在すると信じられていた仏教の聖地五台山。そこで起こる「環水平アーク」という自然現象を、仏教徒は現世から浄土への架け橋「金橋」の出現と認識しました。日本人の憧れの地でもあった五台山には、金橋幻想のイメージがまとわりついていたのです。

この金橋幻想は、日本の室町時代から桃山・江戸時代初期にかけて流行した「柳橋図（りゅうきょうず）屏風」（図、筆者模）という作品に、影響を与えています。京都の宇治川に架かる宇治橋を「浄土への橋」に見立て、金色に描き上げた豪華な屏風絵です。平等院鳳凰堂が建てられた宇治は、景色の美しさから平安時代以来「この世の浄土」とみなされていたからです。

また宇治橋には、恋人を待ち焦がれる女「橋姫」の民俗伝承と、『源氏物語』宇治十帖に登場する三人の姫君の悲恋イメージも重なっていました。そうした女性たちを柳で象徴し、黄金の橋と柳をモチーフにして「愛と救済」をテーマに、桃山時代に相応しい華麗な屏風に仕立て上げられた作品、それが柳橋図屏風なのです。

五台山の金橋は、浄土思想の日本への架け橋となっていました。さらに日本では、橋が「出会いと別れの場」であることから、叶わぬ愛への心の架け橋、『源氏物語』の「夢の浮橋」へと昇華していったのです。

113 金閣幻想と五台山 ⑬

目に映ったものが何に見えるかを決定するのは、文化や人の経験知であり、現象そのものには本来なんの意味もありません。現代の情報通信技術の基礎を築いたクロード・シャノンは、「意味」とは「情報の関連付け」に他ならないと喝破しました。

五台山で「浄土へ架かる金橋」と解釈された奇跡、その実体は、太陽光が空気中の氷の粒で屈折して起こる環水平アークという現象でした。

こうした光学現象の代表は虹でしょう。雨上がりなどで空気中の水滴の直径が大きいとき、太陽光が屈折反転して虹が形成されます。霧や雲の場合は、水滴の直径がずっと小さいので、虹ではなくブロッケン現象がおこります（図左）。円形の光の中に人の影が映し出されるもので、山岳地などで稀に見ることができます。

人が手を動かせば影も同じ動きをします。その様子が、影となった人物の前方の霧や雲に輝かしく映し出されます。かなり広い範囲から多くの人が目撃することになるのです。

仏教徒にとってブロッケン現象は、生きた仏が後光とともに眼前に出現したように見える、強烈なインパクトを与える奇跡でした。五台山では、文殊菩薩が実在する証として尊ばれ、多くの巡礼者を引き寄せたのです。敦煌壁画の五台山図でも、「通身光」（図右）として描かれています。

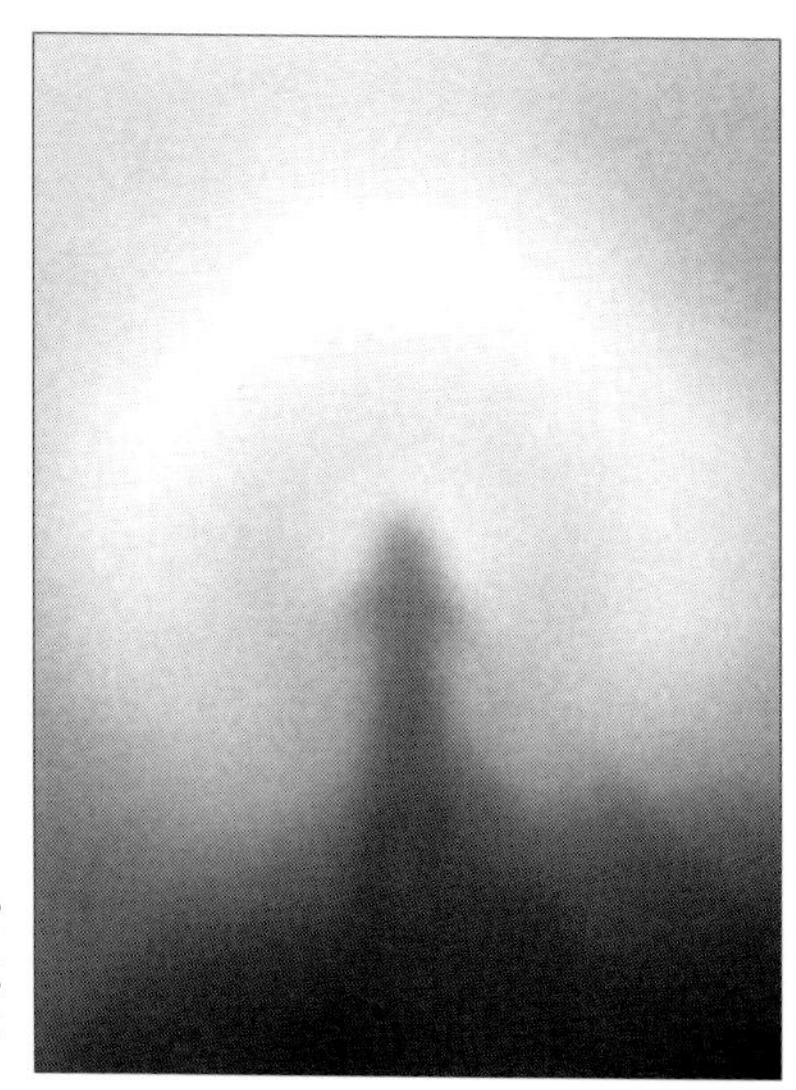

114 金閣幻想と五台山⑭

山西省の五台山は、丸くなだらかな山頂をもつ海抜三〇〇〇メートル級の峰々が連なる高地の総称です。そこでは空気中の水分は凍り、平たい六角柱状の細かい粒になります。この氷の粒が太陽光を屈折させ、多様な光学現象を引き起こします。すでに環水平アークやブロッケン現象をご紹介しましたが、それだけではありません。図（右上）では、人々の前に光の柱が現れています。「サンピラー」と呼ばれる現象です。上空にある太陽の光が氷粒の屈折によって下方に縦長に展開されるものです。寒い時期に高山などでときどき見られます。仏教信者が「通身光」（前回参照）と解釈した現象の有力候補として、これも挙げておきます。

図（下）は「幻日（げんじつ）」という現象です。やはり氷粒の屈折によって太陽の左右、少し離れた空中に小さい太陽光が現れます。氷粒は観察者の近くにありますから、遠景の雲をバックに不思議な光が出現することになります。敦煌石窟の五台山図壁画には、雲に乗った円光（えんこう）の図が描かれており（図・左上）、筆者は幻日の仏教的解釈であろうと考えています。

信仰心を欠く即物的な見方ではありますが、宗教的幻視体験の多くは、こうした自然現象が原因となっていると筆者は考えているのです。

115 金閣幻想と五台山⑮

幻視体験の記録に満ちた山、それが五台山です。「金橋出現」「通身光」「円光」「五色雲」など、光学現象に起因するさまざまな奇跡が、文殊菩薩実在の証として人々を感動させました。そして仏教の発祥地インドから遠く離れた中国に、新たな仏教聖地が誕生したのです。

以来、千五百年もの長きにわたり、中国国内のみならず、本場インドや東南アジア、朝鮮や日本などからの巡礼者があとを絶たない状況となっています。

さて、日本の金閣寺についてのお話をしていたはずが、いつしか中国五台山の不思議な自然現象と幻視の関係の説明になってしまいました。実は、この五台山の幻視こそ、鹿苑寺金閣を生み出した原因なのです。いよいよ本題に入りましょう。

図は敦煌壁画に描かれた五台山図の一部です。「道義蘭若（どうぎらんにゃ）」と記された精舎（しょうじゃ）の中庭で、白い衣を来た老人と、頭部から円光を放つ菩薩が向かい合って坐っています。おそらく文殊菩薩との奇跡的な出会いを描いているのでしょう。「道義」とは、唐時代に実在した僧侶の名です。五台山史上最大の幻視体験をした人物で、その幻視が後に日本の鹿苑寺金閣とつながってくるのです。この関係については、近年の金閣寺研究の進展により、明らかとなりつつあります。

116

金閣幻想と五台山⑯

幻視体験の山・五台山に「金閣寺」という名の寺があることを御存知でしょうか。唐時代創建の由緒ある寺で、円仁をはじめ日本の遣唐留学僧たちも訪れています。五台山の諸寺のなかでもひときわ有名で、敦煌壁画では南台の横に「大金閣之寺」（図）として大きく描かれています。二階建ての本堂を中央に、三階建ての楼閣を左端に配し、寺内の四人の僧侶と同様、二人の巡礼者も寺外から手を合わせています。五台山金閣寺は、道義が体験した金閣幻視がきっかけとなり、唐朝皇帝の肝煎りで建立されました。前号でご紹介した「道義蘭若」はこの金閣寺のすぐ脇に描かれているのです。

さて、「五台山金閣寺が京都鹿苑寺金閣のモデルである」といったらどう思われるでしょうか。眉唾（まゆつば）の極みとドン引きされるかもしれませんが、近年、湯谷祐三氏が両者の密接な関係から鹿苑寺金閣の成立前提を考察する画期的論考を発表されて以来、俄然注目を浴びている説なのです。

金閣幻視の僧侶の名「道義」は、足利義満の道号でもあり、戒名（鹿苑院天山道義）でもあるといえば、少しは「おやっ?」と思っていただけるでしょう。さらに、唐朝滅亡の危機迫る安史の乱や、西域の僧侶不空（ふくう）による密教の普及活動もからむ展開が控えているのです。

117 金閣幻想と五台山⑰

玄宗期の開元二十四年（七三六）、五台山巡礼にやってきた道義は、山中で白い象に乗った老僧に出会います。老僧は「これから冷えるので、厚着をして明日また来なさい」と言いました。翌日、道義が防寒着を着て登ると、老僧は錫杖をついて現れ、「寺で食事をしていきなさい」と言い残し、去りました。食後に寺を出ると、童子が来て、道義を金閣寺に案内します。それは金橋を渡ったさきにあり、金色に輝く三階建ての大楼閣がそびえていました。老僧は既に中で待っていました。道義はしばし会話をし、広い境内を童子に案内してもらいました。時が過ぎ、老僧に別れの挨拶をして、寺を出ました。百歩あるいて振り返ると、なんと寺は跡形もなく消えていたのです。

まるで桃源郷幻想の仏教版です。道義は五台山にとどまり、小さな私寺（図右の「道義蘭若」）を建てました。この奇跡の体験を皇帝に奏上すると、勅命が下り、金閣寺（図左）創建となったのです。

さて、この話には問題があります。皇帝への奏上は大暦元年（七六六）、つまり金閣幻視から三十年も後のことなのです。その背後には「安史の乱」と、皇帝の不安につけこむ仏教勢力の策謀が隠れています。

118 金閣幻想と五台山⑱

五台山の金閣寺は「唐時代に皇帝の命で創建された」と書けば単純ですが、事はけっこう複雑です。金閣を幻視した道義は、三十年も後の七六六年に唐突に上奏し、皇帝もすぐに建設を命じます。道義にも、皇帝にも、そうせざるを得ない事情があったのです。「安史の乱」です。

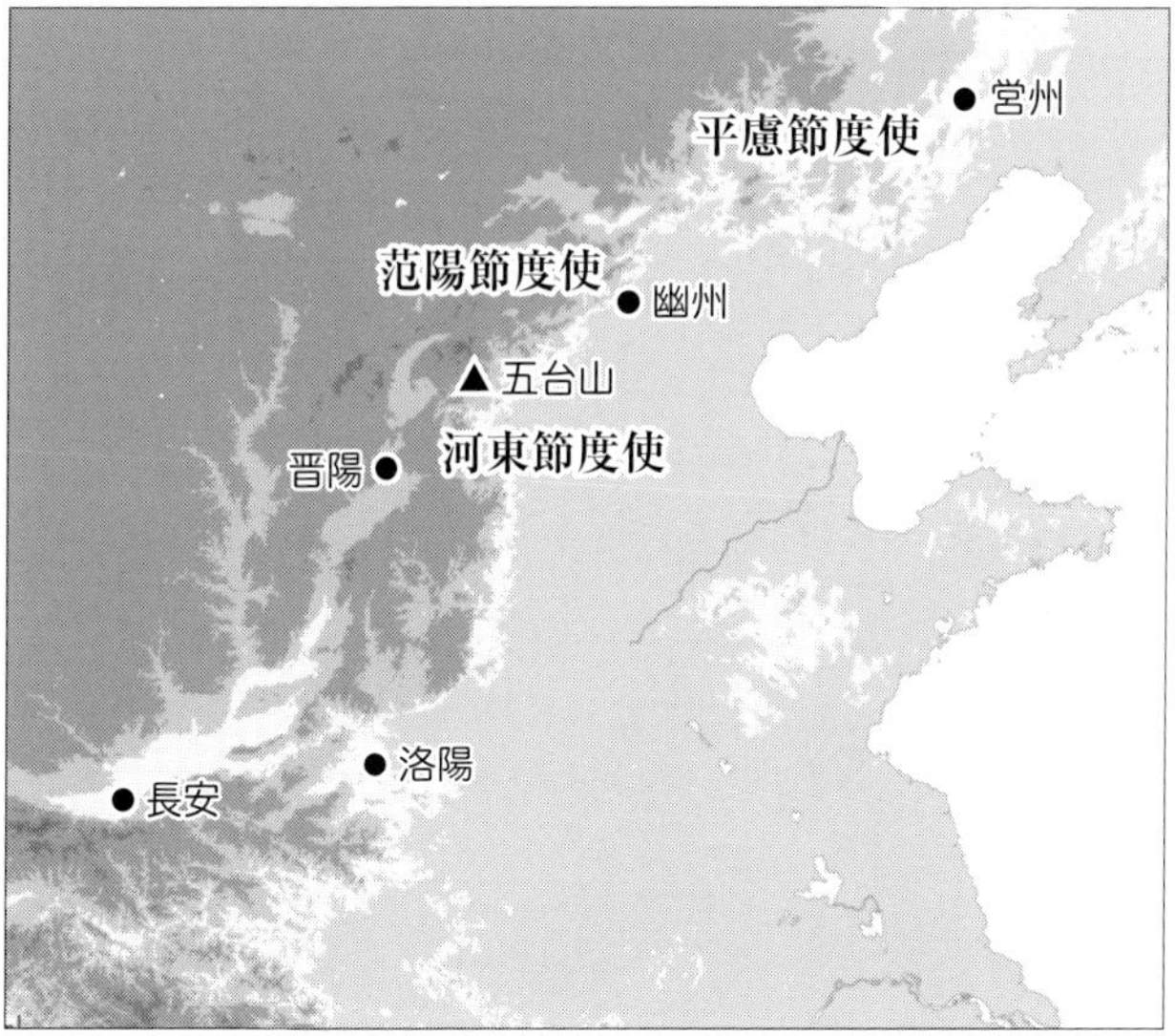

乱の中心にいたのは、安禄山（あんろくざん）や史思明（ししめい）を中心とするソグド系の異民族でした。彼らは河北地域の北半に集住していました。唐朝は遊牧部族を撃退するために「節度使（せつどし）」という軍事司令官を設けていましたが、軍事だけでなく行政も担っていたので、日本の戦国大名のような半独立勢力ともいえる存在でした。安禄山は五台山地域を含む三節度使（図参照）を兼任し、河北に君臨する大立者に成長していたのです。

安禄山らの反乱は七五五年から七六三年まで八年間も続き、首都の長安や洛陽は陥落、玄宗や王侯貴族たちは四川省に逃避し、唐王朝は大混乱に陥りました。乱終結の七六三年、息つく間もなく長安が吐蕃（とばん）に占領される事態まで発生しています。皇帝たちが恐怖に縮み上がったことは想像に難くありません。

この間、玄宗・粛宗（しゅくそう）の二皇帝が亡くなり、代宗（だいそう）が即位しました。そんな時、代宗の夢の中に現れたのが五台山の文殊菩薩だったのです。

119 金閣幻想と五台山⑲

「文殊皇帝」という言葉をご存知でしょうか。十八世紀初頭にチベットに侵攻した清朝は、仏教国チベットに対し、清朝皇帝が文殊菩薩の化身「文殊皇帝」であるとして統治を正当化しようとしました。中国は、仏教的世界観では「五台山に文殊菩薩（図）がいる国、文殊菩薩の国」だったからです。キリスト教の「日本の守護天使」がミカエルであるように、中国の守護菩薩は文殊でした。

五台山と文殊の関わりは北魏時代に始まりますが、文殊を中国王権とを強く結びつけたのは、唐時代の僧侶不空（ふくう）です。不空は玄宗朝に長安にやってきた西域僧で、新来の密教を中国社会に根付かせる機会を模索していました。そんなときに起きたのが安史の乱です。乱発生時、地方にいた不空は賭けにでます。逆賊鎮圧の祈禱のため、混乱する長安に戻ったのです。玄宗が蜀に逃れ、長安が賊軍に落ちても留まって祈禱を続けたところ、すぐに安禄山は息子に殺され、長安は奪還されました。霊力無敵の不空は「救国の英雄」となったのです。

彼はただの真面目な学僧ではなく、機を見るに敏、大胆不敵な山師でもありました。すっかり心酔した皇帝に、不空が王朝の守護神として吹き込んだのが文殊菩薩でした。密教普及の足掛かりとするためです。

120 金閣幻想と五台山 ⑳

貿易品には「ローカライズ（地域化）」が欠かせません。車のハンドルの右・左や、色・形などをその国の嗜好にあわせなければ、売れるものも売れないからです。

文化も同様で、インドで生まれた仏教は、儒教の祖先崇拝の習慣から位牌や墓参りを採り入れて中国化し、広汎に普及しました。

密教普及の尖兵たる西域僧不空は、安史の乱で命懸けの祈禱を行い、王朝の信任を得ました。ただ、新来の密教が、顕教の確固たる信仰基盤を切り崩して全国拡大するには、さらに大胆な中国化が必要です。そこで五台山の文殊を王朝公認の「中国の守護神」とし、全国の寺院に祀らせ、密教普及の足掛かりにしました。

図は「火羅図」という密教的天体図の中央部です。獅子に乗った文殊が北極星として中心にいます。また、中国の五行思想によって中央配置が規定された土星も、その下にいます。周りは二十八宿という星座群、さらに外側には黄道十二宮、北斗七星などが配されます。北極星は、中国では「天帝」の象徴とされ、北斗七星とともに中国的宇宙観の要です。インドにさしたる北極星信仰や北斗信仰はありません。これは中国の信仰を盛り込んだローカライズ曼陀羅であり、儒教や道教の最高神天帝の役割を文殊は担っているのです。

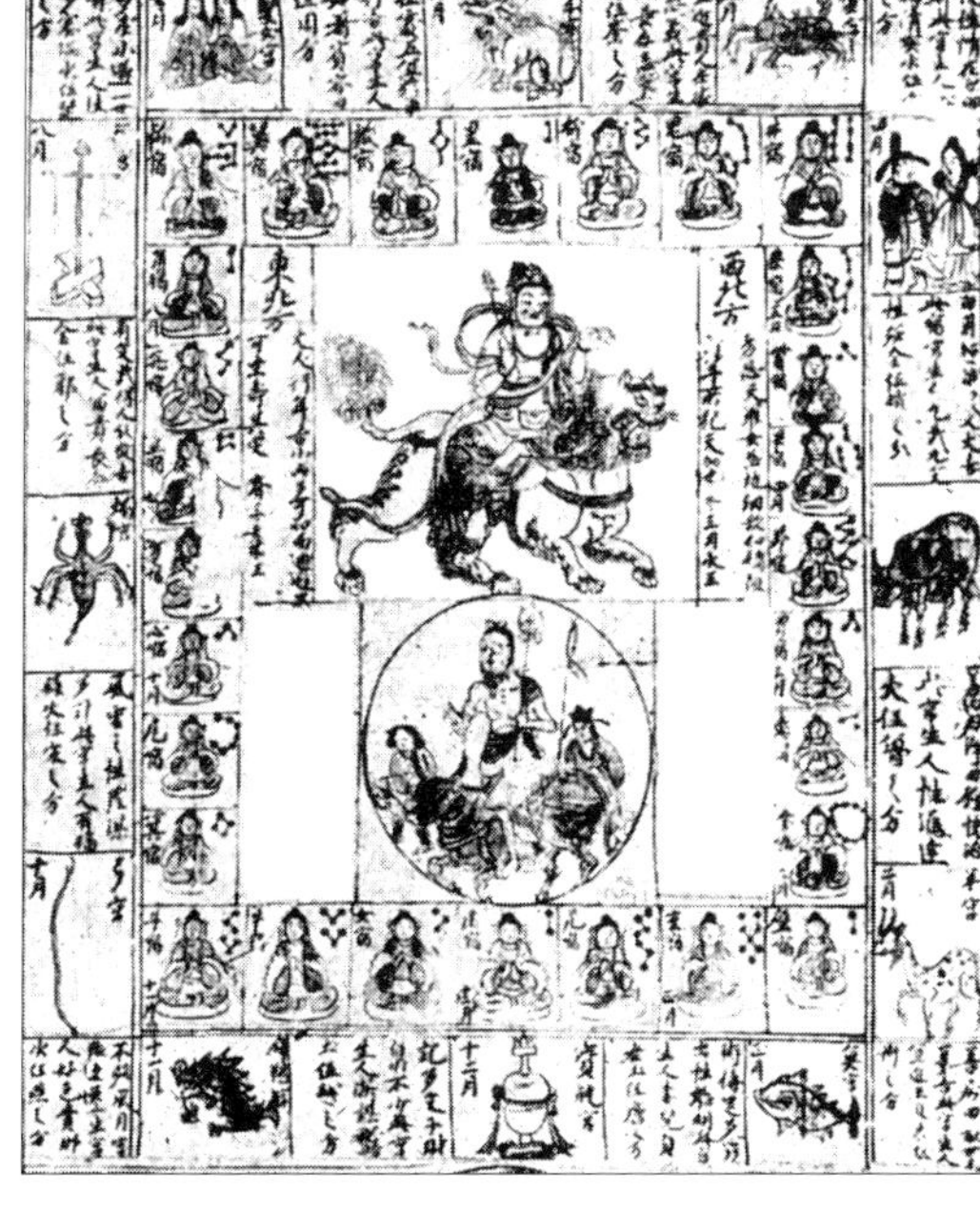

121 金閣幻想と五台山㉑

安史の乱により、唐朝は首都長安が陥落し、逃避行中に玄宗と粛宗が相継いで崩御するという憂き目にあいました。乱が平定され、代宗が即位すると、今度は突厥に首都を襲われる事態まで発生したのです。動乱と混迷の連続で、代宗はもはや危機に雄々しく立ち向かう気力を失い、仏の力にすがるばかりでした。いつまた外敵の侵略を受けるかもしれない、そんな不安を慰撫してくれる心の支えが必要でした。

玄宗・粛宗・代宗と三代の師であった不空は、この機を逃しませんでした。文殊菩薩を唐朝の守護神と代宗に信じさせ、密教普及の基盤を一気に確立しようとしたのです。そこで持ち出したのが、文殊の聖地五台山での三十年前の出来事「道義の金閣幻視」でした。五台山の仏教勢力にとっても、長く安禄山の勢力圏に含まれて疲弊していた五台山を復興する足掛かりとなるもので、渡りに舟といったところだったでしょう。

さっそく不空は道義を長安に呼び、代宗に奇跡の一部始終を上奏させたのです。国費による大寺院建立は即決され、屋根を黄金色に輝かせた金閣寺が完成しました。現在の金閣寺（図）は寂れ果てていますが、創建当初は救国の菩薩を祀る国家守護の切り札的存在として、中国全土に眩い光を放っていたのです。

122 金閣幻想と五台山 ㉒

不空の肝煎りで、国家事業として建てられた五台山の金閣寺。それは金色に輝く国家守護の寺でした。節度使や遊牧部族に国土を蹂躙（じゅうりん）され、危ういパワー・バランスの上に維持されていた唐朝にとって、それは最後の頼みの綱であり、精神安定剤のような存在でした。

実は、日本の室町幕府もこれと似た状況にありました。群雄割拠する守護大名たちの上に辛うじて乗っていたのが幕府であり、「唐朝のようになりかねない」という危惧を足利義満は抱いていたのです。義満の死後、「嘉吉（かきつ）の乱」や「応仁の乱」として予感は的中してしまうのですが、そうした事態を防ぎ、政権を磐石（ばんじゃく）なものにしたいと、さまざまな方策を講じていました。それが将軍主導による南北朝の統一であり、明との国交樹立でした。そして政権安定化構想のシンボルとして義満が建てたのが北山殿の金閣だったのです。唐朝を救った金閣の再現、幕府護持の呪具でした。実際、北山殿には陰陽師や密教僧が日参し、祈禱を行っていたことが知られています。

権力者は孤独と不安に苛まれます。権力の凄味を知ることは、失うことの恐怖と表裏一体です。それゆえ自己の絶対化を求め、巨大・豪壮な呪具に頼ろうとします。世界遺産の多くは、権力者の底知れぬ不安の結晶なのかもしれません。

123 命の故郷へ ①

人生は、よく「旅」に準えられます。「人の死」が「旅の終わり」だとすれば、旅を終えて家に戻るように、人の魂もまた命の故郷に帰るということになるでしょう。キリスト教や仏教など世界の多くの宗教が、死後の魂が行く場所として天国や浄土などの来世を想定していますが、そうした崇高な概念と並行して、もっとシンプルに命の故郷への回帰、つまり胎内回帰、あるいは出産過程の逆行を志向する表現も多々見られます。母の胎内からこの世に生まれ出たのであれば、人生の最後はそこに戻り、疲れを癒して、次の旅への英気を養うというわけです。

ただし実母の胎内に戻るのは物理的にも不可能です。コンセプトだけ借りて寺院や墓、礼拝物などを造ることが世界中で行われています。

図はインドのヒンドゥー教寺院の内部に祀られているリンガ・ヨニと呼ばれるものです。人々はこれを花で飾り、敬虔な祈りを捧げます。ヒンドゥー教は多神教で、シヴァやヴィシュヌなど数多くの神々が信仰されています。私たち日本人は、「お寺や教会と同様、ヒンドゥー教寺院も内部の祭壇中央に神像があり人々が祈りを捧げている」と、つい想像してしまうのですが、違います。そこにあるのはリンガ・ヨニ、つまり男女の性器の結合体なのです。

124 命の故郷へ②

人間の三大欲求、それは食欲、睡眠欲、性欲です。前者二つは日常でもメディアでも、何の屈託もなく大っぴらに語られますが、性欲の言説には、どこか淫靡（いんび）で後ろ暗い雰囲気がつきまといます。食欲や睡眠欲は一人で自由に解消できますが、性欲の根本的な解消には異性（または同性）という他者が必要であり、強い法的・社会的・文化的制約がかかるからです。美術の世界でも性表現の問題は、歌舞伎の黒子のような位置づけで、表立って語ることを忌避される傾向にあります。

ただし、このスタンスではインド美術、とくにヒンドゥー教の美術を正しく理解することはできません。礼拝の対象が、神像よりもリンガ・ヨニ、男女性器の結合体であることは前回述べました。ヒンドゥー教寺院は図のように、高い塔が本堂になります。その塔の直下に小さな薄暗い洞窟のような部屋があり、リンガ・ヨニはその中央に祀られています。部屋の名はガルバグリハ。胎内・子宮のことです。ヒンドゥー教寺院には、入り口が東、塔は西という規範があります。朝日と夕日、生と死の対比で、ガルバグリハは死と再生の空間であり、命の故郷といえます。信者は東から入り、生と死の往還を経験し、浄化され、神から繁栄と永生の力を授かって出てくるのです。

125 命の故郷へ ③

リンガ・ヨニは、シヴァの性器と大地母神の性器の結合体でした。二元論をとる限り男性神にいくら力があっても所詮は不完全体です。女性原理と一体化することにより完全な存在となるのです。

図右は「両性具有のシヴァ」です。右半身は女性、すなわち妻のパールヴァティ、もしくは女性の無限の性力（シャクティ）、左半身がシヴァです。リンガ・ヨニの概念を別の表現に置き換えたものともいえます。

両性具有は世界の神話で共有される概念で、西洋ではヘルマアフロディーテが挙げられます。ヘルメスとアフロディーテの間に生まれた美少年ヘルマアフロディーテが女神に絡みつかれて一体化し、女性の体で性器は男性という姿になりました。完全な人間、究極の美の象徴です。

「ヘルメスの術」ともよばれる西洋の錬金術では、ヘルマアフロディーテは両性具有ゆえ、二原理を融合して金を合成する秘訣の象徴とされます。図左は十七世紀の書物に描かれた錬金術上のヘルマアフロディーテです。頭は男女の二頭、体は左が男で右が女、股間には男女性器が並列しています。男が手に持つYは、硫黄（いおう）と水銀を融合させて金にするための方法の象徴です。無関係ですが、男性を生み出すY染色体を想起させて興味深いものがあります。

126 命の故郷へ④

まずは図をご覧ください。左上のナイスバディーな美女は、腰をくねらせ物憂げに微笑んでいます。右上の女性は片手で胸を揉むような仕種をしています。下では、恥じらう女性の肩を男性が抱き寄せ、酒を飲ませようと迫っています。言葉は悪いですが、どこか場末の風俗店の光景にも通じる雰囲気です。でも、これらはみなインドの寺院を飾る女神たちなのです。ヒンドゥー教寺院？　いいえ、れっきとした仏教寺院です。

私たち日本人が抱く「お寺」のイメージは簡素古朴、静寂厳粛、禁欲的で雑念・妄想とは無縁の場所といったところでしょう。こんな常識は、本場インドの古代仏教寺院では通用しません。若い男女神像が健康美を誇示するように裸体をさらし、睦み合っているのです。

私たちは、儒教など「性を忌避する文化」の見えざる手により、心に枠を嵌められています。性の情報・娯楽は溢れるほどにありますが、みな裏世界の扱い、見えないふりをするのが大人の態度ということになっています。

インドでは、豊さや繁栄、慶びの象徴として性を積極的に讃美します。参拝した善男善女は、女神の胸や腰を撫で、幸福を授かろうとするのです。手が触れた所が、つやつやと黒光りしているではないですか。

127 命の故郷へ ⑤

「性を忌避する文化」の中で私たちは生きています。それは美術作品の解説にも影響しているのです。

図は、ルネサンスの巨匠ボッティチェリの「ヴィーナスの誕生」（筆者模）です。ふつう「ヴィーナスは海の泡から生まれた」と品よく語られます。これは随分とオブラートに包んだ表現で、神話では次のような経緯になっています。

天空神ウラノスと地母神ガイアが性交の最中、二人の末っ子クロノスがウラノスの性器を鎌で切り落とします。男性器は海に落ち、漏れた精液が波に揉まれて泡となり、ヴィーナスは生まれたのです。男神の精液が「母なる海」と交わり、「寄せては返す波（性行為の動きを象徴）」によって子供が生まれるという構造です。何とも強烈な出生譚ではないですか。

でも、その後も大変です。ヴィーナスは成長し、鍛冶（かじ）の神へパイストスの妻となりますが、軍神アレスと不倫して、性愛を司る神エロスが生まれます。この間、不倫の現場を夫に踏み込まれ、散々な恥をかかされます。さらに、ゼウスの部下ヘルメスとも交わり、美青年のアドニスやアンキセスとの愛にも溺れるなど、「恋の神」というよりも「神話界のスキャンダル女王」の趣（おもむき）です。「清純な女神」という私たちの夢は、「海の泡」で維持されているのです。

128 命の故郷へ ⑥

性欲とは不自由なものです。食欲はオヤツも含め一日三回以上、睡眠欲は居眠りを含め二回以上満たすことができ、ひと目も憚りませんが、性欲はそうはいきません。正しい交際と正しい契約（結婚）の場合のみ公式に許容され、執行にも密やかさが求められます。それゆえ、社会的に正しくあろうとするほど性欲は抑圧され、飢えた人間が食べ物に抱くような妄想の膨張が起こります。「変態」とは禁欲を強いる社会が生み出す「欲求の変化形」であり、変態的妄想は実行を伴わなければ、むしろ正常な人間心理といえるでしょう。

西洋ではルネサンス期に、キリスト教の「禁欲の檻」からの視覚的解放装置としてギリシア神話が使われるようになりました。女性のヌードも女神ヴィーナスであれば表現できるというわけです。「社会的権威を持つ教養文化」を経由させる「性欲ロンダリングの技法」の発見は、西欧社会に裸体表現を氾濫させ、ついには『聖書』をも利用するに至ります。図は十六世紀の「スザンナと長老たち」。美しい人妻に肉体関係をせまる老裁判官たちが、人妻に拒絶され懲らしめられる聖書の話なのですが、この絵の人妻は弱々しく、老人（?）たちを拒絶できそうにありません。西洋人の内なる変態性欲を十二分に解放してきた作品なのです。

129 命の故郷へ ⑦

一七〇四年、神話や聖書に加えて、キリスト教の厳しい禁忌をすりぬけて裸体を描くための新たなジャンルが加わりました。『アラビアンナイト』です。中東で長く忘れられていた物語を、フランスの東洋学者ガランが見出し、この年に翻訳本を出版しました。たちまちベストセラーとなり、各国語に翻訳されました。

『アラビアンナイト』が人気化した原因は、話の面白さもさることながら、物語の骨格が「ハーレムで語られた物語」であったことです。「男の楽園」という勝手な妄想（誤解）を強烈にかき立てる設定であり、キリスト教的禁忌の及ばない異郷の話でもあり、西欧男性が表立っては決して口にできない自身の性的妄想を思い切り羽ばたかせるワンダーランドが提供されたのです。

ですから西洋絵画に描かれるオダリスク（ハーレムの女性）はみな西欧女性です。ブーシェの「褐色のオダリスク」（図）は、ガランの翻訳本出版から早くも四十年後の作品ですが、モデルはアラブ女性ではありません。ブーシェは十年後に同じポーズで少女を描き「黄金のオダリスク」としました。彼女はルイ十五世の目にとまり、愛妾のひとりとなりました。オリエンタリズムの作品群は、西欧にとって都合のいい「自己の鏡としての異郷表現」なのです。

130 命の故郷へ⑧

ヴィーナスやオダリスクの絵画表現からわかるように、文化というものは「直接から婉曲へ」「内実から表層へ」という形で洗練度と韜晦度を増していくようです。

さて、中国では性的イメージを山水の世界に投影してきました。一例は陶淵明の桃源郷幻想でしょう。桃林を流れる川を遡るうちに岩山の洞窟を見つけ、そこを抜けると別世界に辿り着くわけですが、桃は女性や愛、多産の象徴であり、洞窟は女陰や子宮を暗示しています。出産過程の逆行、胎内回帰願望の反映であり、同時に自然の景色に女体や性のイメージを投射したものともいえます。

こうした考え方が中国で生まれた背景には、長江以南の大地が石灰岩系の岩で覆われ、水によって浸食されたカルスト地形であることが影響しています。巨大な岩山の表面に、日本では考えられないような大きな洞窟が口を開けている、そんな光景が随所に見られます。図は貴州省の格凸河にある岩山です。図左では河の前方の岩山に三つの洞窟が確認でき、右下の最も大きな洞窟（図右）を河が通り抜けて行きます。まさに桃源郷への旅を実体験できる場といえます。そして洞窟の形は明らかにに女陰をイメージさせます。中国人の山水への愛着は、そこが聖なる、そして「性」なる場だからです。

131 命の故郷へ⑨

中国の庭園を訪れると、多くの日本人が強烈な違和感をおぼえるものがあります。太湖石です。日本人好みの庭石は、がっちりとした形の安定感と重量感のある石です。一方、太湖石は縦長で細く、穴だらけ、真逆な佇まいなのです。日本人が不気味に感じてしまう奇岩に、何故かくも執着するのか、理解に苦しむ方も多いのではないでしょうか。

中国の太湖石愛好の背景にも、やはりカルスト地形の影響があります。富士山を山の理想とする日本人と異なり、中国では垂直にそそり立つ柱形の山が尊ばれ、山水画にも描かれることになります。

さらに、カルスト地形の柱状の山には、前回ご紹介したような洞窟があるだけでなく、山頂近くに巨大な穴が空いていることが多いのです。図左は上下ともに中国南部の山の写真です。風雨に削られ薄く脆くなった山肌が崩れ、巨大な空洞が形成されています。中国の人々には、これこそ憧れの天上世界への入り口「天門」に見えるのです。

図右は、蘇州・留園の名石「冠雲峰」です。名石といわれる理由はもうお分かりですね。この石を「美しい」、「わが家の庭にも是非置きたい」と思えるようになったら、中国文化の理解が心と体に十分染み込んだといえるのではないでしょうか。

132 命の故郷へ ⑩

「母なる大地」という言葉があります。動植物を始め、あらゆる生物が大地で生まれ育ちます。まさに大地は生命を産み出す「母胎」といってよいでしょう。一方、天空は大地に光と水を供給し、生命の発生を促します。「父なる天」という言い方もなりたちます。

そして聳(そび)え立つ山は、天と地が交わり、生命の根源となるエネルギーが発生する場所といえます。そのエネルギーが平野へと流れ下り、生命の繁栄をもたらすのです。中国の桃源郷幻想は、この過程を逆行し、山ふところの洞窟に入っていく母胎回帰願望ともいうべきものでした。

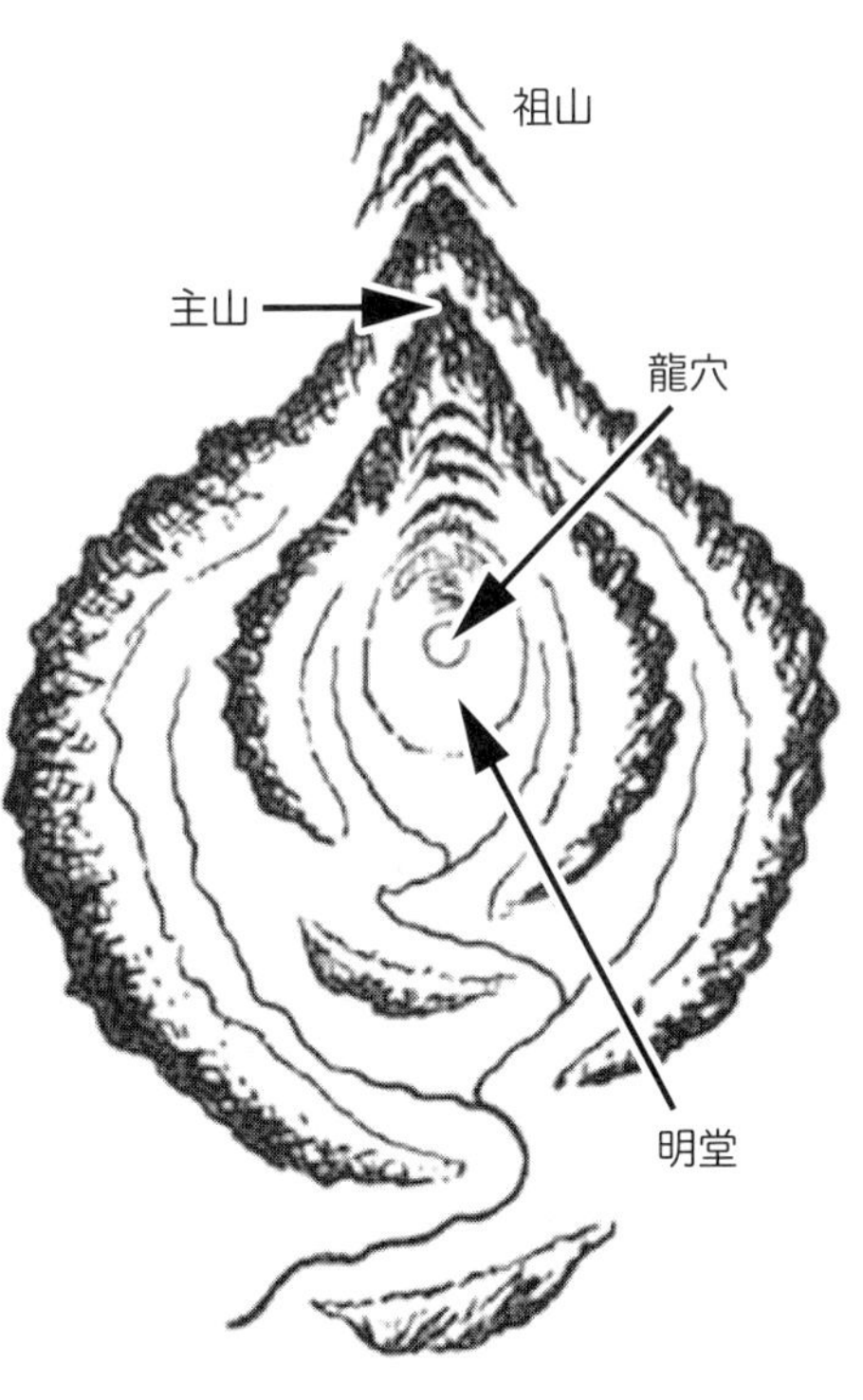

男女の性の交わりを、自然観や生命観に適用する考え方は人類共通の思考法です。中国の風水(ふうすい)思想にも、それは端的にあらわれています。

図は、風水学の本でよく見かける理想的な風水環境をあらわしたものです。遠い北方の祖山に源を発する「幸せエネルギー」は、主山を経て左右の峰々に囲まれた空間にある龍穴(りゅうけつ)で吹き出し、繁栄の地である明堂(めいどう)に溜まります。その形が女性の性器をモデルにしていることは、一目瞭然でしょう。今と違って、昔は家族の目の前で出産が行われました。赤子が生まれ出る様子は、人々の心に自然に刻み込まれ、生命と幸福の源の形に転化していったのです。

133 命の故郷へ ⑪

まずは図の上半分をご覧ください。一見、丘の上の閑静な住宅地のようですが、実は台湾の墓地なのです。風水思想が社会に根付いている台湾や香港では、墓をこうした山や岡の斜面に造ることが一般的です。山は幸せをもたらす風水の気が流れ出る場所であり、その隆起した姿は妊婦の丸いお腹にも例えられます。人間は母のお腹から生まれ出て、死しては母なる大地の母胎である山（命の故郷）に帰っていくのです。

この墓の基本形は、沖縄の亀甲墓（図下半分）と同じで、出産時の女性の下半身を象っています。出生過程を逆行させ産道に戻すように棺を墓室に挿入するのです。台湾の墓が住宅風に見えるのは、墓室の扉上にある唐破風を大きく前にせり出し、祠堂つまり礼拝空間としたからです。いまの富裕層はこうした豪華な造りの墓を好むようです。

この形式の墓は、中国前漢時代に出現した横穴式石室墓（山の斜面に洞窟を掘って棺を納めるもの）が原型です。武帝の祖父・文帝の覇陵、武帝の異母兄・劉勝の満城漢墓、漢朝創業の地・河南省芒碭山の王墓群などがそれに該当します。また、遺体に金縷玉衣を着せて再生を期す処理がなされているという特徴もあります。前漢の皇帝や王族は新たな墓葬形式で蘇りを図ったのです。

134 命の故郷へ ⑫

これまで見てきたように、人間の三大欲求の一つ「性欲」は「創造と再生の象徴」として、美術や祭礼、墓葬など文化全般に隠喩的に表現されてきました。学者は真面目で羞恥心が強く、性的な叙述を避ける傾向がありますので、「性と文化」の研究はあまり進んでいるとはいえません。

インドの天地創造神話に「乳海攪拌（にゅうかいかくはん）」という話があります。海に巨大な亀を浮かべ、甲羅の上に岩山を載せ、巨大な蛇を山に巻き付けてコマのように回転させ海を搔き混ぜると乳海になり、そこから万物が生まれ出たというものです。寄せては返す海の波、亀、そそり立つ岩山、蛇、搔き混ぜる行為など、性の隠喩に満ち溢れています。乳海は精液と女陰の象徴でしょう。

中国の山水世界も、神仙や隠逸といった畏まった説明だけでなく、性的隠喩の世界ととらえる必要もあると思います。たとえば、男女の情交を表す「雲雨」という言葉も、『文選（もんぜん）』の宋玉「高唐賦」を典拠とする、楚の懐王と巫山の神女の交わりがもとになっていますが、そそり立つ岩山から沸き上がる雲と、岩肌に降り注ぐ雨は、精液と愛液の隠喩ととらえた方が実感がわきます。図のような中国南部の岩山を見ていると、そんな考え方が素直に心に浮かんでくるのですが、いかがでしょうか。

135 バーナード・リーチと漢代画像①

名前はよく聞くけれど、詳しいことはあまり知られていない。そんなことが世の中には山のようにあります。有名な陶芸家バーナード・リーチ（一八八七〜一九七九）も、「すごい人らしい」以上の知識をお持ちの方はさほど多くはないのではないでしょうか。実際、リーチの研究は意外なほどに少ないのです。筆者も最近、偶然のきっかけからリーチと漢代画像石の関係に気付き、調べるようになりました。まだ誰も知らない、ちょっと面白い事実を、読者のみなさまにご紹介しつつ、リーチ研究の進展に多少とも寄与させていただきたいと思います。

さて、図をご覧ください。リーチが絵つけをした陶板（とうばん）「Bird」です。一辺が一〇センチ弱の正方形をしているこの陶板は、西洋の暖炉装飾用タイルとして作られました。西洋の暖炉は正面に縁飾りとして装飾タイルを貼りつけることが多く、イギリスのリーチ工房では一九二〇年代から一連の暖炉用タイルを売り出し、重要な収入源としていました。これもその一枚ですが、鳥といいながら変な姿です。普通は横向きの姿勢であるはずの鳥が二足で直立し、まるで手といったほうがよいほどの細い翼となっています。嘴の形から、鳥の種類は鴨と思われます。この絵は何を意味しているのでしょうか。

136 バーナード・リーチと漢代画像②

日本の民芸運動に大きな影響を与えた陶芸家バーナード・リーチ。彼については日本との関係ばかりが強調されますが、中国との関係も重要です。香港で生まれ、生後すぐ日本に移り三歳まで育ちました。でも、もの心がつく三歳から七歳までは香港、十歳までシンガポールで暮らし、その間、中国人と英国人のハーフの乳母に育てられ、中国文化の感性が心に染み込んでいました。十歳から英国で学校教育を受け、ついた綽名が「中国人」。独特の精神性を持った少年でした。二十代の後半、一九一四年から一六年にかけての三年間、妻子と北京で暮らしたことも重要です。とくにこのとき出会った漢代画像石の素朴で力強い表現は、彼の作品に大きな影響を与えています。

前回ご紹介した鳥を描いたタイルの元ネタが、図の厨房図です。死後の世界での安楽な暮らしは、美味しい食事で支えられます。厨房図は画像石墓に必須の画題です。左上のフックに吊るされた豚の頭、鳥、兎、魚。この羽を毟(むし)られた食材としての鳥こそ、前回の直立した鳥の正体で、「垂涎(すいぜん)の御馳走」をイメージさせるものでした。周囲では料理人たちが魚を切り、煮炊きをし、右端では犬をさばいています。画像石の影響を受けたリーチ作品はこれに限りません。次回は彼の代表作を論じます。

137 バーナード・リーチと漢代画像③

皆さんは「生命の樹」という美術のモチーフを御存知でしょうか。屋久杉の例に見るように樹木は数千年の命を保つものもあり、セコイアのように高さ一〇〇メートル近くまで伸び、天まで届くかと思わせるものもあります。枝を横にも大きく広げ、葉も豊かに茂らせます。古来、人間は樹木に「永続」や「繁栄」のイメージを重ねてきました。その永遠性、高さ・豊かさは「神」にも通じるものでした。日本にも「ご神木」がたくさんあります。

「生命の樹」はそうした聖樹を文様化したもので、法隆寺の「獅子狩文錦」など、世界中の古美術に多用されてきたモチーフです。

バーナード・リーチもその名を冠した作品を残しています。彼にとって自分の芸術観のシンボルだという思いがあったのでしょう。壺や陶板などさまざまな作品に描いており、図（筆者模）はその一例です。

中国古代美術に詳しい人なら、すぐに漢代画像石の図をかなり忠実に写しているとお気づきになるはずです。次回から元ネタをご紹介していきますが、今回は、左下の麦を刈る農夫、右下の馬、枝の間にのぞく鳥の巣、上部左右から顔を出す鳥、最上部の北斗七星をご確認ください。リーチが施した工夫の跡と、作品に込めた思いを明らかにします。

138 バーナード・リーチと漢代画像④

陶芸家リーチの代表作「生命の樹」のイメージの源は漢代画像石にあります。彼は一九一〇年代の半ば、北京に二年ほど滞在し、陶磁器や絵画、彫刻など数々の名品を目の当たりにしてきました。そして彼の心を強く惹きつけたものの一つが、墓のレリーフ「画像石」でした。拓本に写し取られた画像石は、白黒のシンプルな色彩と素朴で力強い表現が特徴で、陶器の絵付けを始めたばかりのリーチに強烈な印象を与えたのです。

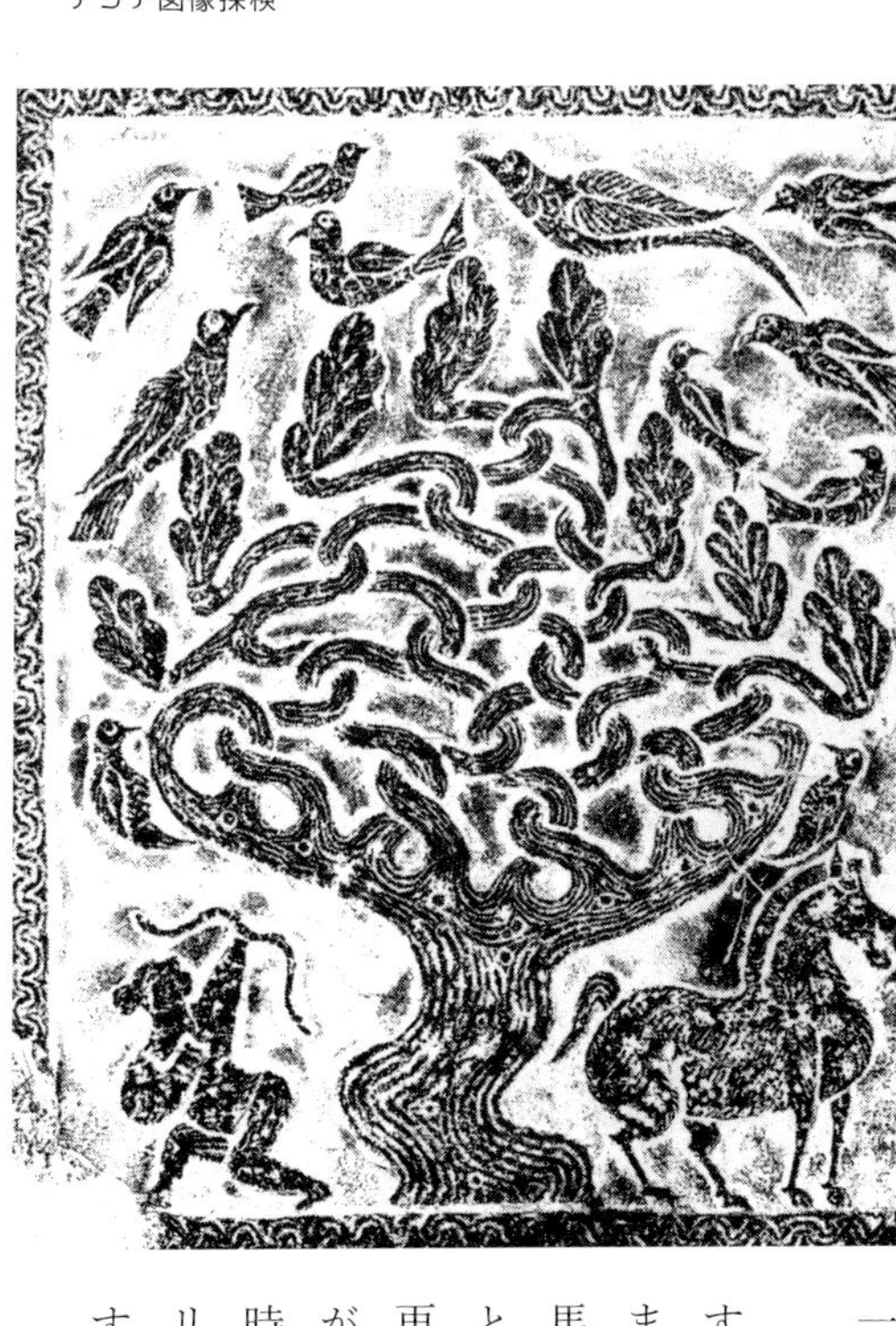

一九二〇年にイギリスに帰り、自分の窯を開いたリーチは、精力的に製作に取り組み、画像石の影響を受けた作品を次々と生み出していきます。一連の「生命の樹」作品もその一つです。

図は「扶桑樹」を描いた画像石で、リーチ作品の元ネタです。前号の図と比較していただければ一目瞭然ですが、絡まり合う枝、左右から向かい合う鳥、左下の人物、右下の馬など、まるまる図像を借用しています。扶桑樹は「建木」とも呼ばれ、中国神話では宇宙にもとどく巨木で、豊饒と再生の象徴、つまり生命の樹の中国版です。ただし、これが扶桑樹だとわかったのは、ずっと後のことで、リーチの時代には画像石の研究はまだ緒にもついていませんでした。リーチは芸術家としての鋭い勘で本質を見抜いていたのです。

139 バーナード・リーチと漢代画像⑤

リーチは著作の中で、代表作「生命の樹」の元ネタとなった画像石を中国滞在中に見たといっています。当時その図の画題は不明でしたが、「古い伝統に由来した象徴的主題」と直観し、「生命の樹」だと見抜いたのです。ただし、画像石そのままではなく、リーチらしいアレンジが細部に加えられています。

図は左側が画像石、右側がリーチ作品です。鳥に気付かれぬよう腰をかがめ振り返る姿勢で狙いを定める人物（左下）は、畑で刈り取りに励む農民に代えています。紐を首に巻かれて木にしばりつけられた馬（中）は、人を蹴り上げる元気な馬にしています。絡み合った枝の間に、親鳥を待つ雛が描かれた画像石が別にあり（上）、リーチはそれを親鳥が餌を雛に与えている巣にしています。

動物愛護に価値を置く現代と違い、中国古代では、狩猟は死者に捧げる死後世界の娯楽であり、馬はただの乗り物でした。リーチは、人間が自然を支配するのではなく、両者が融和する「愛と調和の世界」として表現したかったのでしょう。

中国や日本で生まれ育ち、幼児期から東洋の価値観に親しんでいたリーチは、西欧やキリスト教の考え方に失望していました。新たな価値観の構築を目指し、その試行錯誤のひとつの結論がこの作品でした。

140 バーナード・リーチと漢代画像⑥

リーチは、漢代画像を元ネタとしつつ、そこに彼らしいアレンジを加えてリーチ版「生命の樹」を陶板に描き上げました。たとえば左右の端に大きく描かれた鳥（図上半）は、嘴の形から鳩であることは明らかです。西洋では鳩は平和のシンボル。鳥たちが楽しげに囀り、巣では雛鳥が元気に育つこの樹木が、動物と人間が調和して暮らす平和な空間であることを強調しているのです。元ネタに描かれた鳥たちは（図下左）、カラスやカササギなど種類は多様で、リーチのように特定の鳥を意識させようというものではありません。

さらに元ネタにはなかった北斗七星を樹木の上に描き込んでいます。北斗は、中国では古代から「破敵」と「護身」の象徴として知られ、剣に北斗を刻み付けた「七星剣」（図右下）は現在でも道教の祈禱や中国武術で使用されています。日本でも聖徳太子がお守り用に身に着けていた七星剣が四天王寺に伝えられています。生命の樹に北斗を添えることにより、リーチは「この平和な世界よ永遠であれ」という祈りのメッセージを込めようとしたのでしょう。

中国の図像を活用し、そこに西洋の平和の象徴を融合させる。まさにリーチが追求したテーマ「西洋と東洋の融合」を具体化した作品で、代表作とされるのも頷けます。

141 バーナード・リーチと漢代画像⑦

まず図左をご覧ください。リーチが一九二三年頃に作った蓋付の碗です。中国古代美術がお好きな方なら、桶形の緑釉陶磁製「博山香炉」がモデルだと気付くはずです。崑崙山や蓬萊山など、雲気立ち昇る不老不死の山を象った香炉は漢代に大流行しました。リーチは、漢代の神秘的で素朴な造形に強く魅かれていました。独自のアレンジとして、碗の側面に守護の護符「北斗七星」を描き、永遠性への祈りを付加しています。

図右上は、六枚のタイルを組み合わせて構成した「獅子」（一九三〇年）という作品です。鋭い爪をむき出し、体を力強く反らせた獅子が、顔を正面に向け、不敵な笑みを浮かべています。こうしたポーズの獅子は、英国王室の紋章やコインに見られるもので、リーチもそこからアイデアを得ているのでしょうが、どことなく「虎」に見えませんか。

実は漢代の桶形博山香炉の多くに、このポーズの白虎（図右下）がお約束のように彫り付けられています。もちろん白虎は四神の一つであり、古墳壁画にも欠かせない東アジアを代表する魔除けの聖獣です。英国人のリーチは、中国で目にした白虎の姿に、故国の紋章の獅子を重ね合わせたのでしょう。こんなところにも「東洋と西洋の融合」というリーチのテーマが隠れているのです。

142 バーナード・リーチと漢代画像⑧

漢代画像石のシンプルな美に魅かれていたリーチ。その証拠はまだまだあります。図左は一辺一〇センチのタイルで、仲良く並んで泳ぐ二匹の魚が描かれています。西洋では双魚文は星座の魚座のシンボルであり、またキリスト教も意味しています。キリスト教が迫害されていた時代から、信仰を示す符号とされてきました。

しかし、この作品の元ネタは画像石です。有名な武氏祠の祥瑞図にある「比目魚」(図右)がそれです。比翼の鳥のように、体を寄せ合い一体化して泳ぐ魚のことで、一説には、互いに目が一つしかなく、協力しているともいわれます。

時代が下ると「仲の良い夫婦」の象徴ともなり、『医心方』では性交の側臥位という体位を表したりします。ちなみに比目魚は日本では「ひらめ」と読みます。浦島太郎が龍宮城で見た「鯛や比目魚の舞い踊り」は、原話では浦島と美女たちの肉体的交わりを表現しているのだそうです。

ただし、祥瑞図のなかで、比目魚はごく一部に描かれた小さな図にすぎません。リーチの目をそこに向かわせたのは、キリスト教徒としての素養でした。ここでも「東洋と西洋の融合」というテーマを貫徹しています。そしてリーチを理解する上で、中国美術の比重を再認識する必要もあるのではないでしょうか。

143 バーナード・リーチと漢代画像⑨

漢代画像石に魅了されていたリーチ。図上の「魚乗勇士図陶板」（一九三〇年）もその証左です。大きな魚に跨り、剣と戟を掲げて悠然と進んでいます。

この元ネタは、画像石に描かれた海神率いる戦闘部隊の兵士（図下）です。前傾姿勢で大声を上げながら勇ましく突撃しています。リーチは、敢えてこの気迫を取り去り、悠然たる雰囲気を作品に加えています。まるで西洋の軍事パレードのように。

リーチが陶芸をはじめたのは二十四歳の時。それまで全くの素人でした。絵付けの感性や轆轤の技術では、とても日本人には敵いません。自分の強みはどこにあるのか、西洋的感性を足しただけでは安直すぎると悩んでいたとき、気付いたのです。幼年期を中国で過ごしたことを。陶芸の本場は何といっても中国ですから、心の底に宿った中国的感性を呼び起こせば、日本、中国、西洋を結びつけた独自の作風を確立できるはずだと考えたのでしょう。

一九一四年から一六年にかけて中国へ行き、画像石をはじめ多くの陶芸作品に接してきました。リーチの中国行きは、北京にいた西洋人思想家に師事するためといわれますが、もうひとつの秘めた目的があったのです。このときの中国行きが、後のリーチを生み出したといえます。

144 バーナード・リーチと漢代画像⑩

リーチが中国へ行った一九一四年はたいへんな年でした。第一次世界大戦が始まり、日本も参戦。山東省に派兵しドイツの権益を奪い、翌一五年には対華二十一ヶ条要求を中国政府に突き付け、一七年にはシベリア出兵と、大陸進出を本格化させた年だったのです。開国後、日本が世界に向かって自己のアイデンティティを主張し始めたときでもありました。

リーチは中国で漢代画像石に出会い、一九二〇年代、イギリスに工房を開いてから、陶器のデザインに応用しはじめたわけですが、これはリーチだけの傾向ではありません。日本画家の平福百穂（ひらふくひゃくすい）が一九一七年に画像石をもとにした屏風を描き、安田靫彦（ゆきひこ）が二三年に「神農」（図右）を制作しています（家田奈穂氏のご教示）。小林古径（こけい）や前田青邨（せいそん）も顧愷之（こがいし）を模写するなど、熱心に中国古画を研究しています。

西洋絵画と出会い、それに負けない独自の近代日本画を確立すべく日本の伝統画家たちも格闘していたのです。洋画家藤田嗣治（ふじたつぐはる）も一九一〇年代に渡仏し、二〇年代には日本画の技法を取り入れてパリの寵児となりました。

東洋と出会ったリーチ、西洋と出会った日本と日本人、ともに大正から昭和初期は、アイデンティティ模索の時期だったといえます。

145 バーナード・リーチと漢代画像⑪

一九世紀初頭の英国に、詩人であり画家でもあったウィリアム・ブレイクという人物がいました。リーチはブレイクに心酔しており、柳宗悦（やなぎむねよし）を通じて本格的に日本にブレイクを紹介する役割を果たしました。このブレイク芸術への傾倒が、リーチの絵付けや、漢代画像への愛着に影響を与えたと筆者は考えています。

ブレイクはキリスト教に疑念を抱き、幻視体験を重ねる過程で、神秘思想に目覚め、秘密結社フリーメイソンや、その根幹にあるカバラという思想にも注目していました。

当連載では、リーチの代表作「生命の樹」をご紹介しましたが、「生命の樹」という概念は、西欧ではフリーメイソンやカバラによって受け継がれてきたものなのです。

天と地をつなぐ、宇宙の中心としての「生命の樹」の概念は古くから世界中で共有されてきたもので、図右の画像石では、樹木の上に天上世界が展開し、昇天した死者がゲームや狩猟で饗応を受けています。図左は紀元前九世紀のアッシリアのレリーフで、生命の樹木の上に有翼の太陽神が表現されています。

リーチがフリーメイソンだったというつもりはありませんが、ブレイクへの傾倒が、このテーマで共振し、本人が最も気に入っていた代表作に結実したと考えています。

146 バーナード・リーチと漢代画像⑫

リーチは五十歳を過ぎたころ、バハーイー教という宗教に入信しています。聞きなれない名前ですが、いかにもリーチらしい選択なのです。

日本と香港で幼年期を過ごしたリーチの心には、混沌・多様な東洋的価値観や宗教観が染み込んでおり、青年期にイギリスに戻ったときに、強い違和感を覚えました。とくにカトリックの一神教的独善性には辟易(へきえき)したようです。東洋人でもない、英国人にもなりきれない自分はいったい何者なのか。魂の拠り所をどこに求めればよいのか、陶芸に励みながらも常に自問していました。そして出会ったのがバハーイー教でした。

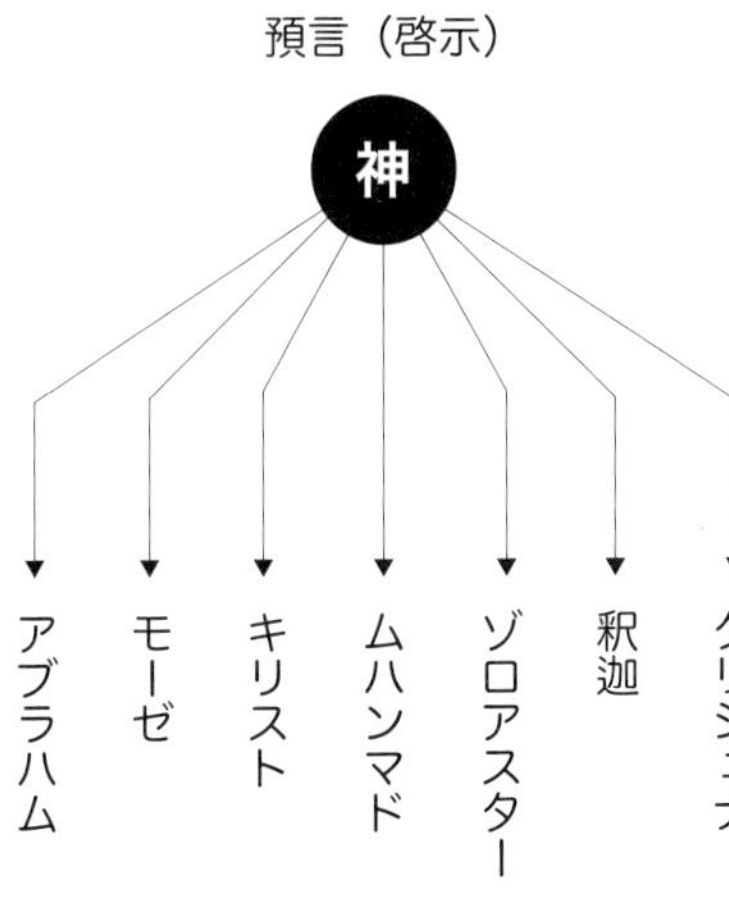

ユダヤ教、キリスト教、イスラム教は同一神を共有する同系宗教です。神の教えはキリストやムハンマドなどの預言者を通じて人々に伝えられる構造となっています。にもかかわらず、十字軍以来いまに至るまで、争いは止みません。リーチが探していたのは、他者の価値観を大きな心で包み込む、おおらかな宗教でした。十九世紀にイランで生まれたバハーイー教は、ゾロアスター、仏教の釈迦、ヒンドゥー教のクリシュナも預言者に含めた（図）寛容な宗教でした。「東洋と西洋の融合」を目指したリーチは心打たれました。自らの居場所を求め続けた彼の人生の旅は、やっと帰るべき港にたどり着いたのです。

147

自然観の東西①

欧米の美術館を訪れたとき、妙な違和感をおぼえたことはないでしょうか。印象派のような美しい風景作品をたっぷり楽しめると期待して足を踏み入れると、館内のかなりの部分を肖像画が占めているのです。日本人にはまったく馴染みのない、さまざまな時代の王侯貴族の肖像画が、何段重ねにもなって延々と続くギャラリー（図）にうんざりした経験をされた方がきっと多いと思います。

中国でも日本でも、古来、壁面には美しい山河や四季の風景を描いてきました。ですから日本人は、西洋でも同様だろうと、つい勘違いしがちですが、実際はまったく違います。

西洋では「美術」は美しい自然などを表現するメディアではなく、偉大なる人間と神の姿、その所業を視覚的記録にとどめるための装置、「権力メディア」そのものでした。

そもそも「自然」に対する考え方が西洋と東洋では大きく異なっていました。東洋では、自然のなかに神や真理が宿っており、それを絵に写し取ったり、その絵を飾ることによって、崇高なるものに近づくことができると考えていました。人間よりも自然の方がはるかに偉大だと思っていたからです。道教の「無為自然」もそんな考え方から出てきました。

それが西洋では正反対、自然の地位は極めて低いものでした。（続）

論文選

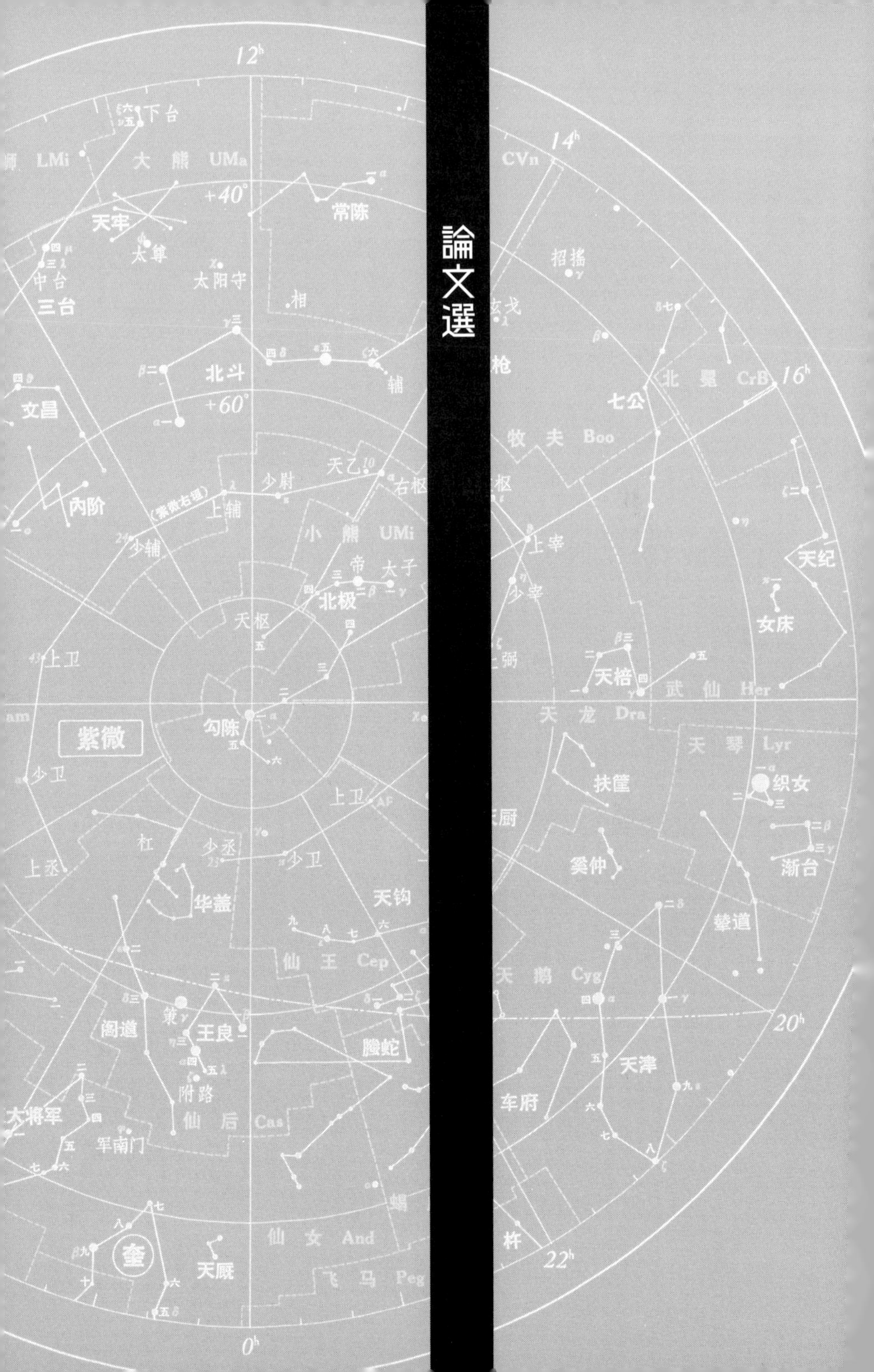
12h
14h
16h
20h
22h
0h
+40°
+60°
下台
LMi
大熊 UMa
CVn
常陈
天牢
太尊
中台
三台
太阳守
相
招摇
玄戈
北斗
辅
枪
文昌
北冕 CrB
七公
牧夫 Boo
天乙
少尉
右枢
枢
内阶
(紫微右垣)
上辅
小熊 UMi
少辅
帝
太子
北极
上宰
少宰
天纪
女床
天枢
上卫
天棓
武仙 Her
天龙 Dra
紫微
勾陈
天琴 Lyr
织女
扶筐
少卫
上卫
天厨
杠
少丞
少卫
上丞
奚仲
渐台
华盖
天钩
辇道
仙王 Cep
天鹅 Cyg
阁道
策
王良
螣蛇
附路
天津
车府
大将军
军南门
仙后 Cas
仙女 And
杵
奎
天厩
飞马 Peg

七星剣の図様とその思想

法隆寺・四天王寺・正倉院所蔵の三剣をめぐって

Ⅰ

七星剣と呼ばれる刀は、現在我が国に三振伝えられている。まず法隆寺金堂の四天王のうち持国天の持物とされるものが一振。四天王寺の聖徳太子所佩と伝えられる大刀が一振。そして正倉院御物の呉竹鞘の仗刀が一振である。

これら三振の剣は、刀身に日・月・北斗七星等の天体文様が刻まれ、その刻文の不思議さゆえに、既に幾人もの先学により折りにふれて論及されてきた。(1)

この論文では、従来ひとまとめに論じられてきた右の三剣がはっきり二種類に分けられること、つまり四天王寺・正倉院の二剣と法隆寺の剣とは、同じ七星剣でも別系統のものであることを論じ、その思想的背景をさぐることにしたい。

Ⅱ

まず三振の七星剣を概観し、その上で私の疑問とする点を提示してみよう。

法隆寺金堂の四天王のうち、持国天と増長天はともに鞘におさめた剣を右手に持っている。増長天の方は無文剣、持国天の持つのが七星剣である。現在は二剣とも明治時代の模造品に置き換えられ、本物は大宝蔵殿に陳列されている。七星剣は銅製で、刀身の長さが五〇センチほどの小ぶりなものである（図1）。刀身の表面には漆箔が施されてい

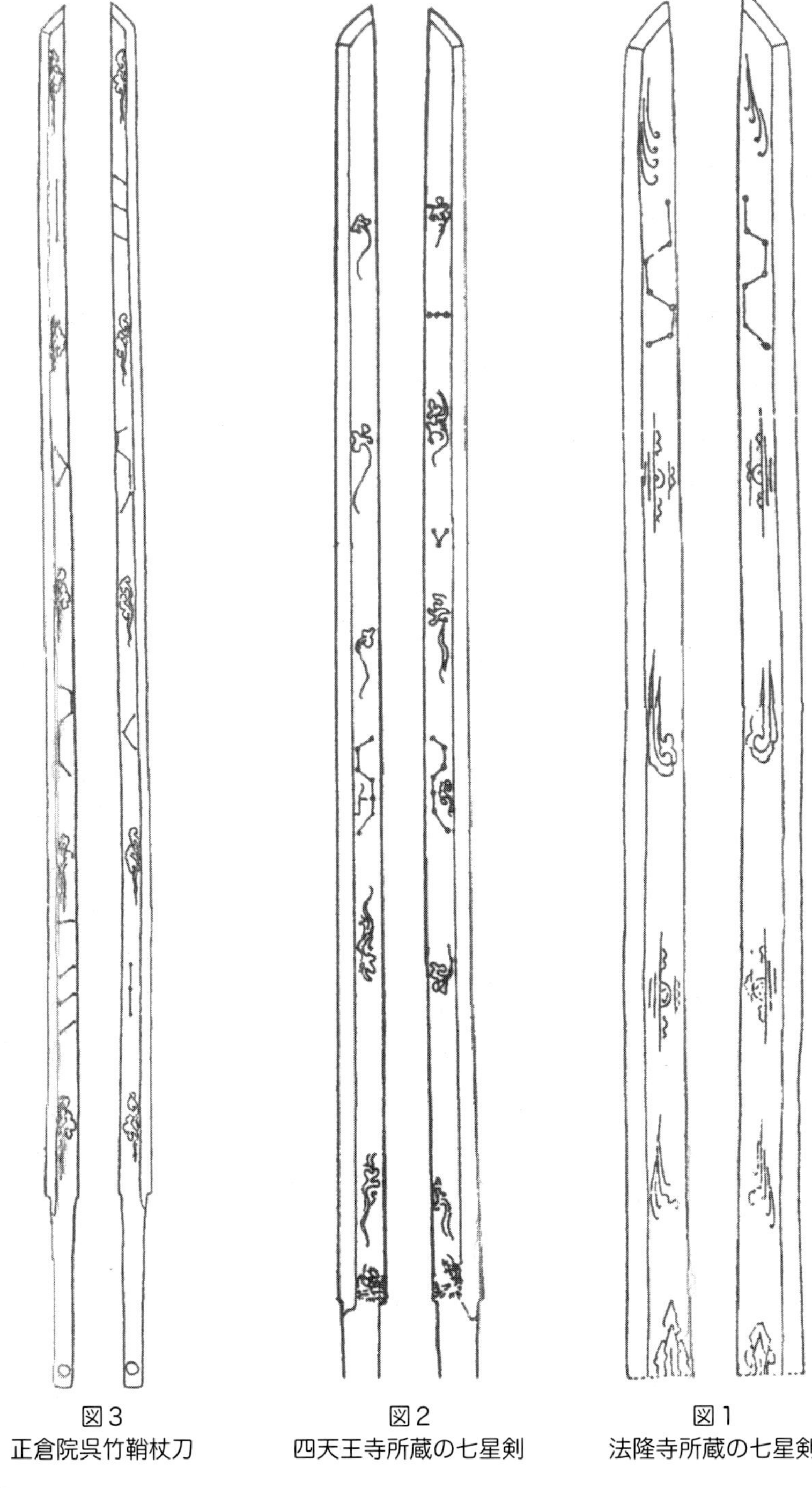

図3
正倉院呉竹鞘杖刀

図2
四天王寺所蔵の七星剣

図1
法隆寺所蔵の七星剣

たが、現在はほとんど剝落している。刻文は両面にほぼ同様に毛彫りされており、先端から雲文をはさんで、北斗七星・二重円の太陽・月・山岳形の順に並んでいる。製作年代は、刀身の造りや付属金具の文様から見て、それを持つ四天王像と同じ飛鳥時代であろうといわれている。(2) また聖徳太子御幼少時の御守刀と伝えられる。

四天王寺の七星剣（図2）は、同寺所蔵の丙子椒林剣とともに聖徳太子御所佩の剣と伝えられる国宝で、長さ六二・四センチの切刃造りの直刀である。法隆寺のものは銅製だったがこれは鉄製で、刻文もかなり異なっている。片面は切先から雲文をはさんで、横一線の ○-○-○ 形三星・V形三星・北斗七星・龍頭の順で並ぶ。他面を見ると、星文は ○-○-○ 形とV形三星は刻まれず、北斗七星のみが反対面の七星と同じ位置に刻まれている。他の雲文・龍頭は反対面とほぼ同様である。製作年代は飛鳥時代という。

正倉院の呉竹鞘杖刀（図3）は、『東大寺献物帳』にも記載されている由緒あるもので、長さ六四・三センチの直刀である。刻文を見ると片面は、切先から雲文をはさんで ○○○ 形六星・北斗七星・く形三星・○-○-○ 形三星の順に並び、他面はこの順序を逆に切先の方へ向けて並べている。製作年代は奈良時代という。

以上が我が国に現存する三振の七星剣であるが、そもそも刀剣に日月星辰・山川等を刻する風習は中国に源を発するものである。古くは春秋時代、伍子胥が七星北斗文を刻した宝剣を漁父に与えたと『呉越春秋』に記され、(3) また、陶弘景の『古今刀剣録』には、夏の禹王の子の啓が二十八宿や日月山川を記した剣を造ったとある。(4) なかでも特に北斗七星は旋璣玉衡と呼ばれて天文運行の基準となり、陰陽や五行を正すものとして尊ばれただけでなく、(5)『淮南子』天文訓に

北斗所撃不可與敵

〔北斗の撃つ所は、与に敵すべからず〕

あるいは『後漢書』天文志に

北斗主殺〔北斗は殺を主る〕

とある如く、軍事的にも重要な意味を持つ故に好んで刀剣に刻まれるものであった。しかし文献的にはともかく、実物は中国には残っておらず、我が国の前記三剣が貴重な遺例となっている。

さて、三剣の刻文を比較して気付く事は、四天王寺と正倉院の二剣の星文にかなりの共通点が見られ、この二剣と法隆寺のものとは、逆に相違点が目立つことである。四天王寺と正倉院の二剣は、⁑形六星文を除けば、北斗七星・∧形三星文・○-○-○形三星文はまったく共通し、さらにその並ぶ順序も北斗七星→∧形三星→○-○-○形三星の順で同じである。これには必ず何らかの理由があるものと思われる。一方、法隆寺の七星剣は、北斗七星・日・月・山形を配列しており、前述の二剣と共通するものは七星だけで、明確な刻文の違いが見られる。

ここで私が抱いた幾つかの疑問を列挙してみよう。

① 正倉院・四天王寺の両剣に共通する∧形と○-○-○形の三星文、そして正倉院の剣だけにある⁑形六星文は、それぞれ具体的に何の星辰を表現したものなのか。

② 四天王寺・正倉院の両剣に、ともに∧形と○-○-○形の三星文が刻まれるのはなぜか。そして七星文とそれらとの配列までがまったく同じなのはなぜか。

③ 法隆寺の七星剣と他の二剣とは、刻まれる天体文様に大きな違いがあるのはなぜか。

以上は、三剣を較べたときの私の率直な疑問であり、また以下の論究の出発点でもある。

Ⅲ

まず各星文の検討から始めたいと思う。七星剣に刻まれる天体文のうち、日・月・北斗七星について論ずる人は多いが、四天王寺と正倉院の二剣にある他の星文については、従来あまり触れられていない。わずかに、たなかしげひさ氏と野尻抱影氏を数えるだけである[6]。いま星文の比定を行うにあたり、両氏の説を表にして掲げる（表1）。

⁑形六星文から考えてみよう。これをたなか氏は昴星とし、野尻氏は三台とされている。

	たなか説	野尻説
⁑	昴星	三台
∧	織女	三公
○-○-○	牽牛	牽牛

表1

古代中国においては周知のように、天球上の赤道付近に散在する星辰を二十八選び、それを二十八宿と呼んだ。昴星はそのひとつで、日本で

は「すばる」と呼ばれている星である。『晋書』天文志に

昴七星、天之耳目也。主西方、主獄事。又為旄頭、胡星也。……昴明、則天下牢獄平、昴六星皆明、与大星等、大水。七星皆黄、兵大起。一星亡、為兵喪。揺動、有大臣下獄、及有白衣之会。大而数尽動若跳躍者、胡兵大起。

〔昴の七星は、天の耳目である。西方を主り、獄事を主る。また旄頭(ぼうとう)であり、胡人の星である。……昴が明るくなれば、天下の牢獄は平らかになる。昴の六星のすべてが大星と等しく明るくなれば、大水が出る。七星がみな黄色くなれば戦乱が大いに起こる。一つの星が消えれば兵士たちは死ぬ。光が揺らげば、大臣が下獄し、皇族に亡くなる者が出る。大きくなり、何度も跳ねるように動く時は、胡人の兵が大いに起こる。〕

とあるように獄事と兵乱に関係した星辰で、一群の星を七星をもって代表させる場合が普通である。実際に星文として表現された例を見てみよう。図4は唐代の二十八宿鏡(7)の部分で、昴宿は形のジグザグな七星文となっている。

図4　唐代二十八宿鏡

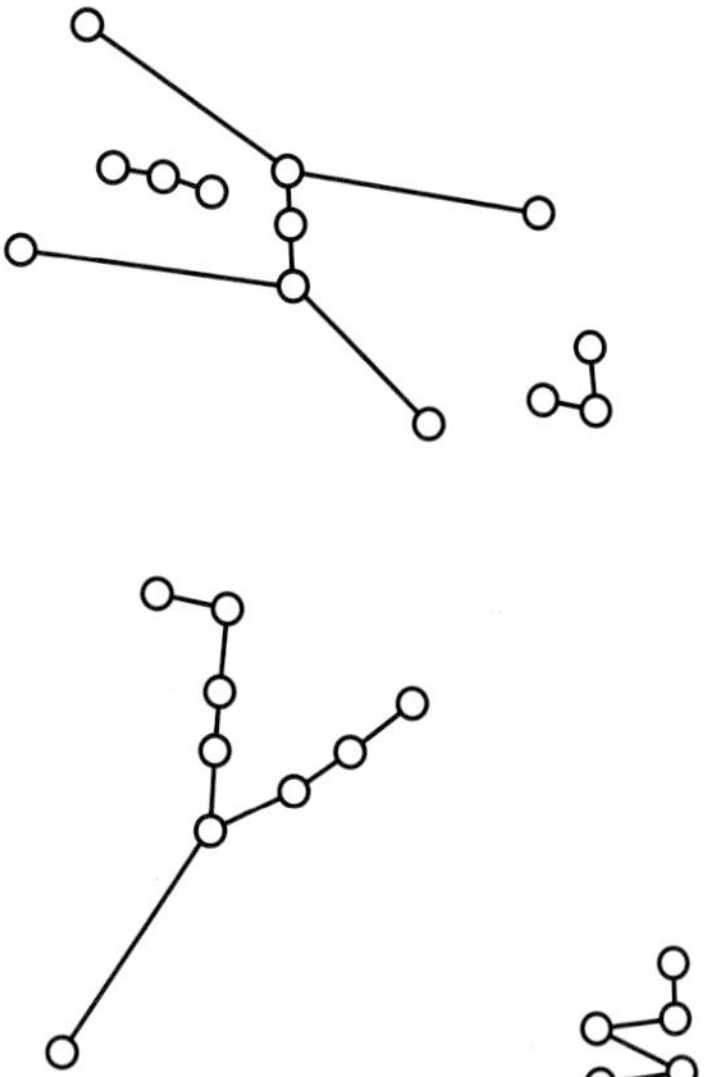

図5　呉漢月墓石刻星図

この形は河北省宣化の遼代墳墓の天井に描かれた二十八宿図でも同様である。(8) これ以外の形としては、図5の五代の墳墓から出た石刻星図(9)に見られるような形がある。このように中国の実例では、ジグザグに七星を並べる形が普通である。これは昴宿が、本来狭い範囲に密集した星団であるため、切り離した表現は不適当だからであろう。しかるに正倉院の七星剣は形にわざわざ二星ずつ三組に分けて六星を刻んでいる。これをたなか氏のように昴星とするのは無理であろう。

それでは、野尻氏のいう三台はどうだろうか。この三台という星辰は、北斗や二十八宿に比べてあまり名の知られていない星辰であるが、『晋書』天文志に

三台六星、両両而居、起文昌、列抵太微。一曰天柱、三公之位也。在人曰三公、在天曰三台、主開徳宣符也。西近文昌二星曰上台、為司命、主寿。次二星曰中台、為司中、主宗室。東二星曰下台、為司禄、主兵、所以昭徳塞違也。又曰三台為天階、太一躡以上下。一曰泰階。上階、上星為天子、下星為女主。中階、上星為諸侯三公、下星為卿大夫。下階、上星為士、下星為庶人、所以和陰陽而理万物也。

〔三台の六星は、二星ずつ対になって配置され、文昌から始まり、並んで太微にいたる。天柱とも呼ばれ、三公の位である。人においては三公と呼ばれ、天にお

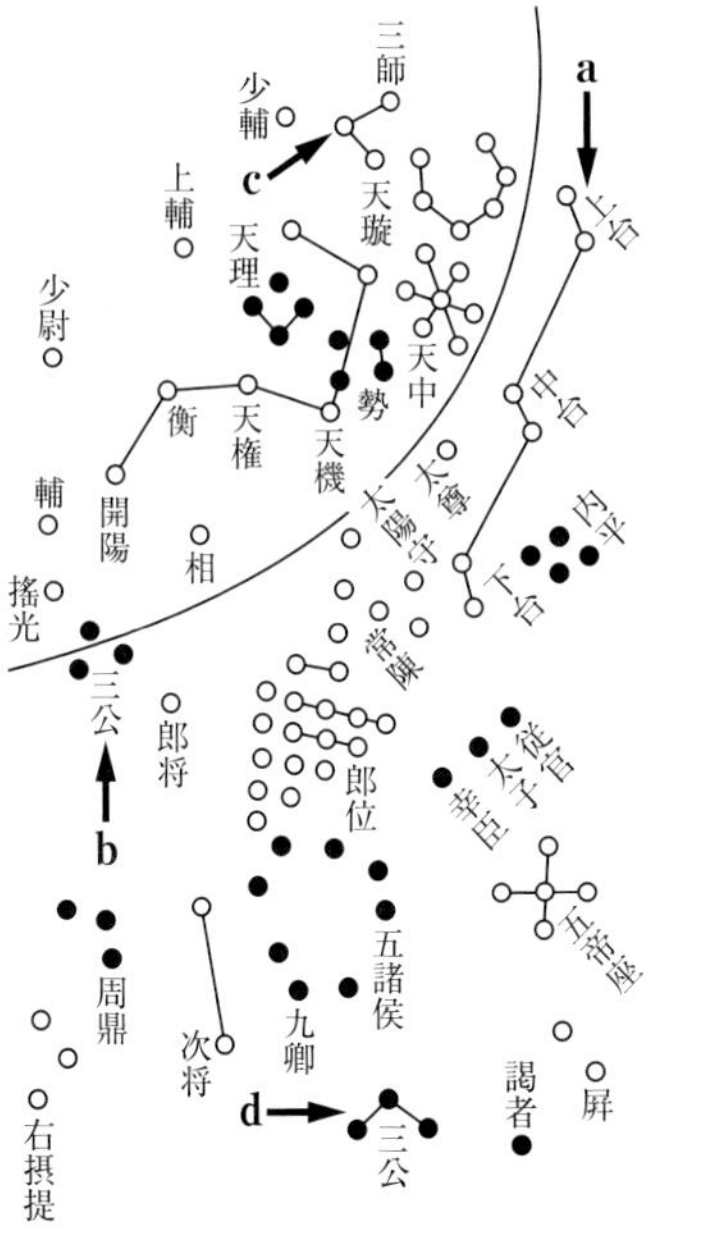

図6 『新儀象法要』

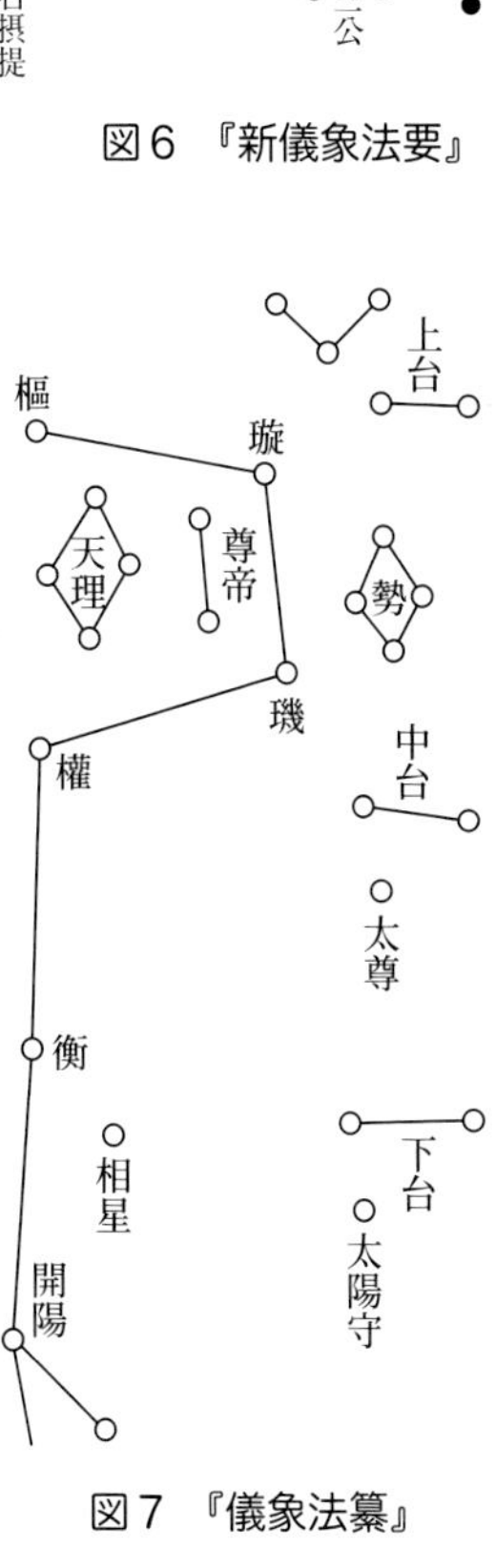

図7 『儀象法纂』

図8　孝堂山画像石

いては三台と呼ばれ、徳を広め、祥瑞を伝えることを主る。西の、文昌に近い二星を上台といい、司命であり、寿命を主る。次の二星は中台といい、司中であり、宗室を主る。東の二星は下台といい、司禄であり、兵事を主る。徳を昭らかにし、過ちを封じるゆえんである。また、三台は天階であり、太一がこれを踏んで昇り降りをするともいわれ、泰階とも呼ばれる。上階は、上星が天子で下星が皇后である。中階は、上星が諸侯三公であり、下星は卿大夫である。下階は、上星が士で、下星が庶人である。陰陽を調和し、万物を理するゆえんである。」

とある如く、上台・中台・下台と名づけられる二星ずつ三組に分かれている六星である。地上の官制でいうと三公にあたり、寿命や兵事を主り、太一神が上下する階段でもあり、陰陽を和し万物を理する星とされていた。星文としての具体例を見ると、北宋時代の天体を写したといわれる『新儀象法要』[10]では六星がすべて線で結ばれているが（図6矢印a）、同系統の『儀象法纂』[11]では三組をはっきり分けて描いているし（図7）、南宋の蘇州石刻天文図[12]においても同様である。あまり有名な星辰ではないので、それ以上古い時代の図像化された例は見あたらないが、文献の記述から考えても古代から⁂形で表されていたとみなしてよかろう。また私の調べた限りでは、⁂形をした星辰はこの三台以外に見あたらない。よって野尻氏のいわれる三台とするのが適当と思う。

次に∧形三星文を見てみよう。これについて**たなか**氏は織女星、野尻氏は三公をそれぞれ挙げておられる。織女

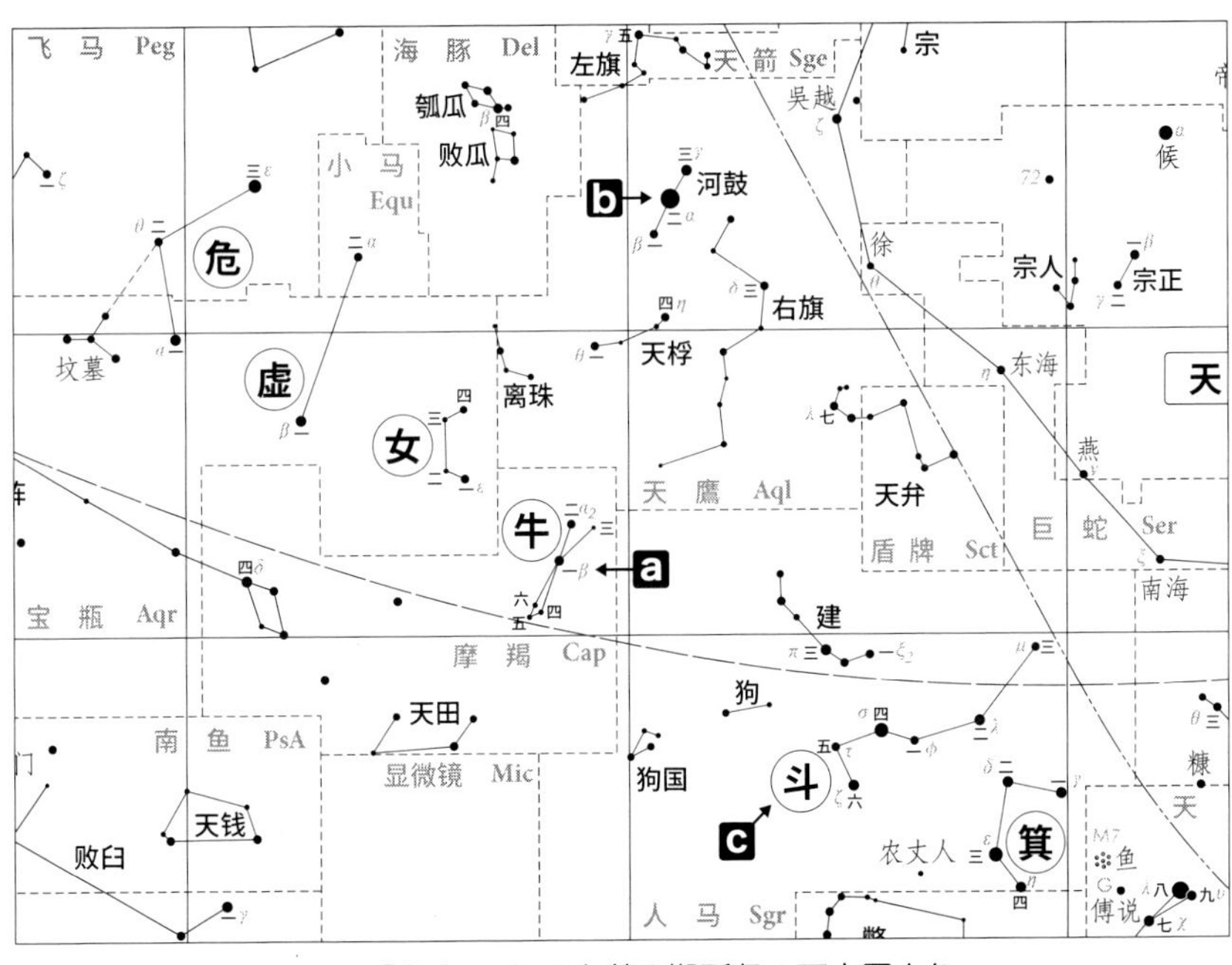

図９ 『考古』1975年第３期所収の天文図より

星とは、七夕伝説で有名な琴座のα星ヴェガのことで、『晋書』天文志に

> 織女三星、在天紀東端、天女也。主果蓏絲帛珍宝也。王者至孝、神祇咸喜、則織女星俱明、天下和平。大星怒角、布帛貴。
>
> 〔織女の三星は、天紀の東端にあり、天女である。果物、絹糸絹織物、珍宝を主る。王者が孝を尽くし、天の神・地の神がみな喜べば、織女もまた明るく輝き、天下は平和となる。その中の大星が怒れば、麻や絹の織物の値が高騰する。〕

とあるように、大星ヴェガを中心に角である二星を合わせた三星一組の星辰である。図8は山東省孝堂山の後漢の画像石であるが、三足烏を中に含む太陽の左で機を織っている女性が織女である。そしてその頭上にある⋀形の星辰が織女星である。『新儀象法要』や蘇州石刻天文図でも同様に織女星を⋀形で表しており、七星剣の⋀形三星文に該当するものとして肯ける。

野尻氏の挙げられた三公に当たるものには三種類ある。『晋書』天文志に

杓南三星及魁第一星西三星、皆曰三公。主宣徳化、調七政、和陰陽之官也。

図10　河南省南陽画像石

〔杓の南の三星および魁の第一星の西にある三星は、いずれもみな三公と呼ばれる。徳による教化を広め、七政（日月五星）の運行を調整し、陰陽を調和させる官職である。〕

とある如く、北斗七星の杓南にある三星と、北斗の枡の先端の西方にある別名三師と呼ばれる三星が、まずその二つで、三つめは同書天文志に

謁者東北三星、曰三公内坐、朝会之所居也。

〔謁者の東北の三星は、三公内坐と呼ばれる。朝儀が行なわれる場である。〕

とあるものである。図6では矢印b・c・dにあたり、それぞれ∧形の三星文を構成している。これもまた、七星剣の∧形三星文の候補として適している。

つまり∧形三星文は、織女星と三公のどちらにもとれるわけである。しかし単に形態だけを追っていけば、この形の星辰は中国の天文図では珍しくなく、まだ他にも該当するものは多い。その内のどれかに決定するには何らかの根拠が必要で、**たなか**氏は次に扱う牽牛星との組み合わせから、野尻氏は古文献にある「三公戦闘剣（さんこうせんとうのけん）」という名称を

根拠に説をたてられている。[13] その妥当性の検討は後に行うことにして、先に形三星文の方を見てみよう。

この星文についてはたなか氏も野尻氏も同じく牽牛星を当てておられる。中国の天文学において牽牛と名の付く星辰には二つある。ひとつはやぎ座のβ星を中心とした二十八宿中の牽牛宿（図9矢印a）のことで、別に牛宿ともいう。普通形で表され、二本の長い角を持った牛を象っている。もうひとつはいわゆる七夕の彦星にあたる鷲座のα星アルタイル（図9矢印b）である。中国の天文学では河鼓とも呼ばれている。『晋書』天文志に、

河鼓三星、旗九星、在牽牛北、天鼓也。主軍鼓、主鉄鉞。一曰三武、主天子三将軍。中央大星為大将軍、左星為左将軍、右星為右将軍。

〔河鼓の三星、旗の九星は、牽牛の北にある。天鼓である。軍隊の太鼓を主り、斧や鉞を主る。三武とも呼ばれる。天子の三将軍を主る。将軍というのは、中央の大星が大将軍、左星が左将軍、右星が右将軍である。〕

とあるように、アルタイルを中心に三星からなる星辰で意味的には軍鼓、あるいは大将軍を中にした三将軍を表す。七星剣の形三星に当てられたのはもちろんアルタイルの方である。

星文の表現を追ってみると、河南省南陽出土の後漢画像石では、[14] 角をいからせた牛の前に鼓を打つ人物を配して牛郎を表し、その星文を牛の上方の形で示している（図10）。また既に掲げた図8の中の、機を織る織女の背後に延びる形三星文も牽牛星であるといわれている。[15] このように牽牛星は一般に形で表現され、後代の天文図でもそれが通例である。さらに直線的に三星が並ぶ星辰は、数ある中国天文星辰の内でも牽牛星だけといってもよい。[16] 野尻・たなか両氏が認める如く、牽牛星と断定してよいと思う。

以上の検討を要約すると次のようになる。

形六星は三台、形三星は牽牛星としてそれぞれ結着をみた。しかし形三星は、織女か三公かどちらとも決め難いものであった。刻文から素直に考えるとすれば、たなか氏のように、夫婦星として名高い牽牛・織女を並べ

たとするのが解釈としては順当といえよう。これに対し野尻氏は、古文献にある「三公戦闘剣」にあたるものがこの七星剣であると仮定され、∧形の三公を中心に、同じく三公を意味する三台を北斗とともに配し、さらに三将軍を表す牽牛を加えて、すべて軍事的な意味あいから選ばれたものであるとの解釈を行っている。(17)

しかし北斗に陰陽としての夫婦星を加えるという意味で牽牛織女を配したと考える場合、正倉院の七星剣になぜ三台が付け加えられるのかが不明確となる。他方、三公戦闘剣と仮定した場合でも、刻文の基本は北斗→∧形三星→∘-∘-∘形三星の構成にあり、四天王寺の七星剣に見られるように、三公を意味する三台よりも牽牛星の方が優先順位が高いことに対する説明が困難となる。つまり両氏の説の違いは∧形三星文の解釈をめぐっての相違であり、どちらの場合でも、いまひとつ決め手に欠けるように思われる。

私の結論からいえば、これは織女星である。実はその根拠も含め、前に掲げた私の疑問点は中国のある説話によってすべて解答が得られるのである。

Ⅳ

私はこの問題を解決する重要な鍵をにぎるものとして、『晋書』張華(ちょうか)伝に載る宝剣譚(たん)を挙げたい。

初、呉之未滅也、斗牛之間、常有紫気、道術者、皆以呉方強盛、未可図也。惟華以為不然。及呉平之後、紫気愈明。華、聞豫章人雷煥妙達緯象、乃要煥宿、屏人曰、可共尋天文、知将来吉凶、因登楼仰観。煥曰、僕察之久矣、惟斗牛之間頗有異気。華曰、是何祥也。煥曰、宝剣之精、上徹於天耳。華曰、君言得之、吾少時有相者、言吾出六十、位登三事、当得宝剣佩之、斯言豈効与。

〔初め、呉がいまだ滅びていないとき、斗牛の間には、いつも紫気が生じていた。道術者はみな、呉の勢力はちょうど強く盛んなので、いまはまだ討つべきではないと考えたが、張華だけはそう考えなかった。呉が平定されてから、紫気はますます明るくなった。華は、豫章の人雷煥(らいかん)が緯象によく通じていると聞くと、煥を呼んで家に泊め、人払いをして、「ともに天文を尋ねて、将来の吉凶を知ろうではないか」と言うと、高楼に登り、天空を仰ぎ見て観察した。煥が「長らく観察をしておりましたが、ただ、斗牛の間に異様な気がございます」と言うと、華は「それは何の祥か？」と訊ねた。煥は「宝剣の精が立ちのぼって天までいたっております」と答えた。華は言った。「君の言うとおりだ。私は若いころ、人相見に言われたことがある。六十歳を過ぎたら、位は三事に登り、宝剣を手に入れて佩びるであろうと。その言葉のとおりではないか」と。〕

張華は博学で鳴らした人で、図緯方伎（といほうぎ）の書に至るまであらゆる方面に通じており、不思議な逸話も多い。この宝剣譚もそのひとつであるが、ここで注目したいのは「斗牛之間常有紫気」という記事である。

すなわち三国呉が滅びる以前に、天の斗牛の間に紫気（しき）があり、それを見て道術者たちは呉が強く盛んになると判断したのだが、張華だけはそれに反対した。道術者たちの判断には明確な根拠がある。

古代中国においては二十八宿とは別に、周天を十二に分割したものを十二次といっていた。この十二次と二十八宿とを組み合わせ、そこに地上の各州を割り当てて、天体のどこかに変化があれば地上のどこに異変が起こるかを察知する占いの方法が既に漢代には確立していた。いま『晋書』天文志で十二次のうちの「星紀」の項を見ると

自南斗十二度、至須女七度、為星紀、於辰在丑、呉越之分野、属揚州。

〔南斗の十二度から須女の七度までを星紀という。十二支では丑に在る。呉越の分野であり、揚州に属する。〕

あるいは

斗・牽牛須女、呉・越、揚州

〔斗・牽牛・須女は、呉・越・揚州〕

とあり、二十八宿の南斗・牽牛（牛宿）・須女は、十二次でいえば星紀に属し、分野では呉越、当時の州名では揚州に当たる。

つまり「斗牛之間」の斗牛とは南斗と牛宿（ぎゅうしゅく）（図9矢印a・c）のことである。その南斗と牛宿の間に紫色の瑞気が現れ三国呉が健在であれば、道術者が呉が強く盛んになると占うのは理にかなったことなのである。しかし現実には呉は滅びてしまい、それにもかかわらず紫気は一層明るく

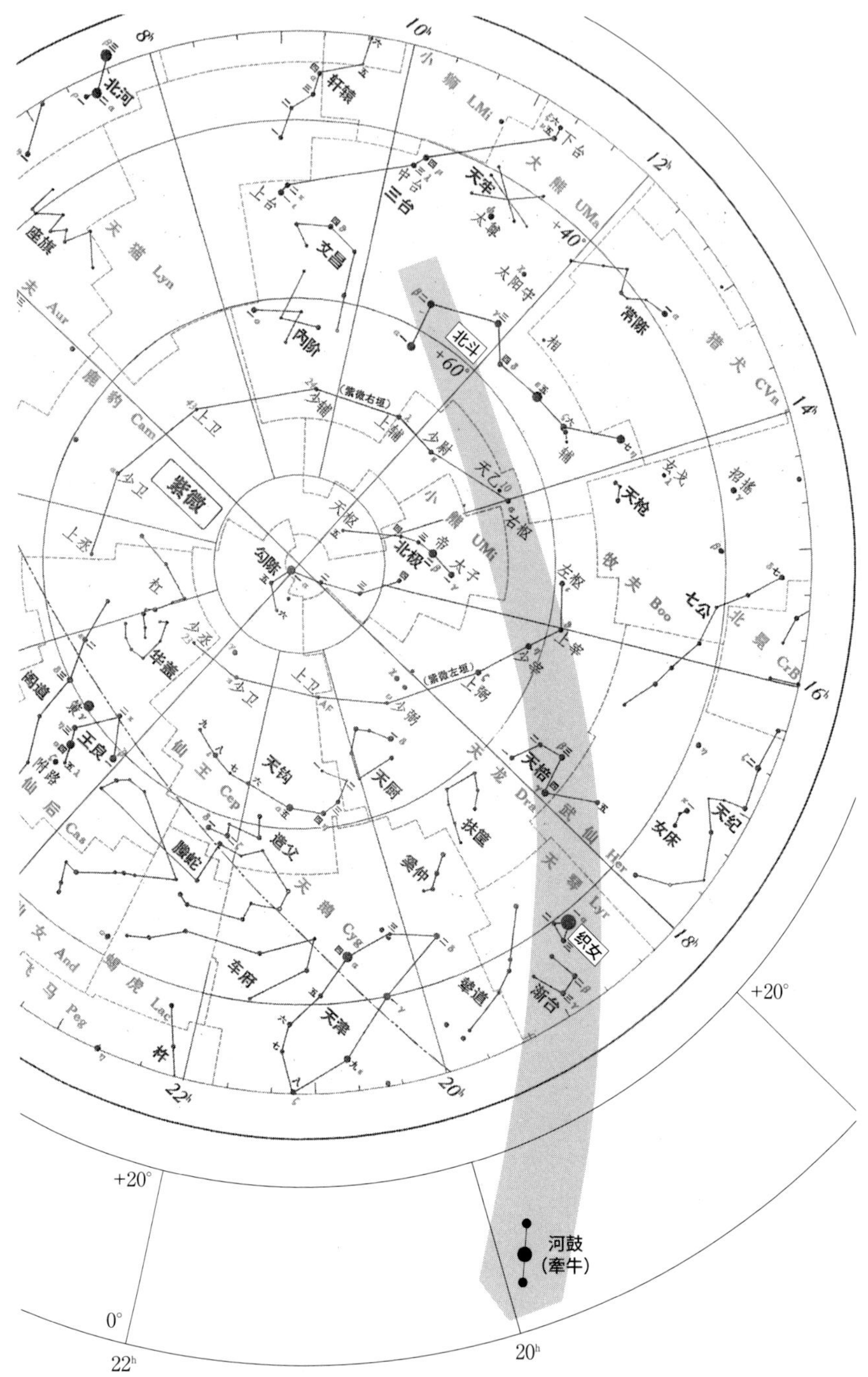

図11 『考古』1975年第3期所収の天文図より

なった。そこで張華と共に楼上で夜空を仰観した雷煥は独自の解釈を行う。すなわち斗牛の間の紫気とは、宝剣の精が上昇して天を貫いたものなのだと。

　ここには引用しなかったが、その後雷煥は張華の命を受けて豫章の豊城にその宝剣を捜しに行く。果たして牢獄の地下から「龍泉」と「太阿」の銘を持つ双剣が出土し、その夕、斗牛の間の紫気は消えた。雷煥は一振を自分のものとし、一振だけを張華に送った。張華はその剣文を見て、有名な双剣「干将・莫邪」のうちの干将であることを悟る。後に華は誅されてその剣は失われ、雷煥の剣も息子の雷華の腰からひとりでに飛び出して川に没してしまったということである。

　さてこの張華の宝剣物語は、春秋の干将・莫邪や漢の斬蛇剣の話などと共に、数ある宝剣譚の中でも後世かなり有名になったらしい。隋・虞世南の『北堂書鈔』（巻一二二）、唐・欧陽詢の『芸文類聚』（巻六〇）、唐・徐堅の『初学記』（巻二二）を初めとする類書には必ず記載されているし、南朝梁の呉均の「詠宝剣詩」[18]には「寄語張公子、何当来見携（張公子にお尋ねしよう、宝剣はいつお持ちいただけるか？）」とあって、既に梁に於ては宝剣といえば張華という関係が定着していたらしい。また隋から唐にかけての人といわれる王度の『古鏡記』[19]にも「張公喪剣、其身亦終（張公、剣を喪いて、其の身また終われり）」とある。唐の李徳裕はわざわざ豫章豊城の宝剣が掘り出された場所を訪ねて「剣池賦」[20]を作っている。

　一方、宝剣の紫気が現れた場所「斗牛之間」の「斗牛（または牛斗）」という語も、この物語によって、宝剣を形容したり、気力充溢した勇ましい様を形容する語としてしばしば使われるようになった。庾信の「従駕観講武詩」[21]、崔融の「詠宝剣詩」[22]、李嶠の「宝剣篇」[23]、杜甫の「所思詩」[24]などはその例で、例えば、宋の岳飛の「題青泥市寺壁詩」[25]では、

　　雄気堂堂貫斗牛、誓将真節報君讐……〔雄気、堂堂、
　　斗牛を貫き、誓って直節を将って君讐を報ぜん。〕

という形で使われたりしている。

　さてここでひとつの試みをしてみようと思う。厳密な意味での「斗牛」とは南斗と牛宿のことであったが、これを北斗と牽牛星に置き換えたらどうなるだろうか。というのは、詩に用いられる時のように、斗牛なる語が張華の物語から

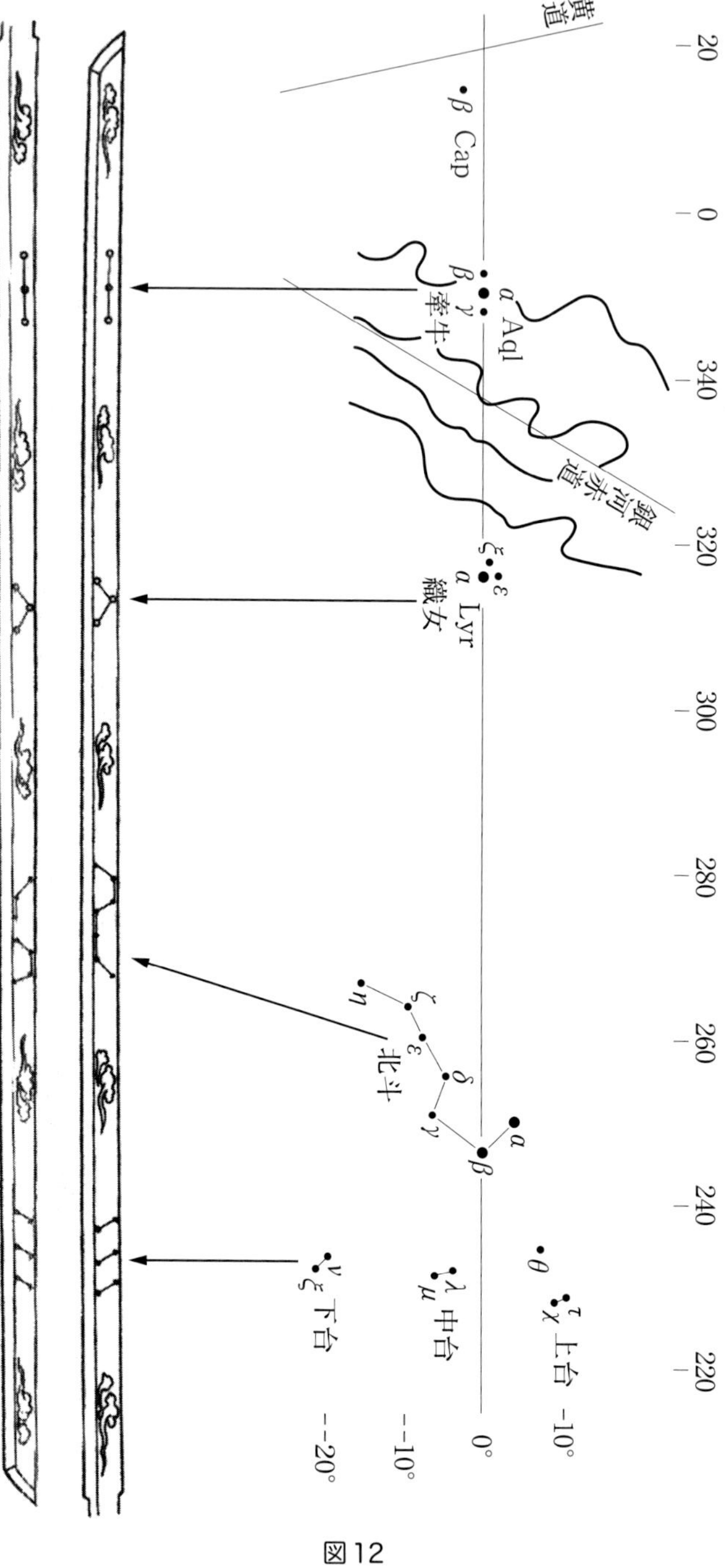

図12

離れ、その「呉之未滅也」の一節との関係が失われた場合、南斗・牛宿でなければならぬ理由は消えるわけだし、また剣の星文の代表が北斗七星ゆえに、斗を北斗と解釈し直す（あるいは誤解する）ことも考えられるからである。この前提に立つとき「斗牛之間」に宝剣の紫気が現れるという現象は、どのように変化するだろうか。

隣り合わせの南斗・牛宿と違い、北斗と牽牛星とはかなり離れている。その間に紫気が現れるということは、紫色のかなり長い帯が天球上に描かれることになる。そして宝剣の精が上昇して天を貫いたのであれば、その紫色の帯は剣の形にも見えるであろう。これらの事を実際に現代の天文図にあてはめたものが図11である。[26] これは北極点を中心に天球を平面に表したものであるから、北斗と牽牛を結ぶ真っ直ぐな紫気は、やや外側に弧を描く曲線となる。そこでは、北斗七星と∘-∘-∘形の牽牛星との間の紫気の上にちょうど⋀形の織女がうまく乗っているのが分かる。この北斗→⋀形織女→∘-∘-∘形牽牛という並び方は、既に見た四天王寺の七星剣（図2）の星文の配列とまったく同じである。つまり四天王寺の七星剣は、北斗・牽牛間に現れた紫気、すなわち宝剣の精をそのまま現実の剣として造り上げようとしたものであるとは考えられないだろうか。

さらにこの北斗七星→⋀織女→∘-∘-∘牽牛の配列が単なる偶然でない証拠として、図11の斗牛の間の紫気を北斗側へ少し延長した所を見てほしい。そこには上台・中台・下台から成る三台六星が現れている。これは正倉院の七星剣に刻まれていた星辰である。斗牛の剣気をここまで延ばせば三台→北斗→織女→牽牛の順序で並び、正倉院の七星剣の刻文の配列とまったく同じになるのである。そこで、北斗の枡の先端から二番目の星（大熊座β星）と牽牛星アルタイルとを結んだ直線が、直線として平面に表れるように、計算して作図し直してみると図12のようになる。[27] 斗牛を結んだ直線上にきれいに四星辰が並んでいるのがわかる。四天王寺の七星剣の場合は紫気上の星辰を片面だけに並べていたが、正倉院の方は両面にそれぞれ順序を逆にして配列しているわけである。正倉院の七星剣もまた斗牛の間の宝剣の精に擬して造られたものであろう。

ここで改めて注目したいのは、宝剣譚に引用した「吾年出六十、位登三事、当得宝剣佩之」という記述である。斗牛の間の剣気とは、つまり張華が位階三事（＝三公）に登り、

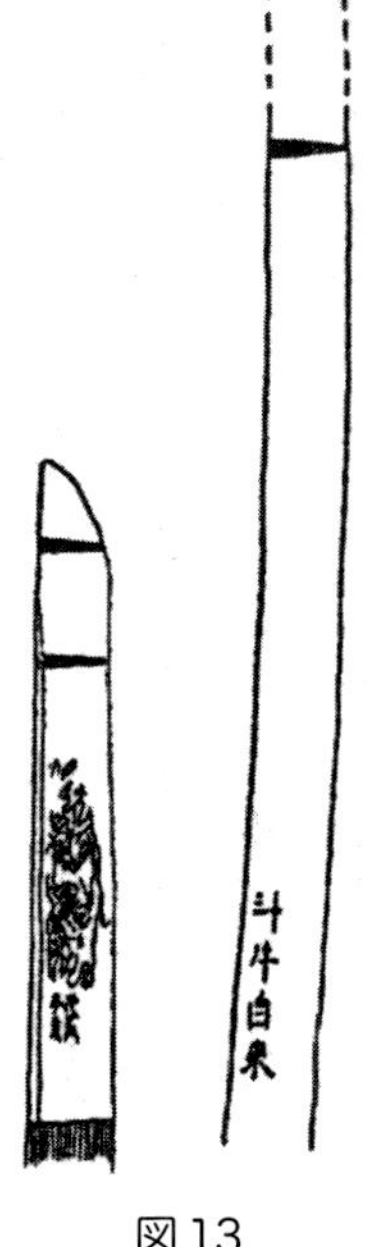

図13

いわば官僚機構の頂点に立ったときに佩するべき宝剣の気だったのである。このことは『春秋漢含孳』[28]に

故三公象五岳、九卿法河海、三公在天法三台、九卿法北斗。

〔ゆえに三公は五岳を象り、九卿は河海に法り、三公は天に在っては三台に法り、九卿は北斗に法る。〕

とあるように、三公・九卿をそれぞれ天文の三台・北斗に割り当てていたことと考え合わせれば、斗牛を結ぶ直線をさらに三台まで延長することによって、位階人臣を極めた時に佩する剣であることを強調せんとする意図が読み取れるはずである。

以上によってわかる事は、七星剣の中には天球上の北斗七星と牽牛星とを結んだ直線の上に並ぶ三ないし四星辰を刻んだものがあり、その構成は張華の宝剣物語に現れる「斗牛之間」の宝剣の精という言葉に源を発しているということである。本来、南斗と牛宿である「斗牛」が、剣文としての斗はふつう北斗ゆえに、北斗と牽牛星とを結ぶ一本の直線へと解釈の変更（あるいは誤解）が行われ、それを直刀に刻み込んだわけである。ここでは以後このタイプの剣を「斗牛剣」と呼ぶことにする。

この斗牛剣の成立時期について考えてみると、私の調べた限り斗牛と剣とを結びつけた文献は張華の宝剣譚以外にはないから、どんなに早くみても張華の没した西晋の永康元年（A・D・三〇〇）を遡らないことになる。そしてこの張華の宝剣譚を記した最初の文献は劉宋時代の雷次宗の『豫章記』と考えられるので、[29]この話が広まるのはそれ以後であるから、雷次宗の没した宋の元嘉二十五年（A・D・四四八）を大幅に遡る可能性は少ない。よって西暦五世紀以後の成立と考えるのが妥当と思われる。つまり天文を刻む剣の中でも比較的新しいタイプのものと考えられるのである。中国で成立したこの斗牛剣の影響をうけて日本の四天王寺と正倉院の七星剣ができたといえよう。さらに、製作年代は不明だが、中国の影響のもとに朝鮮で造られた斗牛剣の例と考えられるものが図13である。[30]右の長剣には、ただ「斗牛自来」とのみ刻まれているが、これは張華の宝剣譚中の斗牛の間の宝剣の精が自ら来たりてこの剣に宿るということを示す呪言であろう。左の短刀には、植物文の下に「牛斗精」なる象嵌がある。これもまた斗牛の間に登っ

た宝剣の精を表すものであろう。これらは、星文の代わりに文字で表現した例と考えられる。

ところで、図12に見られた北斗・織女・牽牛を結ぶ直線は、単に張華の宝剣譚によって初めて明らかになったとするにはあまりにもきれいに並びすぎているように思える。むしろ、当時の天文思想において北斗・牽牛を結ぶ直線は別の理由によって既に知られており、それが新たに発生した宝剣物語によって剣の中に取り込まれていったと考えられよう。というのは、『漢書』律暦志（りつれきし）に次のような記述があるからである。

故伝不日冬至、而日日南至。極於牽牛之初、日中之時景最長、以此知其南至也。斗綱之端、連貫営室、織女之紀、指牽牛之初、以紀日月、故日星紀。

〔ゆえに『左伝』には「冬至」と書かず、「日がもっとも南に達した」というのである。太陽が牽牛宿の最初の位置に達した時には、正午の影が一年で最長となる。それにより、太陽がもっとも南に達したことがわかるのである。大綱たる北斗の柄の端は、営室に連なって貫き、織女の紀は牽牛の初度を指しており、これを基準として日と月の運行を決める。それゆえこれを星紀というのである。〕

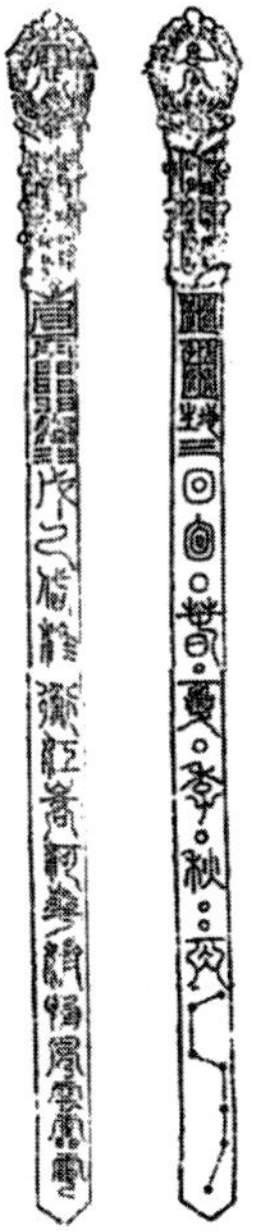

図14　景震剣

北斗の枡端の二星を結んだ線を延ばすと二十八宿中の営室に連なり、そこが立春点を示し、織女の紀は牽牛宿（牛宿）の初度を指してそこが冬至点になるという意味である。冬至は、古代の礼制に於て、天の祀（まつ）りを南郊で行う、一年のうちで最も重要な日であったが、その冬至点を求める方法として「織女之紀」なるものを用いていたという。この織女の紀とは、織女星ヴェガと牽牛星アルタイルを結んだ直線のことで[31]、これを南に延ばした所に冬至点である牽牛初度があるわけである。牽牛初度とは、『後漢書』律暦志に賈逵（かき）の論として

太初暦、冬至日在牽牛初者、牽牛中星也。

〔太初暦に、冬至、日は牽牛の初に在りとは、牽牛の

中星なり。〕

とある如く、牽牛中星つまりやぎ座のβ星のことで、[32] 図9では矢印aにあたる。以上のことを図12で確認してみると、織女・牽牛を結んだ直線はほとんど無視できる誤差でβ Cap.（やぎ座のβ星）を通過している。また、この織女の紀を、北斗の枡端第二星と織女星とに置き換えても同じであることもわかる。斗牛を結ぶ直線は、漢代以前に知られていた冬至点を求めるこの重要な直線からの影響を受けて成立していると考えられるのである。

V

天体文を剣に刻むことの思想的背景を、私は次の三つに分類して考えている。

一、破敵・破陣の表象

既に述べたように、北斗七星には「北斗主殺」（『後漢書』天文志）とか、「北斗所撃不可与敵」（『淮南子』天文訓）とかいった、敵を打ち破り殺すという強力な軍事的意味づけがなされていた。その北斗を刻むことによって剣はただの剣ではなくなり、北斗の霊力を受けて無敵の剣と化すのである。北斗が好んで剣に刻まれるのはこのためである。

また『漢書』郊祀志には

其秋、為伐南越、告禱泰一、以牡荊画幡日月北斗登龍、以象太一三星、為泰一鋒、命曰霊旗。為兵禱、則太史奉以指所伐国。

〔その年の秋、南越を討伐すべく、泰一の神に告げて禱った。牡荊の木で柄をつくり、日・月・北斗・登龍を幡に描き、太一の三星に象って泰一の先鋒とし、これを「霊旗」と命名した。武運長久を禱るとき、太史はこれを掲げて、討伐せんとする国を指し示した。〕

とある。この霊旗とは日・月・北斗・登龍を描き、柄の先に太一三星を象った軍旗のことで、これから伐つ国をそれで指すことによって自国の勝利を祈る儀式が漢代に行われていたのである。つまり日・月・北斗・登龍といった図様自体に破敵・破陣の霊力が認められていたわけで、このことは剣の刻文にも影響を及ぼしていると考えられる。

二、護符としての意味

『抱朴子』雑応篇に次のような記述がある。

或問辟五兵之道。抱朴子曰、吾聞、呉大皇帝曽従介先生受要道云、朱書北斗字及日月字、便不畏白刃。帝以試左右数十人、常為先登陥陣皆終身不傷也。

〔ある人が五兵を避ける法をたずねた。抱朴子が答えるには「私の聞いた話では、呉の大皇帝が、かつて介(かい)先生から秘訣を授かったという。それは、北斗および日月の字を朱書すれば、白刃を畏れることはなくなるというものであった。皇帝は、左右の者、数十人にこれを試してみたところ、かれらは常に率先して先陣に斬り込み、みな最後まで傷ひとつ負わなかったという。」〕

辟兵の道、つまり戦闘による負傷を免れる手段として北斗・日・月の字を朱書した護符を身につける方法を呉の孫権が用いたという。これを剣に星文として刻んでも同じく辟兵符の意味を持つことは言うまでもなく、『抱朴子』道意篇に

要於防身却害、当修守形之防禁、佩天文之符剣耳。祭禱之事無益也。

〔要は、身を防御し害を避けるためには、体を守る禁忌を修得し、天文の符(おふだ)や剣を佩びるのがよろしい。祭祀や祈禱は役に立たない。〕

とある如くである。(33)

また『元和郡県志』の天津橋の条には

南北夾路対起四楼、其楼為日月表勝之象、然洛水溢、浮橋輒壊。

〔南と北の両岸に向かいあうように四つの楼閣を建てた。それらの楼閣には、日月のめでたい図像を配したが、洛水が溢れた時に、浮橋は壊れてしまった。〕

とある。唐の洛陽城を横切る洛河に浮橋を造り、南北対岸に四楼を建ててそこに日月表勝の象を描いたが大水によって橋は壊れてしまったということで、この日月表勝の象とは浮橋を災害から守る護符としての役割りをもつものなのであろう。このように天体文には兵刃(へいじん)や災害を免れる呪力があり、それが剣文に採用されたのである。

三、崇高なるものの表象

七星剣に表される日・月・星辰・山・龍といった文様は、中国の皇帝の冕服(べんぷく)を飾る模様である十二章のうちの五要素を占めている。この十二章、つまり天地・宇宙の重要な要素を描いた服を着ることによって、自らの内に全宇宙を包

含し天地陰陽の霊力を身に帯びて、皇帝の権威を高めんとするものである。全宇宙の霊力を象徴するもの、崇高なるものの表象としてそれらの文様は使われていた。このことは剣に於ても同様で、福永光司氏は『道蔵』洞玄部におさめられた景震剣図（図14）によって端的に説明されている。[34]この剣は唐の道士司馬承禎が自ら造り玄宗に献上したと考えられるもので、図に見るごとく日・月・北斗・五星・五山・四瀆・四季・風・雲・雷・電といった天地の主要な要素が文字や星文によって刻まれており、地上の皇帝権の神聖性を天地万象の霊威に結びつけて高めようとする意図は明白である。天文を刻んだ剣は、このような視点からもとらえておく必要があろう。

以上三つの分類は、決して明確に区別して用いられるものではなく、実際には三つの意味が混ざり合い複合的に剣の中に取り込まれているわけで、法隆寺の剣にしても四天王寺・正倉院の斗牛剣にしても、単純にひとつの面からだけではとらえられない複雑な意味内容を含んでいるのである。法隆寺の剣でいえば、金堂四天王のうちの持国天が持つ剣ゆえに、天地の霊力を秘めた崇高なるその剣は聖なる空間を穢さんとする邪悪なるものを打ち破り、諸々の天災人災からそこを守護する意味が込められていると考えられる。このような意味の複合性という点では斗牛剣も同様なのである。

しかし、その成立過程や刻文の空間意識という面では、四天王寺・正倉院の斗牛剣は法隆寺の剣とは大きな違いを見せている。まず、斗牛剣は張華の宝剣譚という一説話から発生したものであるという点で、日・月・北斗文を持つ剣とは根本的に基礎を異にしている。刻文の空間意識という面では、日・月・北斗・山形を刻した法隆寺の剣は「天地万象剣」とでも名づけられるものだが、斗牛剣の方は、宇宙全体を内包せんとするような大それた意図は無く、単に天に現れた一直線の宝剣の紫気を直刀に写し込んだだけであり、その意味では変則的で素朴な剣といってよいだろう。

法隆寺の日月万象剣と四天王寺・正倉院の斗牛剣、ひと口に七星剣といっても、両者には画然とした性格の違いが認められるのである。北斗七星は剣文の代表ゆえに、七星さえ刻まれていればすぐ七星剣と呼んでしまう傾向にあるが、天文を刻んだ剣の様相はなかなか複雑で、ここで扱った斗牛剣や日月万象剣以外にも七星だけでは割り切れない様々な星文を持った剣が各地に数多く存在していたらしい。(35)七星剣という俗称の可否の問題をも含め、より広い視野からこれらの剣をとらえ直してみる必要があろう。

注

（1）松本榮一「法隆寺金堂四天王と七星剣」（『国華』四四一号　昭和二年）。
　辻本直男「法隆寺の七星剣について」（『美術史』一五号・一六号　昭和三年）。

　佐藤貫一「法隆寺伝来の七曜剣及び銅剣」（『MUSEUM』九六号　昭和三四年）。

　たなかしげひさ「丙子椒林・七星剣と法隆寺の日月剣」（『仏教芸術』五六号　昭和四十年）。

　野尻抱影「七星剣の星文考」（『星と東方美箭』所収恒星社　昭和四六年）。

　福永光司「道教における鏡と劒」（『東方学報』京都・第四五冊　昭和四八年）。

　末永雅雄『増補・日本上代の武器』（木耳社　昭和五六年）。

（2）松本・辻本・佐藤各前掲論文。ただし、末永氏は百済よりの伝来品の可能性を示唆され（末永前掲書）、たなか氏は十二世紀のものとされている（たなか前掲論文）。
（3）『呉越春秋』（『芸文類聚』巻六〇所引）「伍子胥過江、解其剣与漁父日此剣中有七星北斗、其直千金」。
（4）『古今刀剣録』「夏禹子帝啓在位十年、以庚戌八年、鋳一銅剣長三尺九寸、後蔵之秦望山。腹上刻二十八宿、文有背面、面文為星辰、背記山川日月」。
（5）『史記』天官書「北斗七星、所謂旋璣玉衡以斉七政……斗為帝車、運于中央、臨制四郷、分陰陽、建四時、均五行、移節度、定諸紀、皆繫於斗」。
（6）たなか・野尻各前掲論文参照。
（7）『中国古代天文文物図集』（文物出版社・北京・一九八〇年）図版六五。
（8）『中国古代天文文物図集』図版一一・八〇参照。
（9）『中国古代天文文物図集』図版七〇・呉越国呉漢月墓石刻星図。
（10）『中国古代天文文物図集』図版七七。
（11）『中国古代天文文物図集』図版七九。
（12）『中国古代天文文物図集』図版八一・八二参照。
（13）たなか・野尻各前掲論文参照。
（14）『中国古代天文文物図集』図版四八。
（15）出石誠彦『支那神話伝説の研究』（増補改訂版・中央公論

社・昭和四八年）一二四頁。
（16）参宿（オリオン座）も三星が直線に並ぶ部分を持つが、星文としては七星で表されるのが普通である。
（17）野尻前掲論文参照。
（18）『芸文類聚』巻六〇「我有一宝剣、出自昆吾渓、照人如照水、切玉如切泥、鍔辺霜凛凛、匣上風凄凄、寄語張公子、何當来見携」。
（19）『太平広記』巻二三〇。
（20）『全唐文』巻六九七「丙辰歳孟夏月、余届途豊城、弭檝江渚、問埋剣之地、則有池存焉……」。
（21）『全漢三国晋南北朝詩』全北周詩・巻二「……龍淵触牛斗、繁弱駭天狼……」。
（22）『初学記』巻二二「宝剣出昆吾、亀龍夾采珠、五精初献術、十戸竟論都、匣気衝牛斗、山形転鹿廬、欲知天下貴、持此問風胡」。
（23）『初学記』巻二二「……背上銘為萬年字、胸前点作七星文……風霜凜凜匣上清、精気遥遥斗間明……」。
（24）『杜工部詩集』巻一二「鄭老身仍竄、台州信所傳、為農山澗曲、臥病海雲辺、世已疏儒素、人猶乞酒銭、徒労望牛斗、無計劚龍泉」。
（25）『宋詩紀事』巻四三。
（26）『考古』一九七五年第三期所収の天文図に筆者が河鼓を書き加えて作図。
（27）斗牛直線の作図は五島プラネタリウム解説員の金井三男氏にお願いした。
（28）『文選』巻三六・王元長『永明十一年策秀才文』中の「上叶星象、下符川嶽」の部分に唐・李善の注として引かれている。
（29）『北堂書鈔』（巻一二二）・『芸文類聚』（巻六〇）・『初学記』（巻二二）いずれも雷次宗の『豫章記』として張華の宝剣譚を引いている。
（30）末永前掲書二五一頁・第一二五図。
（31）橋本増吉『支那古代暦法史研究』（昭和十八年）四八九頁。
（32）やぎ座β星の赤経に冬至点があった年代を新城新蔵氏は西暦前四三〇年、飯島忠夫氏は西暦前四五三年とされている。新城新蔵『東洋天文史研究』（昭和三年）三七四頁。飯島忠夫『支那暦法起原考』（昭和五年）二三五頁。
（33）このことは、たなかしげひさ氏が北斗・日・月文をもつ法隆寺の七星剣を「日月護身剣」と呼ばれたことに対して裏付けを与えるものである。たなか前掲論文参照。
（34）福永前掲論文参照。
（35）日形・南斗六星・朱雀文のある剣、三皇五帝・南斗六星・青龍・西王母の兵刃の符を刻した剣など、七星文を含まない様々な剣が日本の宮中その他にあったことを、たなかしげひさ氏は指摘しておられる。たなか前掲論文。また『東大寺献物帳』には天文を刻した刀の記載がたびたび見られ、奈良時代すでに日本でもこの手の剣は珍しくなかったことがうかがわれる。

漢代画像石に見られる胡人の諸相

胡漢交戦図を中心に

「胡人」なる言葉が意味するところは、時代により大きく異なっていた。唐代では主にイラン系の人々を指し、後漢時代には北方から西域にかけての全ての外国人のことを、さらに遡って前漢時代までは専ら匈奴を意味する言葉であった(1)。後漢の画像石には、その「胡人」が頻出するが、それが如何なる国の如何なる人種であったかということは、言葉の意味するところと同様、なかなか複雑である。

例えば図1を見ていただきたい。下段に戦闘場面と礼拝図が描かれている。その人物達の面貌・体軀は上段の人々と比べて何ら違いはみられない。一見したところ、中国人同士の戦闘と礼拝の図に見える。しかし後述するように、これは胡族と漢族との交戦図の一部なのである。先端の尖った帽子をかぶるのが「胡人」、右端に机を前に坐す大柄な髭づらの人物は「胡王」である。さらに結論を先取りして言えば、この「胡王」とは「匈奴王」にほかならない。

従来、画像石中に指摘される胡人の数は寥々たるものであった。狩猟図中の弓を引く胡人(2)や沂南画像の菩薩らしき胡人(3)などが僅かな例といってもよい。

しかし近年、数多くの画像石墓が発掘され、その報告が

図1　嘉祥県洪山画像　A181

図2　孝堂山画像

『文物』『考古』の誌面を賑わすようになって状況は一変した。

　後述する如く、漢代画像石には実に多くの胡人が登場し、彼らの姿は画像石の主要テーマのひとつともいえるのである。漢代の人々が実際に見た胡人とは、どのような姿をした、どのような人々だったのか。胡人達は、当時の中国人の生活にどのように関わっていたのか。それらの答えが画像石の中に隠されている。

　本稿は、胡人の頻出する胡漢交戦図の分析を中心に、漢代画像石に現れる胡人の様々な姿を明らかにしようとするものである。

一

図3　胡王銘

　胡族と漢族との戦闘を描いた胡漢交戦図は漢代画像石の数多い画題の中でも描かれる頻度の高い主要テーマのひとつである。しかし不思議なことに、今までこれについて詳細に分析した論考は出ていない。

　図2の孝堂山画像は、胡漢交戦図の代表的な例である。画面の左右両端に中国軍・胡軍の両陣営を向かいあうように配置し、画面中央に戦闘・献俘(けんふ)・斬首の場面をパノラマ的に散りばめている。右端の魚鱗状に表された山岳には、スキタイ式尖頂帽(せんちょうぼう)をかぶった胡兵が弓を持って潜み、騎射しながら突進している。山から駆け出した胡騎の下には胡軍の本営がある[4]。髭をたくわえ、机を前に坐す大柄な人物は、背後に図3のような「胡王」という原刻の銘があるの

漢代画像石に見られる胡人の諸相

で、胡軍を率いる王であることがわかる。王に対面する四人の臣下のうち、一人は跪いて戦況の報告をし、四人の背後には、王に捧げるべく二人の下僕が串に刺した肉をあぶっている。

画面の右三分の一が胡族の空間で、そこから左に向かって戦場と中国側の空間が展開していく。胡騎の武器は弓だけ、中国騎兵の方は弓と戟の二種類を持つ。中国兵も胡兵も顔や服装は全く同じで、中国兵が平たい幘や武冠をかぶり、胡兵が尖頂形のスキタイ帽をかぶっていることによって、わずかに区別される。両者の外観上の違いは帽子の形だけである。(5)

胡兵は、矢に当たったり、戟で後ろから首をひっかけられたりして落馬する（a）。戟は追撃用の武器であることがわかる。刀を持った中国歩兵のまわりに首のない胡兵の死体が描かれているが（b）、騎馬戦における歩兵の役割は落馬した胡兵の首を切ることであったらしい。

画面左端の建物は中国側の本営である。一階に机を前にして坐す恰幅のよい人物は、頭に武冠（籠冠）をつけているので中国軍を指揮する将軍もしくは王と解され、戦場をはさんで右側の胡王と対峙している。王の前には、室内・室外にそれぞれ進賢冠・武冠をつけた臣下が二人づつおり、戦況の報告をしている。

屋外は献俘と斬首の場面である。後ろ手に縛られて跪く三人の胡兵の前に一人の中国兵が対坐し、両手で胡兵を指し示している。後述するように、このポーズは室内の王に対して捕虜を提示しているのである。

その下には、胡兵の首をつるした武器架と刀を持った行刑人が立っている。捕虜の多くは斬首の憂き目にあうようだ。

図4　勝県山亭画像　A240

以上概観した孝堂山の胡漢交戦図は、次の六つの基本要素から成り立っていることになる。

1、弓を持ち、尖頂帽をかぶった胡兵がひそむ魚鱗状の山

2、胡王が戦況の報告を受ける胡軍本営

3、中国軍と胡軍が戦う戦場

4、後手に縛られた胡兵が並ぶ献俘の場

5、切られた首がさらされる斬首の場

6、戦況の報告を受ける将軍もしくは王のいる中国軍本営

胡漢交戦図の数は多いが、基本的には総べてこの六要素によって構成されている。孝堂山図のように胡漢両陣営を画面の両端にふり分け、各要素をパノラマ的に描いたものを、仮に「パノラマ的総合図」と呼ぶことにする。このタイプには、図4のように、中国軍本営の代わりに、馬車に乗って戦場に駆け出す将軍を描くものも多い。戦闘場面は、孝堂山図のように両軍騎兵が向かいあう緒戦を表したものは稀で、ほとんどが図4の如く胡軍の敗走と漢軍の追撃を描いており、いわば胡族撃退図の様相を呈している。

このほか、胡漢交戦図には、六要素のうちの一部を非パノラマ的に並べた「部分抽出図」と呼ぶべきものもある。図5[6]では、上段に戦場、下段に中国軍本営と献俘の場面を描く。戟で胡兵の首をひっかける中国騎兵や、後ろ手に縛られた捕虜を両手で指し示す臣下のポーズなど孝堂山図と同じである。最初に挙げた図1は、逆に、胡軍の本営と戦場の二要素からなっていた。部分抽出図の場合、戦闘場面は図1のように歩兵戦を描くものが多く、図6[7]でも上段に歩兵戦、中段は漢軍本営と献俘、

図5　汶上県孫家村画像　A240

図6　嘉祥県五老洼画像

下段が胡軍本営となっている。

　このように、胡漢交戦図にはパノラマ的総合図と非パノラマ的な部分抽出図の二種類がある。描かれる内容や人物のポーズは形式化され、ほとんど同じ図案のバリエーションといってよい。これまで挙げたもののうち図4を除く総べてが、A・D・一世紀中の作で、画像石としては初期のものだが、出土地は山東省内に散在している。ということは、基本的な図案が各地の工人の間に広く流布していたということになる。そこで、その基本図案成立の時期を具体的に限定してみるとするならば、次のようになろう。

　孝堂山画像の年代については諸説あるが、概ねA・D・一世紀中と考えてよい。(8) 元和三年（A・D・八六）の銘をもつ南武陽皇聖卿闕画像には中国王・献俘・斬首を一画面にまとめた図があり、(9) また、建初八年（A・D・八三）の銘がある肥城県欒鎮村墓画像(10)にも戦闘場面が一部に描き込まれているので、少くともA・D・八十年以前ということになる。さらに、図6の嘉祥五老洼画像は、題記中の「丁卯」という干支から明帝の永平十六年（A・D・六七）と推定されているので、(11) 少なくとも一世紀の半ばには図案が成立していたことになり、さらには前半にまで遡る可能性も出てくる。ということは、胡漢交戦図は漢代画像石の発生とともに成立した原初的テーマのひとつであり、漢代の人々の世界観の根本に関わっていると言えるのである。

　それでは、そこに現れる胡族は一体いかなる人々なのだろうか。スキタイ帽をかぶり、騎馬戦に巧みで、「胡」と呼ばれ、「王」という社会階級を持った民族集団。画像石に度々登場し、中国王に対峙して常に撃退される姿が描かれる民族といえば、その図案成立の時期から見ても「匈奴」と考えるのが妥当であろう。

匈奴は戦国時代から中国北部に侵攻を重ね、趙・燕・秦などの北辺諸国は長城を築いて防衛にあたっていた。趙の李牧や秦の蒙恬といった対匈奴戦の英雄も現れるなど、匈奴は中国本土を脅かす唯一最大の異民族であった。そしてB・C・二〇〇年に平城・白頭山で、冒頓単于率いる匈奴軍三十余万騎に漢の高祖が包囲され、屈辱的敗北を喫して以後、漢は高価な織物や酒食を匈奴に毎年奉献し、公主を単于の妻として度々さし出すなど、その存在は漢帝国の上に重くのしかかった。後漢の延光二年（A・D・一二三）に陳忠が西域での匈奴対策について上疏した文に「漢興、高祖窘平城之囲、太宗屈供奉之恥（漢が興るや、高祖が平城にて包囲され、太宗は奉献の恥辱に屈した）」（『後漢書』西域伝）とあるように、白頭山での敗北は、前漢・後漢を通じて漢人が匈奴のことを考える時に常に思い返される屈辱的事件であった。この敗北により、匈奴は前漢・後漢二代にわたる最大の宿敵となったのである。事実、前漢一代の外交策は匈奴対策一色に塗りつぶされ、その展開は一種の復讐劇ともいえる。

孝堂山図には「胡王」なる銘が入っていたが、前述の如く「胡」は前漢までは匈奴の専称であった。『漢書』西域伝では鄯善・焉耆・亀茲・疏勒などに「撃胡侯」「撃胡都尉」「撃胡君」がいるとして、敵である匈奴（胡）と漢側につく西域諸国とを区別している。

後漢になると「胡」はほとんど「外国人」と同じ意味になるが、後漢が西域に進出して匈奴と支配権を争うようになるのはA・D・七三年以降のことであるから、それ以前に基本図案が成立している胡漢交戦図は前漢時代の対匈奴戦の知見をもとにしているといえよう。

また「王」という社会階級についていえば、匈奴には単于のもとに多くの王がおり、社会構造も周辺諸族よりはるかに発達していた[12]。前漢時代には、単于以下、左右賢王・左右谷蠡王などが上部組織を構成し、その下に千長・百長あるいは碑小王などがいた（『漢書』匈奴伝）。後漢になると左右賢王・左右谷蠡王を四角、左右日逐王・左右温禺鞮王・左右漸将王を六角と呼び、みな単于の子弟が就任した（『後漢書』南匈奴伝）。

図7　匈奴の騎馬像

　これら上部組織は、匈奴内部でも単于氏族たる攣鞮（れんてい）氏や、婚姻氏族の呼衍（こえん）氏・蘭氏など、一部の貴族的な氏族によって構成されており、その他の弱小氏族・別部・別種の王も含めれば、匈奴「王」はかなりの数にのぼる。

　漢と戦った匈奴軍は、それらの王に率いられていたわけで、『漢書』『後漢書』には、匈奴との戦闘で王を捕えたり斬ったりしたという記事が多く見られる。『漢書』衛青（えいせい）・霍去病（かくきょへい）伝だけでも

- 得右賢裨王十余人、衆男女万五千余人
- 獏匈奴王十有余人
- 得単于単桓・酋涂王及相国
- 獲五王・王母・単于閼氏
- 獲屯頭王・韓王等三人
- 殺折蘭王、斬盧侯王
- 斬遬濮王、捕稽且王

『後漢書』耿弇（こうえん）伝（巻四九）では

- 斬匈奴両王
- 於金微山、斬閼氏名王以下五千余級
- 追斬千余級、殺其名王六人

などが、その例である。漢代の人々は匈奴王を単なる知識としてでなく、戦闘を通じて目の当たりにしていたことがわかる。

　また、その過程で漢は大量の匈奴兵を斬首や捕虜としており、その量は他の諸族との戦いを圧倒している。(13) 匈奴兵の斬首・捕虜は当時の中国人の日常的な風景となっており、その場面が胡漢交戦図に頻出することの背景と考えてよいだろう。

　このように、A・D・一世紀半ばには図案が成立していた交戦図に現れる胡族は匈奴と考えざるを得ないわけだが、スキタイ帽をかぶり騎射するその胡兵の姿が、匈奴の騎馬像といわれる綏遠（すいえん）出土のブロンズ像(14)（図7）と酷似していることも、その裏付けとなるだろう。

二

元来、中国の軍隊編成は四頭だての馬で引く戦車が主体であったが[15]、趙の武霊王(ぶれいおう)が胡服(こふく)(筒袖の上衣とズボン)騎射を始めて以来、中国は騎兵の養成と騎馬戦への習熟に努め、対匈奴戦には騎兵中心の軍隊編成をとるようになった。

前漢の遠征軍は、十万を最高とする騎兵と、それに付き従う歩兵・私負従馬・兵站(へいたん)部隊よりなっており、「軍」とは騎兵部隊を指し、歩兵は軍と見做されないほど騎兵中心となっていた、ということが指摘されている[16]。

しかし、胡漢交戦図に見られる漢軍の戦い方や当時の戦術論からいえば、騎馬戦においても歩兵には歩兵の役割があり、また騎兵に代わって活躍すべき状況もある。ここで、漢が対匈奴戦にとった戦法について、交戦図との関連でふれておきたい。

交戦図の漢軍騎兵には、弓を持つ射騎と、長柄の戟を持つ戟騎の二種類がある。戟は弓と違って、相手が至近距離にいなければ役に立たないので、戦場での両者の位置や役割は異なってくる。図2に見るように射騎で突進してくる匈奴軍に対しては、漢軍も射騎を前面に立てて迎え撃たなければならない。両軍の射騎が交錯し乱戦状態になると、馬の機動力は半減し、目前の相手との短距離戦になるので、初めて戟騎の活躍する余地が生まれる。だから図2でも戟騎は後方に多く配置され、胡騎を追って後ろからひっかけるという戦い方をしているのである。

形勢悪く、矢も残り少なくなると胡騎は一勢に逃走を始め、漢軍は追撃態勢に入るが、この場合の主役は戟騎で、射騎はそれを援護することになる(図4はその典型)。胡族撃退図ともいうべき胡漢交戦図には、この戟騎による追撃場面が頻出する。

前述した如く、漢は大量の匈奴兵を斬首捕虜にしているが、乱戦中に矢に当たったり、逃走時に戟でひっかけられたりして落馬した胡兵を騎兵が追い回していては能率が悪い。そこで歩兵が活躍することになる。騎馬戦での歩兵の役割は、落馬した匈奴兵を捕虜としたり斬首することにあり、図2でも刀を持った中国歩兵が、首のない二体の匈奴兵の死体と、乗り手を失った二頭の馬とともに戦闘場面に描かれている(b)。

図8　鄒県黄路屯画像　A55

深追いにならない段階で追撃を終えると、騎兵は引き返して休息し、戦場にとり残された匈奴兵を歩兵が掃討してまわることになる。図8はその場面を表したもので、弓の弦をはずし悠々と行進する誇らしげな中国騎兵と、前面にくり出して掃討にはげむ歩兵の姿をとらえている。史書に度々出てくる「追斬」という言葉は、このような過程をいうのであろう。交戦図の戦闘場面のほとんどは、この「追斬」を描いたものである。

歩兵は、単に落馬した胡兵を相手にするだけではない。鼂錯（ちょうそ）の戦術論に「丈五之溝、漸車之水、山林積石、経川丘阜、草木所在、此歩兵之地也、車騎二不当一（一丈五尺の溝、車が浸るほどの水、石が積まれた山林、河の流れている丘、草木が生えているところ、これらは歩兵に適した地であり、二つの車騎も一人の歩兵に対抗できない）」（『漢書』鼂錯伝）とあるように、歩兵が活躍すべき地形というものがある。匈奴の本拠は浚稽（しゅんけい）山・涿邪（たくや）山・燕然（えんぜん）山・狼居胥（ろうきょしょ）山などの山地にあり、漢は度々そこに乗り込んで匈奴を大破している。そのような地形では歩兵が案外有効であることを最初に証明したのは李陵（りりょう）である。天漢二年（B・C・九九）遠征に参加した李陵は、浚稽山の地形を観察し、山谷間に陣取って、単于率いる三万騎の匈奴軍に対し歩兵五千で互格以上の戦いを続け、しばしば匈奴軍を敗走させている（『漢書』李陵伝）。最後は力尽きて匈奴に降り、武帝の怒りをかったとはいえ、李陵が証明した歩兵の有効性は司馬遷も弁護の中で強調しており、事実、天漢以後の遠征軍では歩兵が急増しているのである。

また、匈奴は余吾（よご）水・姑且（こしょ）水などの本拠地近くの河を防衛線とし、民衆を河の北へ移動させたり、退却のために河に橋をかけたりしている（『漢書』匈奴伝）。広々とした平原と違い、橋のような狭いポイントの攻防では、後出する図10のような歩兵による密集進行の方が有効だったであろう。

このように、歩兵は平地での掃討役だけでなく、地形や戦況に応じて騎兵に代わって主力となることも多かったはずで、胡漢交戦図の中でも部分抽出図が主に歩兵戦を描いているのも、その表れではないか。騎馬戦においても歩兵と二種類の騎兵を使い分けていることを考えあわせれば、漢の対匈奴戦術の特徴は、騎兵と歩兵の巧妙かつ組織的な連携にあったといえよう。[17]

三

さて、これまで見てきたA・D・一世紀中の作例に現れる胡人は、孝堂山図のようにスキタイ帽によってのみ中国兵と区別されるものであった。つまり、胡人も中国人も顔はほとんど同じなのである。なかには肥城県欒鎮村墓画像[18]のように高鼻の胡人を描くものもあるが、むしろ例外と言ってよい。

ところが、A・D・二世紀の作例となると一転して、中国人より目鼻だちの大きい、人種的差異を明確に強調した胡人ばかりが現れるようになる。図9を見ていただきたい。[19] a・bの胡人は鋭く尖った高い鼻をしている。c・dの胡人の目は大きく、鼻はさほど高くはないが大きい。eに至っては、明らかにヨーロッパ系人種の特徴を示している。つまり、A・D・一〇〇年前後を境として胡漢交戦図に現れる胡人の人種構成に変化がみられるのである。何故だろうか。私はその原因を、前漢と後漢の対匈奴戦の質的変化に求めたい。

匈奴の民族的帰属については諸説あり、[20] いまだ決着をみていないが、人種分類からいうと、純粋なモンゴロイド（蒙古族）とみる説、純粋なユーロペオイド（コーカサス種）とみる説、ユーロペオイドと混血したモンゴロイド（トルコ族）とみる説の三種に分けられる。

匈奴王墓とされるノイン・ウラ遺跡の遺体[21]や、内蒙古で近年発掘された匈奴墓の人骨[22]などにより、考古学的にはモンゴロイドとする説がやや有力ながらも、霍去病墓石彫の匈奴人像やノイン・ウラ出土の刺繡人物像の顔貌などからユーロペオイドとする説[23]やトルコ族とする説[24]も根強い。

そもそも、「匈奴」という言葉には、周辺諸族を征服支配した中心民族たる狭義の「匈奴」と支配の過程で吸収された東胡・烏桓・丁霊・堅昆・烏孫などの諸民族も含む広義の「匈奴」の二種類の意味がある。漢人が戦った匈奴軍は

a　勝県西戸口画像　A225

b　微山県両城画像　A13

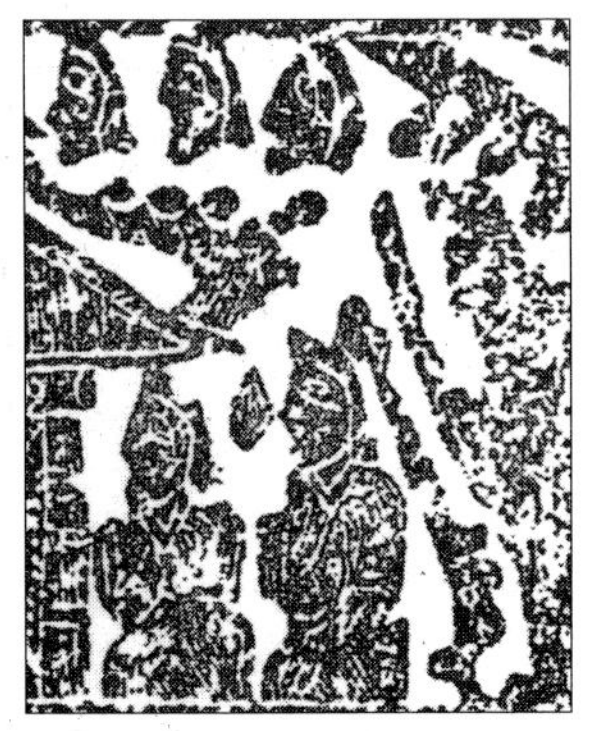

c　勝県龍陽店画像　A253

d　勝県画像

e　勝県万庄村画像　A313

図9

図10　沂南画像

広義の「匈奴」によって編成されており、その中に霍去病墓の石像のような深目高鼻のユーロペオイドが含まれていてもおかしくないということは既に指摘されている。[25]

例えば、サカ系ユーロペオイドの烏孫[26]は、冒頓単于に征服されてから数十年間は匈奴内地に移住させられ、その間、匈奴のために戦って「数有功（しばしば軍功を立てた）」（『漢書』張騫伝）といった軍功をあげている。匈奴別部たる羯がユーロペオイドであったことは既に明らかとなっている。[27]神爵四年（B・C・五八）に呼韓邪単于を擁立した烏禅幕も、かつて「烏孫・康居間小国」（『漢書』匈奴伝・上）だったので、おそらくユーロペオイドであろう。彼らは匈奴内地へ移住しただけでなく、「稽侯狦（のちの呼韓邪単于）既不得立、帰妻父烏禅幕（稽侯狦は、単于に立つことがかなわず、逃げて妻の父、烏禅幕のもとに帰った）」（『漢書』匈奴伝・上）というように、その部族の娘が匈奴単于の妻となっており、単于氏族との混血もあったことがわかる。

また、イエニセイ河上流にいた堅昆や、キルギス草原にいた康居は、前漢末に郅至単于がそこに拠点を移すなど匈奴と密接な関係にあったが、彼らもユーロペオイドといわれている。[28]

このように、匈奴内部には前漢時代からユーロペオイド系民族がかなり内包されていたわけだが、後漢時代になると対匈奴戦の戦場が西域に移り、その傾向はさらに助長されたと思われる。

前漢時代の対匈奴戦の戦場はほとんどが中国北方でいわば国土防衛戦の形

をとっていた。しかし、匈奴が南北に分裂し、建武二十六年（A・D・五〇）に南匈奴が中国に服属するに及び、状況は一変する。南匈奴が漢のために北匈奴を撃退したり、漢と連合して北匈奴攻撃に出るなど、従来には考えられなかった同盟関係が成立するのである。これにより北方の憂いはなくなり、戦場は西移して、西域の支配権をめぐる北匈奴との戦いに変化する。新末の混乱の中で成立した後漢が、内政の整備を終えて匈奴との戦いを開始するのはA・D・七三年のことであり、以後A・D・九〇年前後の第二回目、A・D・一二四年からの第三回目と都合三回の北匈奴遠征を行っている。戦場は、北匈奴の西域への出入口である伊吾・車師が中心となった。この間、西域諸国は漢が匈奴を追い払えば漢につき、匈奴が進出すればまた匈奴につくというように、西域の支配権は漢と匈奴の間を二転三転した。

また、当時中国北方に勢力を拡大しつつあった鮮卑の圧迫を受けて北匈奴自体も西移し、A・D・九一年に金微山で漢軍に大敗を喫して以後は、天山山中の烏孫の地に本拠を置いて[29]、東は蒲類海から西は康居に至るまでの天山以北の広大な草原地帯を背景に、タリム盆地への進出を繰り返していたのである。

この西移した北匈奴は、匈奴本族以外に烏孫・康居方面のユーロペオイド系諸族をかなり内包していたと考えられる[30]。そして漢は、この西移した北匈奴とA・D・一〇〇年前後から西域で戦い続けたわけで、その最新の知見が丁度そのころ造られていた画像石の胡漢交戦図に反映していったのではないか。つまり、孝堂山図のような初期の交戦図は、その図案成立時期から考えて前漢時代の中国北方での対匈奴戦の知見をもとにしており、そこに描かれたモンゴロイド系胡人は匈奴本族と考えられるが、ユーロペオイド系胡族によって占められる後期の図は、当時の人々が目撃した西域での対匈奴戦の様子を旧来の図の中に挿入していったものといえるのである。

四

さて、後期の交戦図にはユーロペオイド系胡人が頻出するだけでなく、初期のものとは趣を異にした特殊な形式の

図11　蒼山県前姚村画像　A418

図もある。図10[31]の沂南画像石墓の交戦図がそれである。従来のパノラマ式の図が広々とした平原での騎馬戦闘を描いていたのに対し、これは橋を挟んでの歩兵戦を描く。それ以外にも、従来の図とは異なる所が多く、興味深い問題を含んでいる。

まず、画面左側下部には山の起伏が横長に表され、戦場の近くまでせり出している。従来の図では、画面の端に円弧を重ね窮屈にまとめられていたわけで、地形的な違いを感じさせる。胡軍も騎兵は後方の山岳地にさがり、前面に歩兵を押し立てている。胡兵の武器は弓が中心だが、後方の胡騎は刀と盾を持っている。この刀と盾を持った騎兵は従来にないものとして注目される。胡兵の顔はみな横顔で、目鼻が大きく、あご髭をはやしており、斜め前向きの偏平な中国兵の顔とは対照的である。体軀も中国兵より大きく、明らかにユーロペオイドである。胡兵の尖頂形の帽子には鱗紋があり、リボン（ディアデム）を巻きつけて後方になびかせている。このリボン付きの胡帽も初めて出てくるものである。

橋の両端には三角形の飾りを載せた華表（かひょう）[32]が立っている。左華表のすぐ右には、武器を奪われた四人の胡兵がこれから首を切られようという哀れな姿で表されており、周囲には胡兵の首が散乱している。

中国軍の編成も珍しく、刀と盾を持つ歩兵ばかりで、弓を持つ射騎がひとりもいない。最後尾では武冠（籠冠）をつけた将軍が馬車に乗って指揮をし、その周りを斧や鼗鼓（とうこ）を掲げた儀衛兵がとり囲む。

橋の下は、筌（うえ）で魚をとったり、船が通る様を描くなど至極のどかな情景になっている。これは橋の下の「川」を表現する場合に画像石でよく用いられる象徴的手法であり、上の戦闘場面とは無関係である。

この沂南の交戦図は、橋という特殊な戦場を設定しているが、おそらく平原から山間部へ胡軍を追いつめてからの攻防を表したものと思われる。橋の近くまで山が横長に描かれているのもそのためであろう。起伏が多く、川も流れる山裾の地で、橋を挟んでの攻防となれば、主役は自ずと歩兵にならざるを得ず、胡騎は後方の山中に下がることになる。画面には現れないが、右端の中国将軍の後方にも、平原での戦いに勝利をおさめた射騎が控えているはずで、そのことは、沂南図とほとんど同じ図案を使っている図11によって裏付けられる。沂南図と比べると漢人歩兵の数や山岳を省略した以外は全く同じであり、中国将軍の馬車を橋の中央まで進めたために、後方に控える射騎が描き込まれることになった。

図11の画像石が出土した蒼山県前姚村（そうざんけんぜんようそん）は、沂南画像石墓から九〇キロメートルほど離れている。橋をめぐる胡漢交戦図の図案が相当広い地域で知られ、各地の工人に用いられていたことがわかる。このことは、平原での戦いを描く一連の図とは異なる新たな交戦図の祖型が生まれたことを示している。さらに興味深いことに、この新形式の図に現れるリボン付き胡帽をかぶる胡人は、交戦図以外にも画像石の中にしばしば登場するのである。図12a・bでは、宴会で逆立ちを演ずる芸人の横で片膝をついて手拍子を打っている。もちろん、かけ声もかけていることだろう。cは単独像だが全く同じポーズである。dでは太鼓を打ってリズムを取っている。a・b・cはそれぞれ出土地が全く異なっているので、この種の胡人は宴会での曲芸を指揮しリズムをとる芸人として、後漢時代の人々に広く親しまれていたようである。漢代には、西域との交通が開かれたことにより、西方から様々な芸能が中国に流入しているが、これはその具体例といえよう。

さらに、後漢時代の仏教図像ではないかと議論を呼んでいる連雲港孔望山（れんうんこうこうぼうさん）の摩崖像（まがいぞう）にも仏像らしき人物像とともに図12(33)eのような同類の胡人が頻出する。この胡人については、唐代の中国人の姿であるとする意見もあるが(34)、後漢時代の胡人像と考えて何ら問題はない。

このように、沂南図に代表される新形式の胡漢交戦図は、

a.　臨沂県白庄画像　A366

b.　莒南県大店画像　A440

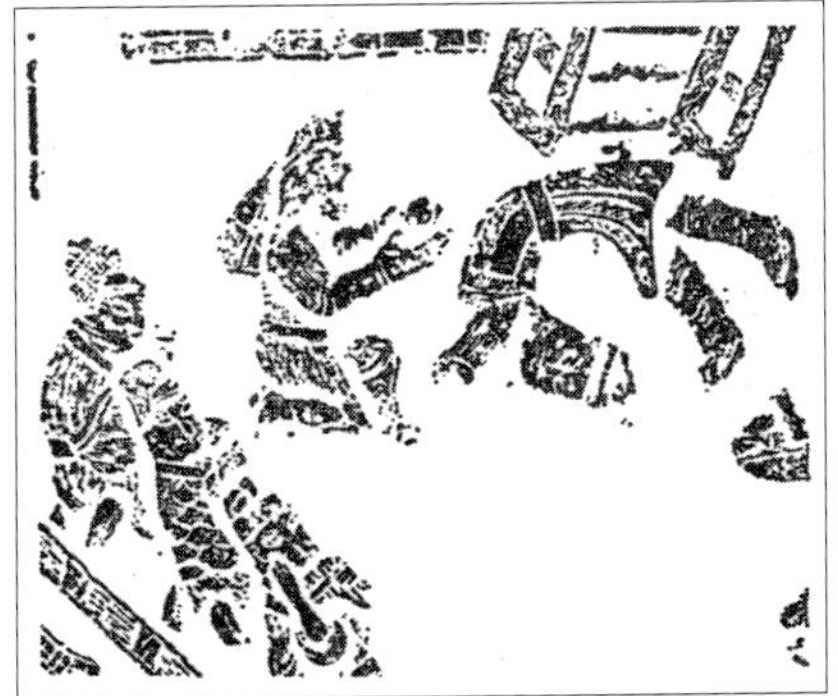

c.　曲阜県旧県画像　A165

e.　孔望山画像

d.　臨沂県白庄画像　A365

図12

戦場が橋というだけでなく、現れる胡人も特殊である。どうも、西域でのある特定の戦いを描いている感がある。

それでは、この新形式の交戦図の図案成立の時期はいつだろうか。沂南画像石墓については概ね後漢末期頃のものと考えられているが[35]、図案そのものの成立時期を考える手掛かりとなるものとして図13を挙げたい。これは、沂南図と同じ図案を用いている図11の画像石が出土した蒼山県前姚村のすぐ隣りの城前村で発掘されたもので、橋を渡る車馬がテーマだが、それとは無関係に左端上部にリボン付きの胡帽をかぶる胡騎が描かれているのである。伴出した題記から、元嘉元年（A・D・一五一）の作であることが明らかとなっており[36]、このタイプの胡人がA・D・一五一年以前から中国で知られていたことがわかる。

また、図の右端の馬車の上を飛ぶ一羽の鳥は、左端の胡騎と対称に位置しているが、この部分は橋の構図をとると必然的に空白となる所なので、おそらく埋め草も兼ねて挿入されたのだろう。図10の沂南の交戦図と比較してみると、沂南図の右端の馬車の上にもやはり鳥が描かれており、左端には一騎だけパルチアン・ショットの胡騎（a）がいるが、これは図13の胡騎と酷似する。

つまり、図13は戦闘場面がないだけで、他は橋の下の風景をはじめとして馬車・鳥・胡騎といった諸要素は沂南図と共通なのである。おそらく、これを描いた工人は、沂南図系の交戦図の図案を知っていたのではないか。そして、同じ橋を中心にした図であることから、空いた部分に鳥とともに交戦図の胡騎を挿入したと思われるのである。沂南図と同じ図案を用いている図11の画像石が、これとほとんど同一地から出土していることも、その傍証となろう。新形式の図案の成立は、可能性としてA・D・一五一年以前にまで遡りうるのである。

今のところ具体的に特定はできないが、おそらく二世紀前半に西域方面で行われたある戦い、車師・焉耆・亀茲といったタリム盆地北辺の国々も含めた、北匈奴に加担する天山山脈周辺の民族と漢との戦いを描いたものではないか。そして、この図に現れるリボン付き胡帽をかぶった胡人は、二世紀半ば頃から中国でも宴会での曲芸の芸人として人々に広く親しまれ、さらには仏教の中国への流伝にも深く関わっていたということになる。

図13　蒼山県城前村画像　A407

このほか漢代画像石には、中国と友好関係にあると思われる西域系胡人が頻繁に登場する。従来あまり指摘がないので、以下その例を挙げよう。図14ａは交戦図の献俘の場面だが、後ろ手に縛られてひれ伏す胡兵の後ろに服装の異なる胡人が立っている。匈奴や天山以北の胡族の情報・言語に通じ、中国側に助言を与えたりして対匈奴戦に協力していた胡人であろう。その丸く大きく突き出した鼻は、捕虜の胡兵の鋭く尖った鼻と明確に区別されており、同じユーロペオイド系胡人でも系統が異なることを示している。図14ｂは交戦図とは無関係だが、中国兵の後ろに刀と盾を持った深目高鼻の二人の胡人が控えている。後漢時代には、このような雑多な西域系胡人が臣下として相当数いたものと思われる。ｃの胡人の集団は、前の五人はひれ伏し、後ろの四人は立っている。西域使節の謁見場面であろうか。ｄでは、供物を持って居並ぶ待者たちの後方に、大柄で高鼻の胡人が描かれている。家奴として使われていた胡人かもしれない。このほか、胡人の城とおぼしき六角（あるいは八角か）平面の三層楼を描いた珍しい図[37]もある。

このように、画像石には実に様々な胡人が描き込まれている。しかし、ここに提示し得たのは筆者の目にふれたものの一部にすぎず、今後あらたな画像石墓の発掘が進めば、その数はさらに増すことであろう。それら胡人の役割や出身国名を具体的に明らかにすることは今のところ困難だが、少なくとも、後漢時代の中国の人々にとって胡人は意外に身近な存在であり、日常生活の中で目にすることが多かったということは言えるのである。

結語

本稿では、まず胡漢交戦図をパノラマ的総合図と部分的

a. 済寧県城前張画像 A152

b. 臨沂県白庄画像 A363

c. 江蘇省銅山県洪楼画像 B51

d. 江蘇省睢寧県九女墩画像 B22

図14

抽出図に分け、それらが基本的に六つの要素から成り立っており、図像もかなりパターン化されていること、孝堂山図をはじめとする初期の交戦図は匈奴本族との戦いを前漢時代の知見に基いて描いたものであることを述べた。次にA・D・二世紀の作例にはユーロペオイドとみられる胡族が頻出するが、それは西移した北匈奴との、西域の支配権をめぐる後漢時代の戦いの様が盛り込まれていったためで、その過程で沂南図のような新形式の図も生まれた、とした。さらに、交戦図以外にも、画像石には多種多様な胡人が様々な場面で登場していることにもふれた。

こうしてみると、漢代画像石の諸テーマの中でも胡人はかなり重要な位置を占めていることがわかる。しかしながら、これらについては従来ほとんど論じられることがなかった。勿論、その背景には、明解に論ずるだけの手掛かりを文献や考古遺物から見い出し得ないという事情もあっただろう。だが、徐々に画像の数が増加しつつある昨今、逆に画像石の図像から当時の胡族の実態を再現することが可能になりつつあるのではないか。

画像石に絵画化された情報は、時として、文献や遺跡とは一味違った世界を現出させることがある。胡人の姿もその一例と言えよう。これらが今後、漢代の北方、西域を研究する上での重要な手掛かりとなっていくことを期待したい。

図版の記号Aは山東省博物館・山東省文物考古研究所編『山東漢画像石選集』(斎魯書社・一九八二)、Bは江蘇省文物管理委員会編著『江蘇徐州漢画像石』(北京・一九五九)、数字は前記二書中の当該図版の番号。

注

(1) 王国維「西胡考」(『観堂集林』巻一三)・白鳥庫吉「東胡民族考」(『白鳥庫吉全集』巻四)。
(2) 江上波夫『漢代の狩猟・動物図様について』(『アジア文化史研究』論考篇・一九六七)。
(3) 沂南画像では、その他、曲芸を演ずる人物も西域人ではないかという指摘がある。原田淑人「漢と安息(パルチア)との文化関係について」(『考古学雑誌』四四ノ一)。
(4) 『石索』巻一・『金石萃編』巻七ともに原刻としている。
(5) 羅哲文は「孝堂山郭氏墓石祠」(『文物』一九六一・第四期・五期)に於て、この胡人の顔貌を「凹目突鼻」としているが、図を見る限り、そのような表現上の特徴はない。
(6) 傅惜華『漢代画象全集』二編・図八九。
(7) 「嘉祥五老洼発現一批漢画像石」(『文物』一九八二・第五期)図一〇。
(8) 関野貞『支那山東省ニ於ケル漢代墳墓ノ表飾』(一九一六)・夏超雄「孝堂山石祠画像、年代及主人試探」(『文物』一九八四・第八期)。ただし、李発林「孝堂山石室墓主考」(『山東漢画像石研究』一九八二・済南)のようにB・C一世紀初頭とする説もある。
(9) 傅惜華『漢代画像全集』初編・図二〇一。
(10) 『山東漢画像石選集』(斉魯書社・一九八二)図四七二・四七三。
(11) 注7。夏超雄・前掲論文。
(12) 烏桓・鮮卑は各部落中の勇健なる者を「大人」とするのみで、姜も「大豪・領袖」に率いられた部族の集合体であった。
(13) 『漢書』食貨志・下に「此後四年、衛青比歳十余万衆撃胡、斬捕首虜之士、受賜黄金二十余万斤」とあるように、漢は匈奴兵の斬首・捕虜を金を与えて奨励していた。
(14) 江上波夫『ユウラシア古代北方文化』(昭和二十三年)図

版第四。

(15) 楊泓「戦車与車戦」(『中国古兵器論叢』関西大学出版部・一九八五)。

(16) 米田賢次郎「前漢の匈奴対策に関する二三の問題」(『東方学報』京都・第一九輯・昭和三十四年)。

(17) 増田精一氏は「画像石よりみた漢代の騎馬戦闘」(『東京教育大学文学部紀要』六一)に於て、乗馬技術の困難さゆえ騎兵はすたれ、武帝以後、馬は兵士を戦場に送るための輸送機関化したと述べておられるが、騎兵が常に対匈奴戦の花形であったことは胡漢交戦図によっても明らかである。

(18) 注10。

(19) 注9・図一二一。

(20) 林幹「近六十年来(一九一九〜一九七九)国内研究匈奴的回顧」(『匈奴史論文選集』一九八三・北京)、片桐功「中華人民共和国に於ける匈奴史研究」(『名古屋大学東洋史研究報告』九・一九八四)参照。

(21) 遺体に残っていた縮毛から、コズロフはアーリア人種としたが、後に口頭でモンゴロイドと訂正した(角田文衛『古代北方文化の研究』昭和二十九年・一九四〜五頁)。

(22) 田広金「桃紅巴拉的匈奴墓」(『考古学報』一九七六・第一期)。

(23) 内田吟風「匈奴の人種体型について」(『匈奴史研究』昭和二十八年)。

(24) 林幹「試論匈奴的族源族属及其与蒙古族的関係」(林幹・前掲書)。

(25) 角田・前掲書・一九九-二〇〇頁。

(26) 黄振華・張広達「蘇聯的烏孫考古情況簡述」(王明哲・王炳華『烏孫研究』ウルムチ・一九八三)。

(27) 内田・前掲論文。

(28) 角田・前掲書・一九九頁、「南シベリア・イエニセイ河流域の住民」(『北方文化研究』第一輯・昭和三十一年)。

(29) 内田吟風「匈奴西移考」(内田・前掲書)。

(30) 永建二年(A・D・一二七)に班勇が焉耆を降し、亀茲・疏勒・于闐・莎車等が来服したとき「烏孫蔥領已西遂絶」(『後漢書』西域伝)とあるのも、この方面が匈奴側についていたことの傍証となろう。

(31) 『沂南古画像石墓発掘報告』(北京・一九五六)拓片第一幅。

(32) 関野雄「華表考」(『東洋学報』第六六巻一-四号・昭和六十年)。

(33) 「連雲港孔望山摩崖造像調査報告」(『文物』一九八一・第七期)図八。

(34) 玩栄春「孔望山仏教造像時代考弁」(『考古』一九八五・第一期)。

(35) 長広敏雄『漢代画象の研究』(一九六五)二六頁。

(36) 李発林「蒼山元嘉元年画像石墓的年代問題」(李発林・前

掲書）。

（37）注10・図四三三。

附記　本稿は、昭和六十一年五月の美術史学会全国大会に於て口頭発表した内容を文章化したものである。

神農図の成立と展開

江戸時代初期の画家で、琳派の創始者といわれる俵屋宗達の作品に「神農図」（図1）がある。それは、目をむき出した恐ろしい表情で、口に草をくわえ、両肩に草衣をまとい、頭の左右には瘤のようなものが付いている。この異様な肖像の上部には、中国人医師・王鞬南の賛がある。王鞬南は、慶長年間に明から帰化し、正保二年（一六四五）に没している[1]から、この絵はそれ以前に描かれていたことになる。落款の書風などからみて、おそらくは寛永十年（一六三三）前後の作であろうと想定されている[2]。

数年前に催された福岡市立美術館の琳派展で、私は初めてこの「神農図」を見た。私の専門は、漢代の画像石、つまり墳墓内に刻まれたレリーフの研究である。もちろん神農が中国古代の農業神であることは知っていたし、画像石

図1　俵屋宗達筆「神農図」

に描かれた神農像があることも知っていた。しかし、目の前にある宗達画の神農の姿は、それとは似ても似つかぬものであったので、ひどく驚かされた。近世流布した医薬の祖としての神農像を目にするのはその時が初めてだったからである。私の知る神農は、中国の山東省嘉祥県にある武氏祠という後漢時代の画像石に見られるもの（図2）である。耒と呼ばれる鋤に似た農具をもち、田畑を耕す農民の姿で表され、古代の聖帝にしては帝王らしくない特異な風貌が印象に残っていた。この二つの像の違いをどう説明したらよいのか。なぜ、農民の姿をした古代の神農が、近世になると宗達画のような奇怪な姿になってしまうのか。いま考えれば、いとも素朴な疑問をきっかけに、私は神農図の研究に足を踏み入れていった。

図2 武氏祠 画像

宗達画を手始めにいろいろ調べてみると、室町時代の雪舟や雪村、あるいは江戸時代の葛飾北斎などの作品もあり、神農図は近世の日本絵画に散見する画題であることがわかった。そうした経緯から、中国古代美術を専門とする者としては畑違いで甚だ心細い限りではあるが、日本の近世絵画も含めて、中国古代から日本近世までの神農像の変遷をたどってみることにしたのである。ここでは、次の二つの視点から問題を論じる。

一、中国古代の神農像の分類と、近世に至るまでの変化の過程。

二、日本近世の神農像の分類と、系譜の検討。

以下は、この二つの問題を中心に浅学菲才をもって試みた研究のささやかな成果である。

I

神農の姿が具体的に画像化されるのは後漢の画像石からである。一世紀半ばから二世紀末頃までの墓の墓室や祀堂の内部には、古代の神話伝説をはじめ皇帝・貴族・庶民の生活など様々な画像が浮き彫りや壁画によって所狭しと表現されており、その中に神農の姿が散見する。中国古代の農業神である神農、あるいは医薬の祖としての神農の思想史的研究は、これまでに多くの先学によってなされてきた。(3)そうした先学の業績をふまえつつ、文献記述と画像作例との関係を考えてみたい。

後漢時代までに出揃っていた神農の諸説を形態的特徴も含めてまとめると、以下の四点に集約されると思われる。

A、君臣並耕の聖帝

B、三皇のひとり

C、本草の祖

D、牛首

まず、Aの君臣並耕の聖帝についてであるが、神農は原初的には純粋な農業神であり、「神農」の名が中国の文献に現れてくるのは、戦国時代からと言われている。『孟子』滕文公章句・上に「神農の言を為す者、許行あり。楚自り滕に之き、門に踵りて文公に告げて曰く……」とあるように、当時、諸子百家中の農家の人々が神農の教えを広めて歩いていた。彼らが説く神農とは、君臣並耕の聖帝、つまり、『孟子』滕文公章句・上で「賢者は民と竝びに耕して食し、饔飧して治む」と述べられている如く、民とともに耕作し食事をともにしながら統治する者であった。『呂氏春秋』愛類篇の

> 神農の教えに曰く、士の年に当たりて耕さざる者有らば、即ち天下或いは其の饑を受く。女の年に当たりて績がざる者有らば、則ち天下或いは其の寒を受く。故に身は親ら耕し、妻は親ら績ぐ。

という記述も示すように、民の遠くにあって上から居丈高に統治する支配者ではなく、常に民とともにある君臣並耕の聖帝のイメージこそ、神農の原初な姿なのである。

秦・漢時代になると、これに幾つかの要素が付加される。『周易』繫辞伝・下では

> 包犧氏没して神農氏作る。木を斲りて耜と為し、木を揉めて耒となし、耒耨の利、以て天下に教う。蓋し諸を益に取る。日中に市を為し、天下の民を致し、天下の貨を聚め、交易して退き、各おの其所を得る。

とあり、神農が耒耜という農具を創作して人々に農耕を教え、交易市場を開発したという。

図2に示した山東省嘉祥県の武氏祠の画像は、耒とよばれる鋤のような農具を持ち田畑を耕す農民の姿で描かれている。左側の銘文には「神農氏は、宜しきに因り田づくり

を教え、土を辟き、穀を種え、以て萬民を振したり」とあり、農業を教えて人々を豊かにしたという。この画像こそ素朴で原初的な神農、つまり耒耜を創り人々とともに農耕に励んだ君臣並耕の聖帝の姿を忠実に描き上げたものといえよう。

Bの、神農を三皇の一人とする考え方も漢代から始まったようである。三皇の説には、『史記』秦始皇本紀のように天皇・地皇・泰皇とするものもあるが、後漢・班固の『白虎通』は

三皇者何謂也。謂伏羲神農燧人也。或曰伏羲神農祝融也。礼曰伏羲神農祝融三皇也。

〔三皇とはなにか？　伏羲、神農、燧人のことである。ある人は伏羲、神農、祝融であるという。『礼記』は「伏羲、神農、祝融が三皇である」と言っている。〕

というように、当時の三皇の説として

一、伏羲・神農・燧人

二、伏羲・神農・祝融

の二つを上げている。後漢末・応劭の『風俗通義』巻一は、次の三説をあげる。

一、伏羲・女媧・神農

二、伏羲・祝融・神農

三、伏羲・燧人・神農

また、『尚書』孔安国序では

一、伏羲・神農・黄帝

の説をとっている。

どの場合にも、伏羲と神農の二人は必ず含まれているので、この両者は数ある聖人の中でも特に重視され、三皇とするのに異論のないものであった。諸説の違いは、三人目に燧人・祝融・女媧の

図3　山東肥城県画像

どれを入れるかの差だけである。図2の武氏祠の神農像でも、その右側に伏羲(女媧)・祝融を描いて三皇としている。(4) 神農は、古代中国の人々の世界観において極めて重要な位置を占めていたのである。

図4　山東臨沂県画像

漢代画像石中には、三皇のひとりとしての神農を描いた例が見られる。図3の山東省肥城県欒鎮村出土の画像では、家屋の中央に神農が大きな編み笠をかぶり、肩の周りに羽衣をつけ、手に耒を持って正面向きに立っている。家屋の屋根の左右には、下半身が蛇体の伏羲・女媧がいて、それぞれ定規とコンパスを持って空中に浮いている。伏羲・女媧・神農の三皇時代の情景を描いたものらしく、家屋の周囲では人々が狩猟や漁労を行っている。『白虎通』には

　古の人民は、皆禽獣の肉を食す。神農に至り、人民衆多となれども禽獣足らず。是に於いて、神農は天の時に因り、地の利を分かち、耒耜を制し、民に農作を教う。民のごとくに之を化し、民をして之を宜しくせしむ。故に神農というなり。

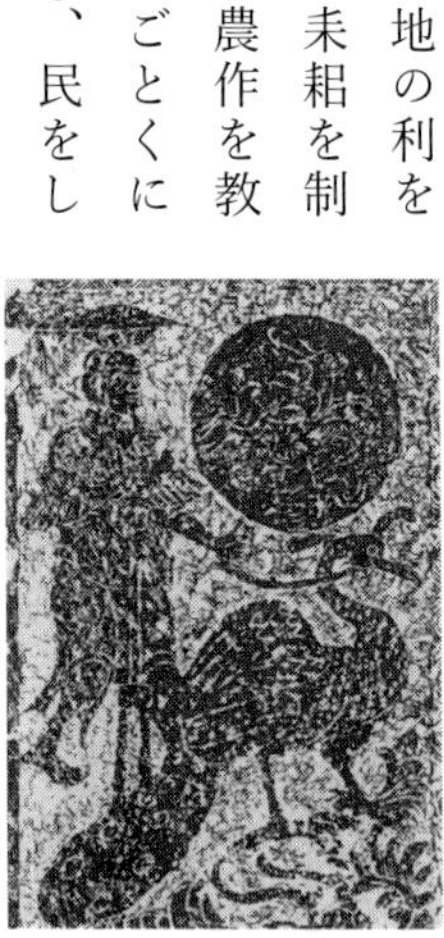

図5　江蘇銅山県画像

とあり、いまだ農耕を知らず、狩猟生活に頼って食料不足に陥っていた人民のために、神農が耒耜を作り、身をもって農耕生活を指導したという。図3はこうした漢代における神農のとらえ方が画像に反映したものである。図4の臨沂県白庄画像でも同様な姿で神農が表されている。これは石柱の背面に描かれたもので、正面には月と定規を持った女媧がおり、これに対応するもう一つの石柱の正面には太陽とコンパスをもった伏羲がいて、三皇を構成している。また、図5の江蘇省徐州銅山県苗山漢墓の画像では左手に紐のようなものを持って大鳥を引っ張っている。この大鳥については前秦・王嘉の『拾遺記』巻一に

　炎帝……時に丹雀の九穂の禾(いね)を銜(ふく)みて、其の地に墜(お)と

す者有り。帝乃ち之を拾い、以て田に植う。食する者老ゆれども死せず。

と記された、食せば不死となる植物を神農（炎帝）に齎らした丹雀を表現したものであるという説[5]がある。

A・Bいずれの場合も神農は耒を持った農民の姿で表現され、純粋な農業神であることにかわりはなかった。

次に、Cの本草の祖としての神農であるが、前述したように日本の近世絵画に描かれる神農は、医薬の神としての姿であった。本来、純粋な農業神であった神農は、時代が下るとともに農業神としての色合いを薄め、次第に本草の祖・医薬の祖として変質をとげる。この新たな思想的背景を持つ神農が現れてくるのも、また漢代のことであった。漢代は、新旧の神農像が並行して存在した時代といえる。

本草の祖としての神農を記述した最初の文献はおそらく前漢・劉安の『淮南子』であろう。その「修務訓」に次のようにある。

是に於いて神農乃ち始めて民に教えて五穀を播種し、土地の宜しき、燥湿、肥墝、高下を相し、百草の滋味、水泉の甘苦を嘗め、民をして避就する所を知ら令む。此の時に当たりて、一日にして七十毒に遇う。

太古の昔、狩猟採取の雑食生活ゆえに民が様々な毒にあたるのを憂い、神農は、民に農耕を教えるとともに、食べられるものと毒のあるものとを身をもって区別したと言う。ここに描かれた神農の姿は、本草の祖というよりも、民の食を司るものとして、単に農耕を教えるだけでなく、より多くの食料を安全な形で民に提供しようとする統治者の姿にほかならない。このことは、『賈誼書』（『芸文類聚』巻十一）の

神農以為へらく、走禽は以て久しく民を養い難し。乃ち可食の物を求め、百草を嘗め、実の鹹苦の味を察し、民に穀を食するを教う。

という記述、あるいは、陸景の『典語』（『太平御覧』巻七八）の「神農、百草を嘗め、五穀を嘗む。蒸民、乃ち粒食す」という記述によっても裏付けられる。

本草学は、その過程で必然的に派生してくるものであり、「嘗百草」あるいは「遇七十毒」なる語によって、神農が本草の祖と目されていくのも、農耕による統治者としての必然的な結果とも言えよう。

図6　山東沂南画像

前漢時代には既に本草の祖としての神農観が確立していたようである。『漢書』芸文志には神農の名を冠した書名がいくつか見られる。例えば、農書と思われる『神農教田相土耕種』十四巻とともに、『神農黄帝食禁』七巻なる書名が経方に分類されて記載されている。経方とは薬剤療治の方法で、食禁とあるのは食べると毒になるものについて書かれていたのであろう。

本草学の根本書物は『神農本草経』である。晋の張華の『博物志』に『神農経』の名があり、『周礼』天官・疾医の「以五味五穀五薬養其病」の注の中で後漢の鄭玄が「神農子儀之術」と述べているから、本草経が神農によって語られたという考え方は後漢時代からあったようである。呉の嵆康『養生論』(『文選』巻五三)の「故に神農曰く、上薬は命を養い、中薬は性を養う」という一節が『神農本草経』の文章の引用であることによっても、それは裏付けられる。

このような状況からして、後漢時代の画像石の中に本草の祖としての神農が描かれていても不思議ではなく、すでに、沂南画像石に見られる人物像(図6)を神農とする説(6)がある。二本の木の間に羽衣を着た二人の仙人が向かい合って座っており、左側の仙人の下には「蒼頡」の銘がある。顔に目が四つあることが『論衡』骨相篇の「蒼頡四目、為黄帝史」という記述と一致する。蒼頡(または倉頡)とは、鳥獣の足跡を見て初めて文字を造ったと言われる人物の名である。蒼頡の向かいに、植物の茎のようなものを持つ人物がいる。下の四角には、銘はないが、神農だとされている。その根拠とされるのが、四川省新津崖墓の石函の人物像(図7)である。左の人物は木の枝のような物を差し出し、右の人物は右手に持った細長い物を口にくわえる。両者の

図7　四川新津画像

上には銘があり、左が倉頡、右が神農と読まれている。[7] 文字が磨滅しているので、その読みも推測の域を出ず、多分に問題ありとすべきところであろう。しかしながら、前述した近世の神農像と同様の姿、つまり、薬草を手に持ち、口にくわえる、といった図像的特徴をもつ仙人像が、既に後漢時代からみられるということは、興味深いことである。羽衣を着て仙草を持つ仙人の像は、漢代画像石の中ではよく見かけるもので、この種の神仙像を近世の医薬の神としての神農像の祖型とすることは十分に可能である。

このように、漢代には、君臣並耕の純粋な農耕神としてだけでなく、本草の祖としても次第に定着しつつあり、神農のイメージは複雑なものとなっていた。そして、神農の容姿について、さらに新しい考え方が加わることになる。

それがDにあげた、牛首であるという説である。

神農牛首説の成立も、おそらく後漢のころと思われる。晋・皇甫謐『帝王世紀』では神農の出自について

> 神農氏は姜姓なり。母は妊姒と曰う。有喬氏の女なり。名は女登。華陽に遊ぶに神龍の首ありて女登に感ず。尚羊に於いて、炎帝を生む。人身牛首なり。

と述べ、神農は「人身牛首」つまり体は人間で頭は牛という。この説は、神農が三皇の一人に組み込まれる際に付け加えられたものであろう。人首蛇身という奇怪な容貌の伏羲女媧を継ぐ者として牛首が考えだされたらしい。そもそも古代中国では、異常な容貌は聖人の特徴でもあった。

『列子』巻二では

> 庖犧氏・女媧氏・神農氏・夏后氏は、蛇身人面・牛

図8　山東費県画像

首・虎鼻なり。此れ人にあらざるの状ありて大聖の徳あり。

として、伏羲女媧は蛇身人面、神農は牛首、禹（夏后）は虎鼻といった古への聖人の奇怪な容貌を述べている。これは神話的思考によるものであり、また聖人は容貌の上でも常人と異なるという考え方を極端化したものでもある。

神農と牛の結びつきは、もちろん耕作動物として牛が用いられていたことによる。中国で牛耕が始まったのは春秋時代と言われ(8)、盛んになるのは漢代の頃とされる。事実、漢代画像石には牛耕を描いた図がよく見られる(9)。立春の日、為政者が土で作った牛を城門外に飾る、土牛という勧農の行事も前漢頃から行われていた(10)。こうした牛と農耕との関係から、人首蛇身の伏羲に次ぐ三皇の一人として、神農が牛と結び付けられたのである。

それならば、漢代画像石に頭が牛で体が人間という神農の像が描かれていてもよいはずだが、これまでにそうした指摘はない。そこで私は山東省費県出土の画像石（図8）を牛首型神農の例として挙げたい。上半分に炬を持つ人身龍尾の伏羲、下半分には二本の立派な角をもつ人身牛首の像が描かれている。二本の角の間と胸前に丸いものがあり、銘文に「戴日抱月」という語句があるので(11)、角の間の丸は太陽、胸の丸は月である。前述の如く、伏羲と神農の二人は三皇の基本であり、実際、魏晋の頃には伏羲と神農を並べて描いた絵もあった。顧愷之（こがいし）の『論画』（『歴代名画記』巻五所引）では、当時彼が目にした名画中の「伏羲神農」図を論じて、「今の世の人に似ずと雖も、奇骨あり」という。「今の世の人に似ず」とは奇異な姿を意味し、伏羲は蛇身、神農も牛首で描かれていた可能性がある。

日月を伴う理由については、農業と暦日が切り離せない関係にあることがあげられる。また、本草の祖としての神農も日月に関係している。唐・馬総『意林』（宋・羅泌『路史』後紀所引）には

神農稽首再拝し、太一小子に問うて曰く……太一小子曰く、天に九門あり、中道最も良し、日月之を行く。名づけて国皇と曰い、字を老人と曰う。出でて西方に見（あらわ）るれば、生を長らえて死せず、衆曜光を同じうす、と。神農其れより、薬を嘗め、以って人命を救う。

とある。中道を運行する日月とそのとき生ずる自然の気の

理想的状態が、人を病患から救い、長寿をもたらすという太一小子の教えを聞いて神農が本草の道を始めた[12]ということである。農業の祖としても、本草の祖としても、ともに神農は日月と深い関係にあるといえる。

いまのところ、牛首型神農として漢代画像石の中で指摘し得るのはこれだけである。時代も国も異なるが、もうひとつの例として六世紀の高句麗壁画古墳に見られる一神像（図9）を挙げておきたい。

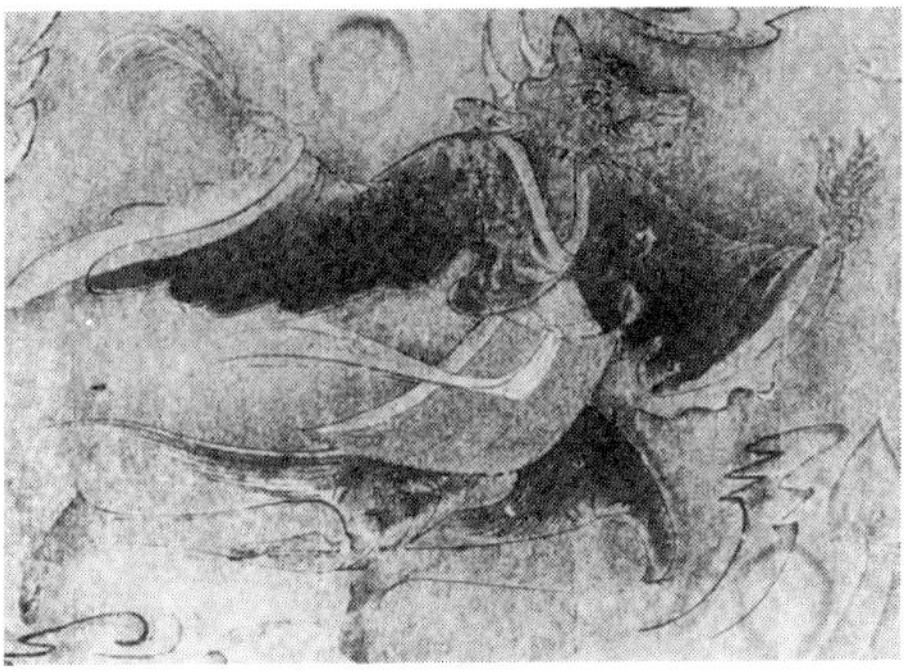

図9　高句麗壁画の牛首人

これは、かつての高句麗の都・吉林省集安で発見された五盔墳五号墓[13]のものである。その内部は、羨道から玄室にいたるまで壁画で埋め尽くされており、龍や乗鶴仙人や星辰図を描くなど、壁画の内容や表現は完全に中国的である。高句麗のものではあるが中国の影響を濃厚に反映している。

この神像は、報告書では「牛首人」とよばれ、左右に大きく手を広げ、腰帯をたなびかせて疾走しているが、注目すべきは、その右手に草を持っていることである。草の先には穀物の穂が描かれていて、禾穂あるいは稲穂とされ[14]、これによって農事神とする説[15]がある。

この牛首人の左隣りには人身龍尾の神がいて、日月神と報告されているが、もちろん伏羲女媧であろう。右隣りには松明を持った飛仙がいて、それを燧人と解釈する意見[16]がある。

伏羲・女媧・燧人という、前述した中国古代の三皇が画面の中に描かれているならば、その間に挟まれた牛首人の解釈も自ずから定まってくるであろう。牛首人あるいは農耕神という呼び方は穏当ではあるが、私は神農と解釈したい。後漢頃から現れた牛首型の神農像は、おそらく神農像の一つの流れとして魏晋南北朝期に散発的に描き継がれていたのではないか。それが高句麗にも伝

図10 人皇君

わり、壁画古墳の中に描き込まれたと考えられる。

このように見てくると、牛首人身の神農像は、数こそ少ないが古代に存在したことが分かる。また、明代の図ではあるが、『洞神八帝妙精経』（『道蔵』洞神部、本文類）では、三皇のひとりとして神農を「後人皇……人皇君、牛面人身、姓姜、名神農、号炎帝」と述べ、立派な二本の角をもつ神農の図（図10）を載せている。こうした牛首の神農像は近世にも生き残っていたことになる。

Ⅱ

以上のように、後漢時代には三種類の神農像が存在していた。つまり

1、耒耜を持って田畑を耕す農民型
2、羽衣を着て仙草を持つ仙人型
3、体は人間、頭は牛の人身牛首型

の三タイプである。こうしてみると、図1の宗達画に見られた近世の神農像の図像的特徴、つまり草衣を着て、草を嘗め、頭に角の跡があるという姿は、仙人型と人身牛首型の合成であることがわかる。羽衣が草衣に置き代わり、角の跡は牛首の名残りということである。医薬の祖としての近世的な神農像は、既に唐代には成立していたらしく、四川省の青城山天師洞には唐・開元十一年（七二三）作[17]と伝えられる神農石像（図11）がある。頭上の二つの角の跡や上半身の草衣など、近世の神農図そのものといえる。こうした像が唐代に作られる背景には、六朝から唐にかけて本草学が大いに発展したことを考慮しておく必要があろう。

図11　神農石像

南北朝の南斉の末年、陶弘景が従来の『神農本草経』に校訂や注釈を加えたのを契機に、本草学はより正確で実用的な医学として発展普及をとげ、神農の名は一般に医薬の祖として認識されるようになった。唐・司馬貞の『三皇本

紀』では、『周易』繋辞伝や『帝王世紀』等の説が網羅的に記されており、神農が人身牛首であることとや、農耕の始祖であること、本草の祖であるといったことが述べられているが、また「始めて百草を嘗め、始めて医薬有り」と百草を嘗める理由を「医薬」のためと特定している。そのような状況から推して、唐代には医薬の神として近世の神農図に極めて近いものが数多く存在した可能性が高い。

ただし、唐代には農民型の神農像も残っていたようである。宋・郭若虚『図画見聞誌』巻二では唐末の画人・常粲について

図12　薬王廟供像

常粲は成都の人なり。……孔子問礼・山陽七賢等の図、并びに立釈迦・女媧・伏羲・神農・燧人等の像有りて、世に伝わる。

とあり、彼の作品の中に女媧・伏羲・神農・燧人といった三皇にあたる古聖人の像があったことがわかるが、『益州名画録』巻上の常粲の項にも、

……粲、伝神・雑画を善くす。七賢像・六逸像あり。女媧・伏羲・神農像あり。これを三皇図と謂う。

とあり、本来は女媧・伏羲・神農と合わせて三皇図であった。この神農像の姿を推測する手がかりが『宣和画譜』巻二にある。それによると、宋朝の内府に収められた常粲の絵十四点の中に「伏羲画卦像図一、神農播種像一」があり、常粲の在世中から有名なものであったという。神農が種を播く姿であるから、系統的には前述した農民型の変形で、純粋な農業神として描かれたものである。本草の祖としての神農のイメージが定着していた唐代にあっても、純粋な農業神としての君臣並耕型の像が描かれていたのである。

神農が肩に羽織る草衣については、図12の宋代の薬王廟

図13　赤松子

供像（北京故宮蔵）が参考となろう。薬王とは『千金方』を書いた唐代の名医・孫思邈のことで、彼は薬上真人とも呼ばれ医神として祀られていた。これは薬王の侍女の陶製の像で、全身を草衣で包み、薬壺を捧げ持っている。草蓑は雨具として広く用いられていたが、仙薬をあやつる仙人が採薬のため山に入る時の衣装でもあったので、次第に羽衣にとってかわっていったと思われる。『列仙伝』の明代の挿絵では、多くの仙人が草蓑を肩に羽織った姿で描かれており、明代には仙人のトレードマークとも化していたことが窺えるが、興味深いものとして図13の赤松子を挙げておきたい。赤松子は、神農の時代の雨師とされ、右手に雨師を象徴する水瓶を持つ以外は神農と同じ姿で描かれている。神農の図像が他の人物像に転用された例として注目される。

以上のようなことから、医薬の祖としての近世的な神農像は、草を嘗める牛首の神像に採薬者の草蓑姿が重ね合わされて成立したものと思われる。そして既に唐代には、その祖型が出来上がっていたのである。

次に、日本の近世絵画における神農像について述べておきたい。

Ⅲ

近世の神農図のほとんどは、漢方医あるいは薬種屋が自宅や店先に医祖の像として祀るために描かれたものであるが、そうした風習はおそらく中国から伝わったと思われる。

中国の医学や本草学は、遣隋使や遣唐使によって七世紀ごろから日本に移入され、多くの中国の医学書や薬物が我が国にもたらされた。平安時代の図書目録『日本国見在書目録(もくろく)』には陶弘景が注釈した『神農本草』の名が記されているから、平安時代の医家の間では神農の名前は常識化していたはずである。官医の宗家と呼ばれ、中世において典薬頭(てんやくのかみ)や施薬使など医者の官職を世襲によって独占していた和気・丹波の両家には、あるいは神農の絵が掛かっていたかもしれない。

しかし、現実に残っている作品は、残念ながら室町時代の後半以降のものである。その時期は竹田昌慶(たけだしょうけい)や田代三喜(たしろさんき)といった医学留学生たちが最新の明代医学を日本に移入し、[18]医学の主流が官医から民間医に移る時期とほぼ一致する。おそらくは、そうした医学の民間への普及や、医師の絶対数の増加といった時代の趨勢が神農図の需要を喚起し、作品の伝存を容易ならしめたものと思われる。

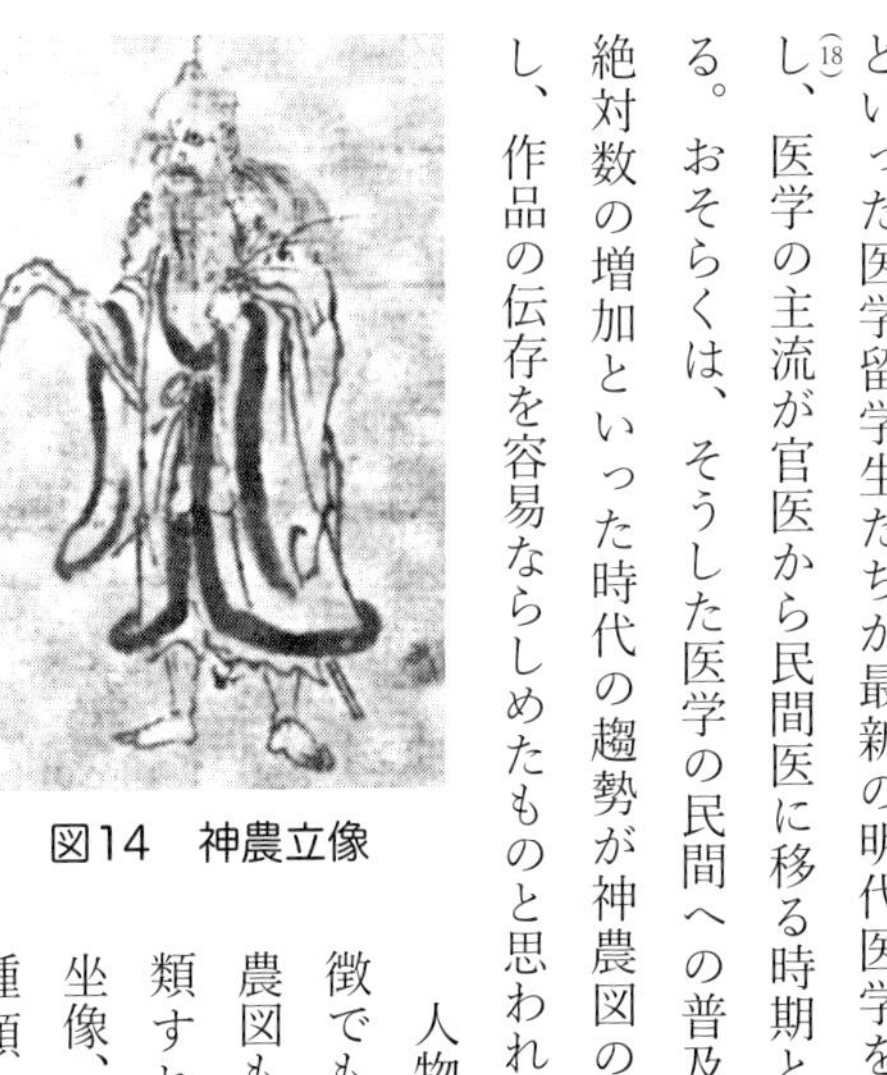
図14　神農立像

人物画一般の特徴でもあるが、神農図も形式的に分類すれば、立像、坐像、半身像の三種類に分けられる。立像の一例として図14を挙げておく。これは、狩野派の流れを汲む福岡の尾形家に伝えられたもので、近世の神農像には、こうした草刈りの鎌や棒を持つものが多い。神農が鎌を持つことについては、文献の上でも『太平御覧』巻九八四が引く『本草経』に

> 神農乃ち赭鞭(しゃべん)・鉤鍘(こうせい)を作り、六陰陽に従い、太一と与に五岳四瀆(とく)に升り、土地の生ずる所の草・石・骨・肉・心・皮・毛・羽萬千類、皆な鞭もて之を問い、其の能く主治する所を得る。

とあり、神農が百草等の効能を調べるために赭鞭と鉤鍘を作ったと記されている。赭鞭は草を叩く棒のこと、鉤鍘は草を刈る鎌である。鎌を持って山に入る採薬者のイメージが、文献的にもかなり早い時期から神農に重ね合わされていたことがわかる。

坐像の例としては、京都国立博物

図15　神農座像

館所蔵の図15を挙げておく。上部に室町時代末の禅僧・月舟寿桂の賛文、左下に狩野元信の印がある。元信の作とするには問題があろうが、室町期の神農図として貴重である。[19] 右手に持つ棒は、草を叩く赭鞭と思われる。神農の坐像は、仏像の坐像のように完全に坐りきってしまうのではなく、岩座に腰掛けた姿で表されるのが普通である。山中での採薬の途次に一服する姿を表現したのであろう。この図の場合は岩座の上に草を敷いて腰掛けている。前掲の唐の神農石像（図11）も坐像であり、時代は下るが明の『本草蒙筌』にも岩坐の神農が挿図として載せられている。おそらく、こうした中国の神農坐像の影響のもとにわが国の作品も成立したと思われる。

図16　湯島聖堂　神農像

　図16の木彫の坐像は、湯島聖堂の神農像である。日本に現存する神農像はほとんどが絵画作品であり、このような彫像は極めて珍しい。この像は、もともと寛永年間に雑司ヶ谷薬園に置かれた神農祠に祀られていたものである。元禄年間に薬園が廃止され、その地に現在の文京区護国寺を建てる際、湯島の孔子廟に移管されている。[20] 昭和五十九年にこの像の調査が行われた際、像の背扉裏面から記録が発見された。それによると、雑司ヶ谷薬園にこの像を祀る祠堂を建て、初めて祭祀を行ったのは寛永十七年（一六四〇）であり、神農像作製の発願者は三代将軍家光であるという。[21] 作年期のはっきりした、江戸初期の貴重な作例である。左手に持つ草は後補で、本来は草の先端を口にくわえていたらしく、歯間にその残滓が見られる。右手に持つ棒は赭鞭をかたどったものであろうが、やはり後補。鎌か草を持っていた可能性もあろう。

図17－a　雪舟筆　神農図

図17－b　伝雪舟筆　神農図

図17－c　狩野永納筆　神農図

図17－d　宗淵筆　三皇図

図18-a　『歴代古人像賛』

図18-b『新刻歴代古人像賛』

図18-c　『三才図会』

図18-d　狩野山雪筆　神農像

次に、半身像の場合であるが、立像や坐像よりも作例は多く、その図像の借用・継承の面においても興味深い問題が多い。図17に並べた四つの作例は、仮に雪舟系とでも名付けるべきものである。aは雪舟筆とされ、禅僧・了庵桂悟（りょうあんけいご）の永正四年（一五〇七）の賛が入っている。本来は二つあるべき角の跡が、頭頂部の瘤と化しているが、神農図にはこうした一瘤のものも時々みられる。

これと顔の向きを逆にした図がbである。「四明天童第一座雪舟八十二歳図、為等観知蔵書」の款記と「等

図18－e　狩野山雪筆　神農像

楊」の印があるのでこれも雪舟筆といわれるが、かなり怪しい。ただし、雪舟の真筆とする狩野永納（かのうえいのう）の極め書が添えてあるので、(22)十七世紀末には雪舟画として信じられていたらしい。面白いことに、狩野永納は極め書を書くとともに、この図を借用して自身も神農図を描いている。それがcである。左下に「一陽山人永納筆」とあり、上部には伊藤仁斎の賛文を有する。bとcの図像の継承関係については既に指摘されているが、私はもうひとつの例として(23)dを付け加えたい。如水宗淵（じょすいそうえん）筆「三皇図」の中の神農である。これもbと同図であるが、宗淵は雪舟の直弟子であるから手本としたのはbではなく、おそらくは真筆の雪舟画であったろうと思われる。bは真筆の稚拙な写しであろう。天下に名だたる雪舟の絵は、真作・偽作を問わず手本として用いられていたのである。

次に、明代版本系とも呼ぶべき神農像を紹介しよう。中国では明代に幾つかの肖像画入り版本が刊行されており、それらは我が国に舶載されて、粉本つまり作画の手本として用いられたが、そのなかの神農の図をもとに描かれた作品群がある。図18－aは、弘治十一年（一四九八）刊の『歴代

図18－f　パリ国立図書館蔵　写本

古人像賛』のものである。同書は、描かれた人物の生存年代から推測して、宋代の肖像版画の伝統を伝えるものではないかといわれている。[24] 図18－bは、明・孫承恩の『歴代聖賢像賛』を萬暦二十一年（一五九三）に覆刻した『新刻歴代聖賢像賛』の神農である。このa・b両図を粉本として描いた作品が、本論文の冒頭に掲げた俵屋宗達の神農図（図1）である。比較してみると、宗達画の目鼻や口など顔面部はbから、頭頂部や指・草衣の部分はaから採っていることがわかる。近世の日本では、明清の画譜や絵入り版本が多数輸入され、絵手本として度々利用されており、[25] 宗達の諸作品の中にも、明から舶載された萬暦三十年（一六〇二）刊『仙仏奇踪』の挿絵を利用したものがあることは既に指摘されているが、[26] これも宗達と明代版画との繋がりを示す好例と言えよう。

図18－cは萬暦三十八年（一六一〇）刊『三才図会』の神農であり、これとaを合成して描いたものが、dの狩野山雪筆の神農像である。この絵は、寛永九年（一六三二）に林羅山が湯島聖堂の前身である上野忍岡聖堂を建てた際に、山雪に依頼して描かせた「歴聖大儒像」[27] 二十六幅中の一幅である。全身像ではあるが、山雪はaから顔面や頭部を、cから草衣や指の形を採って描いている。さらに山雪は、eのミネアポリス美術館蔵「群仙図襖」の仙人にも、この顔を用いている。

図18－fは、パリ国立図書館蔵の写本中[28] の神農である。この写本は中国の聖人・賢人の肖像画集となっており、康熙二十四年（一六八五）当時中国にいたフランス人（おそらくはイエズス会士）が勃碣常岫という名の中国人に描かせてフランスに持ち帰ったものである。顔の表現はaに、草衣の形はcに近い。これも版本系ということができるだろう。宗達や山雪が描いた神農の兄弟がフランスに渡っていたということも出来よう。

版本の挿絵をもとに聖人の肖像を描くことは、中国で明代ごろから盛んに行われていたことで、宗達や山雪が版本を使って聖賢を描いたのも、実はそうした流れの一環に過ぎない。そもそも版本というものは、中国の歴史のなかでは宋代以降に普及した比較的新しいメディアである。一冊づつ手で写す写本から、一度に数十〜数百部を刷り上げる版本への転換は、文字情報の伝達に革命をもたらしただけではない。肖像画を含めた絵入り版本は、さらに新しく元末・明初あたりから盛んに刊行されるようになったもので、絵画が挿絵として版本というメディアに組み込まれたことにより、絵画の伝播の仕方にも新たな流れが生まれた。強力な普及力を持つメディアの発生が図像の統一化をもたらし、国も年代も違うのに同じような肖像が描かれるという現象が起こる。明代版本系神農図はこうした流れのなかに存在しているのである。

また、これに似た興味深い例としては、江戸末期の代表的浮世絵師・葛飾北斎の描いた絵入り版本『北斎漫画』がヨーロッパに渡り、その中の神農像がイギリスで出版された日本紹介書の挿絵に使われていることを、谷田博幸氏が最近明らかにしている。[29]

さて、神農図が我が国でこのように受容され普及していくなかで、その影響が意外な所に波及した例を紹介しよう。江戸時代中期ごろから、長崎経由で西洋医学いわゆる蘭方医学が日本に入ってくるわけだが、異文化導入の際に見られる自国文化との同化現象が起こるのである。当時、医者といえば漢方医のことであった。そして漢方医は自宅に医祖として神農図を必ず掲げていたから、蘭方医としても蘭方の医祖の肖像画を掲げないことには、医者としての形が整わない。そこで考え出されたのが古代ギリシャの医師で医術の父と称されるヒポクラテスの肖像画であった。江戸後期以降、漢方医の神農図に対抗して蘭方医はヒポクラテス像の掛け軸を掲げるようになるのである。[30]そして薬屋などでも、薬の権威付けのために、漢方の医祖・神農、蘭方の医祖・ヒポクラテス、我が国の医祖とされる少彦名（すくなびこな）あるいは大己貴神（おおなむちのかみ）（大国主神）の三人を並べて描いた「三聖図」な

図19　河鍋暁斎筆　三聖図

るものがあみだされ、それを掲げたり、薬の商標にしたりすることが行われた。もちろん、孔子・老子・釈迦の三人を描く「三教図」に想を得たものである。一例として河鍋暁斎筆「三聖図」（図19）を挙げておく。ヒポクラテスは髑髏を持ち、神農は鎌、大己貴神は薬壺を持っている。

以上、中国古代の農業神・医薬神である神農が、どのように絵画化されてきたのかという視点から、その作例を漢代画像石から近世日本絵画にまでたどってみた。甚だ拙劣な所論ではあるが、少なくとも、神農図の背後に、紀元前にまで遡る時間的広がりと、中国から朝鮮・ヨーロッパにも及ぶ空間的な広がりがあることをご理解いただけたと思う。

ここで扱った作例は現存する神農図のごく一部にすぎない。例えば大阪の杏雨書屋（きょううしょおく）には江戸期のものが十数点も所蔵されているし、書画の売り立て目録等にもしばしば見かける。また探幽縮図や常信縮図の中にも、かつて存在した多くの神農図の模写が残されている。それぞれに論じる問題は多々あるが、紙幅にも限りがあり、今後の課題としたい。

注

（1）曽我部陽子・清瀬ふさ子「宗旦の手紙」（『茶道雑誌』昭和五十年三月号）。

（2）中村渓男「俵屋宗達筆　神農図・東方朔図」（『国華』一〇六一号、一九八三）。

（3）大島利一「神農と農家者流」（『羽田博士頌寿記念東洋史論叢』、一九五〇）、水沢利忠「農家の神農から医薬の神農まで」（『斯文』第九三号、斯文会、一九八七）。

（4）長広敏雄『漢代画象の研究』（中央公論美術出版、一九六五）六三―六四頁。

（5）「漢画選（三）歴史人物故事」（『故宮文物月刊』七六、一九八九）五九―六〇頁。なお、小南一郎氏は、この人物を禹であるとする。小南一郎「大地の神話」（『古史春秋』二、一九八五）。

（6）林巳奈夫「漢鏡の図柄二、三について」（『東方学報』第四四冊、一九七三）。

（7）聞宥『四川漢代画像選集』（上海、一九五五）図四三解観。

（8）斉思和「牛耕之起源」（同『中国史探研』、北京、一九八一）。

（9）陳文華「従出土文物看漢代農業生産技術」（『文物』一九八五年八期）、同「漢代における長江流域の水稲栽培と農具の完成」（渡部武・陳文華編『中国の稲作起源』、六興出版、一九八九）。
（10）中山八郎「土牛考」（大阪市立大学文学部紀要『人文研究』一五巻五号、一九六四）。
（11）山東省博物館・山東省文物考古研究所編『山東漢画像石選集』（斉魯書社、一九八二）四四頁。
（12）山田慶児「本草の起源」（『中国古代科学史論』京大人文研、一九八九）。
（13）吉林省博物館「吉林輯安五盔墳四号和五号墓清理略記」（『考古』一九六四年二期）。吉林省文物工作隊「吉林集安五盔墳四号墓」（『考古学報』一九八四年一期）。
（14）東潮「集安の壁画墳とその変遷」（『好太王碑と集安の壁画古墳』、木耳社、一九八八）一三九頁。
（15）朝鮮画報社出版部編『高句麗古墳壁画』（朝鮮画報社、一九八五）図二二九、二三四。
（16）同右、図二三四。
（17）蜂屋邦夫編『中国道教の現状』（東大東洋文化研究所、一九九〇）本文冊、一四二頁。
（18）服部敏良『室町安土桃山時代医学史の研究』（吉川弘文館、一九七一）。
（19）室町期には他に、官南の作品（『後北条氏と東国文化』（神奈川県立博物館、一九九〇）図一七九）や、雪村の作品（衛藤駿編『雪村周継全画集』（講談社、一九八二）図一六五、『雪村』（三春町歴史民俗資料館、一九八三）図二七）等がある。
（20）鈴木三八男編『神農廟略志』（斯文会、一九八九）。
（21）矢数道明『湯島聖堂安置の神農刻像をめぐって』（医道の日本社、一九八八）。
（22）大口理夫「狩野永納と神農図」（『畫説』昭和十二年二月号）。
（23）同右。
（24）小林宏光「中国人物版画試論Ⅰ　明代伝記類の挿図にみる肖像版画考」（『実践女子大・美学美術史学』第二号、一九八七）。
（25）小林宏光「中国画譜の舶載、翻刻と和製画譜の誕生」（『近世日本絵画と画譜・絵手本展〈Ⅱ〉』、町田市立国際版画美術館、一九九〇）。
（26）小林宏光「宗達画と明末版画」（昭和六十三年度・平成元年度科学研究費補助金研究成果報告書『日中美術の比較研究』、一九九〇）。
（27）この絵の詳細は、土居次義「狩野山雪の歴聖大儒像」（『近世日本絵画の研究』、美術出版社、一九七〇）、および拙稿「狩野山雪筆歴聖大儒像について」（『美術史研究』第三〇冊、早稲田大学美術史学会、一九九二）参照。

（28） 洋装のアルバムに仕立てられた三冊本"Portraits de Chinois célèbres"。神農は第一冊（図書番号Chinois 1236）の第二図。

（29） 谷田博幸「英国における〈日本趣味〉の形成に関する序論一八五一―一八六二」（『比較文学年誌』第二二号、早稲田大学比較文学研究室、一九八六）。

（30） 緒方富雄『日本におけるヒポクラテス賛美』（日本医事新報社、一九七一）。

図版出典

図1 『日本の美【琳派】』（福岡市美術館、一九八九）図一九。

図2 長広敏雄編『漢代画象の研究』（中央公論美術出版、一九六五）六四頁。

図3 「山東肥城漢画象石墓調査」（『文物参考資料』一九五八年四期）附図よりトレース。

図4 山東省博物館・山東省文物考古研究所編『山東漢画像石選集』（斉魯書社、一九八二）図三七七。

図5 江蘇省文物管理委員会編『江蘇徐州漢畫象石』（北京、一九五九）図三一。

図6 南京博物院・山東省文物管理所『沂南古畫像石発掘報告』（上海、一九五六）拓片第四一幅。

図7 聞宥『四川漢代畫象選集』（北京、一九五六）第四三図。

図8 図版四、図四二六。

図9 朝鮮画報社出版部編『高句麗古墳壁画』（朝鮮画報社、一九八五）図二二九。

図10 『正統道蔵』（新文豊）第一九冊七三頁。

図11 蜂屋邦夫編『中国道教の現状』（東大東洋文化研究所、一九九〇）図版冊、図七六〇。

図12 『中国美術全集』工芸美術編二 陶瓷（中）（新華書店、上海、一九八八）図一九〇。

図13 鄭振鐸編『中国古代版画叢刊』三（上海古籍出版社、一九八八）所収『列仙全伝』。

図14 福岡県立美術館編『尾形家絵画資料目録』絵画篇（西日本文化協会、一九八六）図一六九七。

図15 京都国立博物館編『京都国立博物館蔵品図版』絵画篇（一九八九）図二三八。

図16 『湯島聖堂と江戸時代』（斯文会、一九九〇）図D―一。

図17―a 中村渓男・金沢弘編『雪舟畫業聚成』（講談社、一九八四）図七四。

―b 注二二。

―c 帰鞍子「狩野永納筆神農図」（『国華』三四八号、一九一九）。

―d 東京国立博物館編『特別展図録 狩野派の絵画』（第一法規、一九八一）図二五。

図18―a 鄭振鐸編『中国古代版画叢刊』一（上海古籍出版社、

一九八八）。
－ｂ　国会図書館蔵本。
－ｃ　『三才図会』（上海古籍出版社本）。
－ｄ　東京国立博物館編『特別展図録　狩野派の絵画』（第一法規、一九八一）図九三。
－ｅ　土居次義『日本美術絵画全集』一二　狩野山楽／山雪（集英社、一九七六）図五二。
－ｆ　韓中民、ユベール・ドラエ『図説　古代中国五〇〇〇年の旅』（日本放送出版協会、一九八七）五八頁。
図19　緒方富雄『日本におけるヒポクラテス賛美』（日本医事新報社、昭和四十六年）。

付記

本論文は鹿島美術財団の助成による研究成果の一部である。論文作成にあたり、パリ国立図書館のモニク・コーエン夫人・小杉恵子両氏、コレージュ・ド・フランス教授ユベール・ドラエ氏、東亜医学協会の矢数道明博士をはじめ、多くの方々から貴重なご教示を賜りました。謹んで御礼申し上げます。

狩野山雪筆歴聖大儒像について

文禄・慶長の役といえば、豊臣秀吉が行った朝鮮侵略であるが、このとき日本に強制連行された朝鮮人男女は三万人とも七万人を越えるともいわれる。[1] そうした人々の中に姜沆という名の儒学者がいた。赤松広通はその深い学識に心打たれ、京都伏見の自邸に彼を招いて交友を重ねていた。慶長三年（一五九八）の秋、伏見の赤松邸にひとりの人物が訪ねてくる。藤原惺窩である。惺窩の来訪の目的は、日本で長く途絶えていた釈奠の儀式について、姜沆から教えを乞うためであった。釈奠とは、毎年二月と八月の上旬丁の日に孔子を祀る儀式で、儒教儀礼の根幹をなすものである。惺窩は弟子の角倉素庵とともに、衣冠・祭器から音楽にいたる指導を姜沆から授かっている。[2] 角倉素庵は、安南貿易や河川開疏などの事業で名高い角倉了以の長男で、後に父の事業を継承するとともに漢籍や嵯峨本の出版でも知られる。

この姜沆と藤原惺窩の出会いこそ、後に全国各地に孔子廟が造られ、釈奠の儀が行われるようになる端緒であり、近世儒学興隆の発端とも言うべき出来事であった。このとき播かれた種は、その後、堀杏庵・角倉素庵・林羅山など惺窩一門の弟子たちによって日本の近世思想史に幾つもの花を咲かせることになる。本稿で論じる「歴聖大儒像」は、その最初を飾った大輪であり、儒教興隆期の息吹を今に伝える生き証人でもある。本論文は、「歴聖大儒像」を通じて、近世儒学の発展と美術の深い関わりを明らかにし、近世における儒教美術研究の必要性を提起しようとする試みにほかならない。

I　制作の経緯

「歴聖大儒像」二十一幅は、寛永九年（一六三二）に狩野山雪が中国の聖人・賢人二十一人の肖像を一幅づつに描いたもので、それぞれ縦一三〇センチ・横四四センチで、紙本着彩の作品である（図1）。現在、宋代の儒者を描いた六幅が筑波大学付属図書館に、それ以外の十五幅が東京国立博物館に所蔵されている。[3] 山雪は、いうまでもなく京狩野の祖・狩野山楽の子（養子）として「雪汀水禽図屏風」やメトロポリタン美術館蔵「老梅図襖」など独特の作品を残した十七世紀前半の画家であるが、また、学者的素養にも恵まれ、日本絵画史研究の基礎文献である『本朝画史』を息子・永納とともにまとめあげたことでも知られる。山雪にこの絵の制作を依頼したのは、儒教を江戸時代の官学の地位にまで高めた林羅山であった。羅山の子・林鵞峰が記した「狩野永納家伝画軸序」（『鵞峰先生林学士文集』巻八十六）には、その制作の経緯が略述されている。「狩野永納家伝画軸序」とは、永納が父・山雪と祖父・山楽の遺画をまとめて一軸にしたものに、鵞峰が寛文九年（一六六九）に記した序文である。関係箇所を引用すると次の如くである。

図1　山雪画文王像

> 寛永年中、我先人羅山叟、創二営聖堂於武州忍岡一、時欲下図二歴聖大儒像一、以納中於聖堂文庫上。与二杏庵正意一議、択下堪二其技一者上。男山僧昭乗者、以二此芸一鳴二一世一者也。与二先人一有二方外之交一。以二身老不一レ能二自筆一、故推二挙山雪一曰、狩野縫殿助応レ択而可也。乃請レ之図下伏羲至二文宣王一十一聖、顔曽思孟及周子二程張邵朱子総二十一幅上。今伝二存於忍岡文庫一、毎レ有二釈菜一、陳二設於聖堂之両廡一、人人所レ観。

寛永年間、上野忍岡に林羅山が聖堂を建てたとき、歴聖大儒像も作って聖堂文庫に納めようと考えた。堀杏庵（正意）と協議した結果、松花堂昭乗に制作を依頼したが、昭乗は老齢を理由に辞退し、代わりに山雪を推薦してきた。[4]

そこで改めて山雪に依頼して出来上がったのがこの作品である。描かれたのは伏羲から文宣王（孔子の賜号）までの十一人の聖人と顔子・曾子・子思・孟子の四人の孔子の弟子たち、そして周子・程伯子・程叔子・張子・邵子・朱子の六人の宋時代の儒教学者たちの肖像であった。それらは、現在も忍岡文庫に伝存し、毎年の釈菜（せきさい）（釈奠の別称）の時には聖堂の両廡（りょうぶ）に陳列されている。

以上がその内容であるが、この骨組みに肉付けをしながら補足説明しておきたい。

林羅山は、天正十一年（一五八三）に京都に生まれ、幼時より建仁寺で学問を学んだ。次第に儒学に傾倒して朱子学を唱えるようになり、慶長九年（一六〇四）二十二歳のとき角倉素庵の紹介で藤原惺窩と会見するにおよび、惺窩に師事する。翌慶長十年に二条城で家康に謁見してからは、家康の信頼を得てブレーンとして近侍したが、その間、京都に儒学を教える学校を創設する志が芽生え、慶長十九年（一六一四）に家康から許しを得る。しかし、大阪の役の戦乱期ゆえに断念。その十七年後の寛永七年（一六三〇）羅山四十八歳の時、将軍家光より上野忍岡に五千余坪の土地と金二百両を賜って塾舎と書庫を建て、ついに宿願を果たした。現在の上野公園の桜並木のあたりである。

二年後の寛永九年（一六三二）冬、賜地の中央に尾張の徳川義直が孔子廟を建てて林羅山に寄進した。これが後の湯島聖堂の前身である忍岡の孔子廟である。犬冢遜の『昌平志』[5]巻一によると、このとき義直は扁額の文字「先聖殿」三字を自書し、平内大隅に鐫（のみ）させて祭器とともに贈った。先聖殿は中国式建築で、内部には孔子と四配つまり顔子・曽子・子思・孟子の計五体の木彫坐像が安置されていた。羅山は「武州先聖殿経始」（『羅山先生文集』巻六十四）の中で、

武州先聖殿は文宣王の廟なり。……其の制は他に異なり、尋常宮室の例の若きに非ざる也。我が朝、昔その名あるを聞くと雖も、是の如きの形模は未だ之れ有らざるなり。

と述べているように、本格的な中国式の孔子廟であることを自負していたようである。この五体の木彫像は度々の火災を免れて近年まで湯島聖堂に祀られていたが、関東大震災のとき消失してしまった。[6]寛永創建の孔子廟は『昌平志』の挿図（図2）に見るように敷地中央に西面しており、正門

図2　忍岡孔子廟（寛永期）

は不忍池に面して書庫と塾舎の間に立っていた。

孔子廟の建設と並行して制作が進められていた狩野山雪の歴聖大儒像二十一幅は、その書庫に納められたことになる。前述の如く、画像の企画と発注は林羅山が堀杏庵と相談して行ったが、『昌平志』巻三・礼器志に、

掛画二十一幀……幷画員狩野山雪写、朝鮮通訓大夫金世濂賛書……

右尾張公源義直製置、寛永九年壬申

とあるように、これも徳川義直が資金を出して羅山の願いを実現させたものである。つまり、建物から祭器・木彫像・歴聖大儒像に至るまで、すべて徳川義直のまる抱えであった。そして翌寛永十年（一六三三）二月十日、完成した孔子廟において初めての釈奠が行われた[7]。

徳川義直が羅山にこれほど肩入れしたのには理由がある。義直は幼少より学問の素養に恵まれ、漢籍を集めたり学者を招聘したりして儒学による文教政策に努めていたが、既に名古屋城内に江戸時代最初の孔子廟を建て釈奠を行っていたのである。創建年次は不明だが、林羅山も寛永六年（一六二九）にそれを見学し、「拝尾陽聖堂」（『羅山先生

文集』巻六十四）を記しているので、それ以前には出来ていたことになる。建物は名古屋城二之丸の北庭、権現山の西麓にあり、平面八角形の総黒漆塗り、堂内に五聖（尭・舜・禹・周公・孔子）の金銅像と七十二賢像を安置し、「先聖殿」の額はやはり徳川義直の自筆であった。

義直が名古屋城に聖堂を設けて釈奠を行った背景には、堀杏庵の献策と角倉素庵の影響があったといわれる。[8] 素庵は、木曽の木材を取り扱った縁で徳川義直の知遇を得、元和七年（一六二一）に名古屋城に招かれて『史記』『通鑑』等を講じた。そして翌年、おそらくは素庵の紹介であろうが、堀杏庵が名古屋に招聘され、杏庵は以後長く義直に近侍し尾張藩の文教政策と学風の基礎を築いた。素庵も堀杏庵も藤原惺窩の弟子であり、林羅山とは同門の仲である。素庵が藤原惺窩とともに朝鮮の学者姜沆から釈奠の儀式を学んだことは前述したが、その最初の成果が素庵・堀杏庵の努力と徳川義直の理解によって名古屋城に結実したのである。

同様に、徳川義直が寛永九年に林羅山のために孔子廟を建てて寄進した背景には、おそらく堀杏庵の助言があったものと思われる。寛永七年に塾舎を建てたものの、孔子廟建設の資金に困っていた羅山の窮状を察して、杏庵が義直に進言したのではないか。徳川義直の意をうけて、廟建設に伴う諸事を羅山との間に立って折衝したのも堀杏庵であったらしく、歴聖大儒像の制作に際し、画家の選択を羅山が杏庵に相談していること、また、狩野山雪に羅山の指示を伝える連絡係の役を杏庵がかってでていること[9]などから、そのことが想像される。藤原惺窩一門の協力関係はここにも見ることが出来るわけで、忍岡孔子廟は惺窩一門が咲かせた第二の花ということもできるのである。

さて、寛永九年に完成した忍岡孔子廟は、尾張徳川家寄進の華麗な建築ではあったが、その規模は図2に見るように敷地の中央に立つ小さな一屋に過ぎないことも事実であった。また、徳川義直の意向により建物が西向きであることなど、羅山にとっては必ずしも満足のいくものではなかったようだ。そこで寛文元年（一六六一）に羅山の子・林鵞峰が将軍家綱の援助を受けて改築を行い、図3にも見るように、西向きだった殿門を南向きに改変している。孔子廟の建物も『昌平志』に

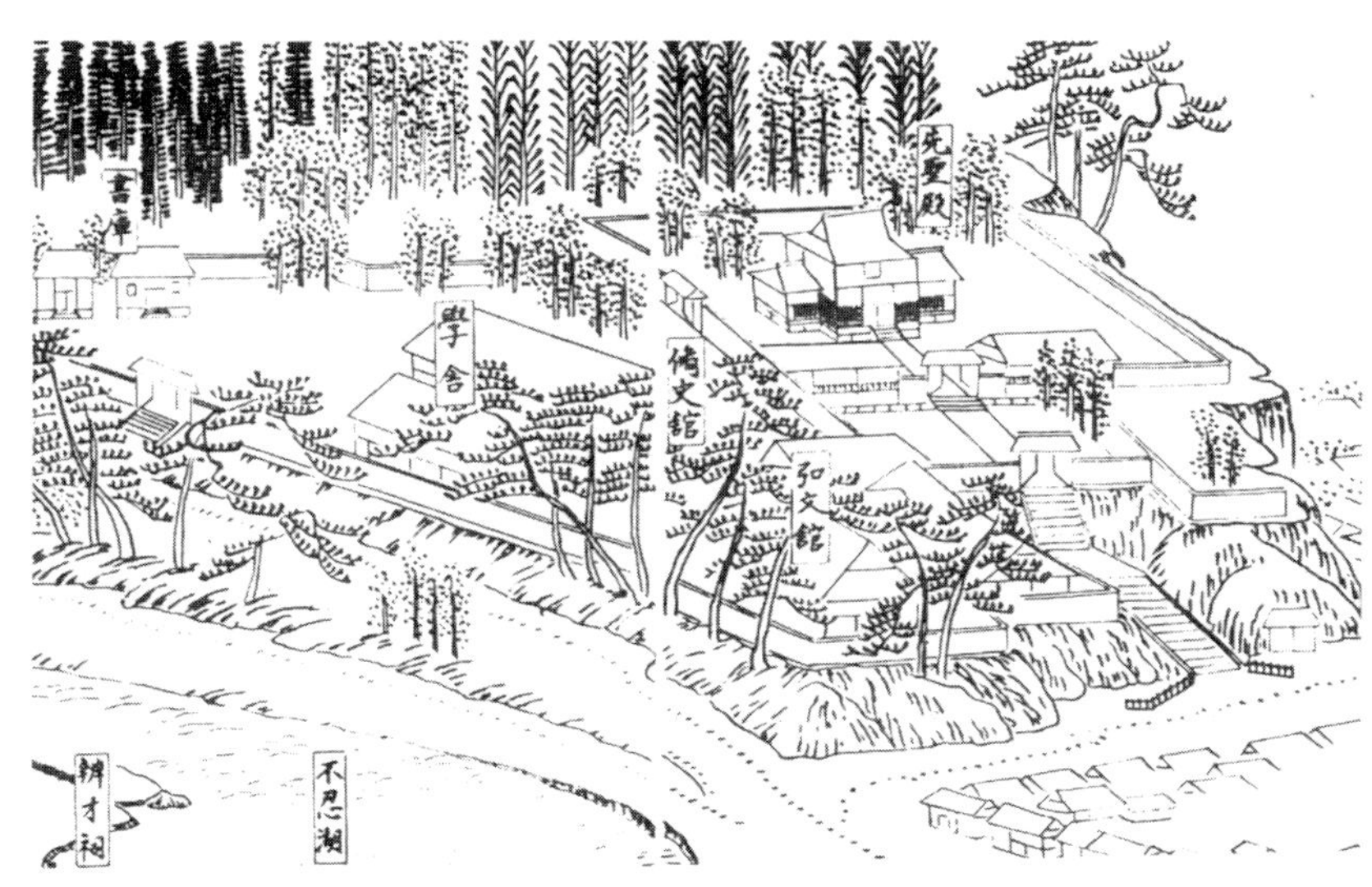

図3　忍岡孔子廟（寛永期）

正殿五間、南向、両廡各二間、與正殿合共為一構、若張翼然

とあるように、両脇に「両廡」と呼ばれる一室が加わり、規模もかなり大きくなっている。前掲の「狩野永納家伝画軸序」のなかの、毎年の釈奠の時に歴聖大儒像が陳列される聖堂の「両廡」とは、この寛文元年改築後の両廡のことであり、後述するように、ここに掲げられたのは歴聖大儒像二十一幅すべてではなく、その中の周子から朱子に至る宋代儒者六人の像のみであった。

ところで、歴聖大儒像二十一幅には賛が入っている。寛永十三年（一六三六）に来日した朝鮮通信使・金世濂（きんせいれん）が書いたものであり、林羅山は「聖賢像軸」（『羅山先生文集』巻六十四）にその経緯を記している。

寛永丙子、季冬、朝鮮信使通政大夫白麓任絖、通訓大夫東溟金世濂、通訓大夫青丘黄㦿来聘。叩之則僉云、東溟者儒者也。故以吾家所蔵聖賢図像二十一幅、請書干図上。於是表出古語幷旧賛、副其軸以遣之。金世濂遂書而返之。足以為家珍、聊記焉、為他後之証矣。

寛永十三年の朝鮮通信使は、将軍に泰平の賀を述べるた

図4　歴聖大儒像

めに派遣されたもので、正使は任絖（白麓）、副使は金世濂（東溟）、従事官は黄杘（青丘）、総勢四七五名であった。十二月七日に江戸に到着し、三十日に江戸を離れて帰国の途につくまでの二十日余りの間に、家光への謁見、日光山への参拝等をこなし、幕府と親善外交を行った。ちなみに、狩野探幽筆「東照宮縁起」巻四に付された「朝鮮通信使東照社参入図」[10]に描かれた日光参拝の朝鮮通信使は、この時の正使・任絖と副使・金世濂一行である。

この度の通信使は、「通信使」の名称で朝鮮から派遣された最初のものであり、国書の中で将軍に「大君」号を使った最初でもある。その外交折衝の任に当たったのが林羅山であった。朝鮮国王に対する家光の書簡から、朝鮮国礼曹への井伊直孝以下六人の老中の書簡に至るまで、ほとんど全ての外交文書を一人で起草するなど、ほぼ全権を委任された形で活躍した。[11]

ただし、通信使と羅山との個人的関係はあまり友好的だったとは言えない。羅山の生来偏狭な性格ゆえか、質問をするときでも詰問調になったり、相手の力量を試そうとする意図が露骨に表れるなど、外交折衝に当たるものとし

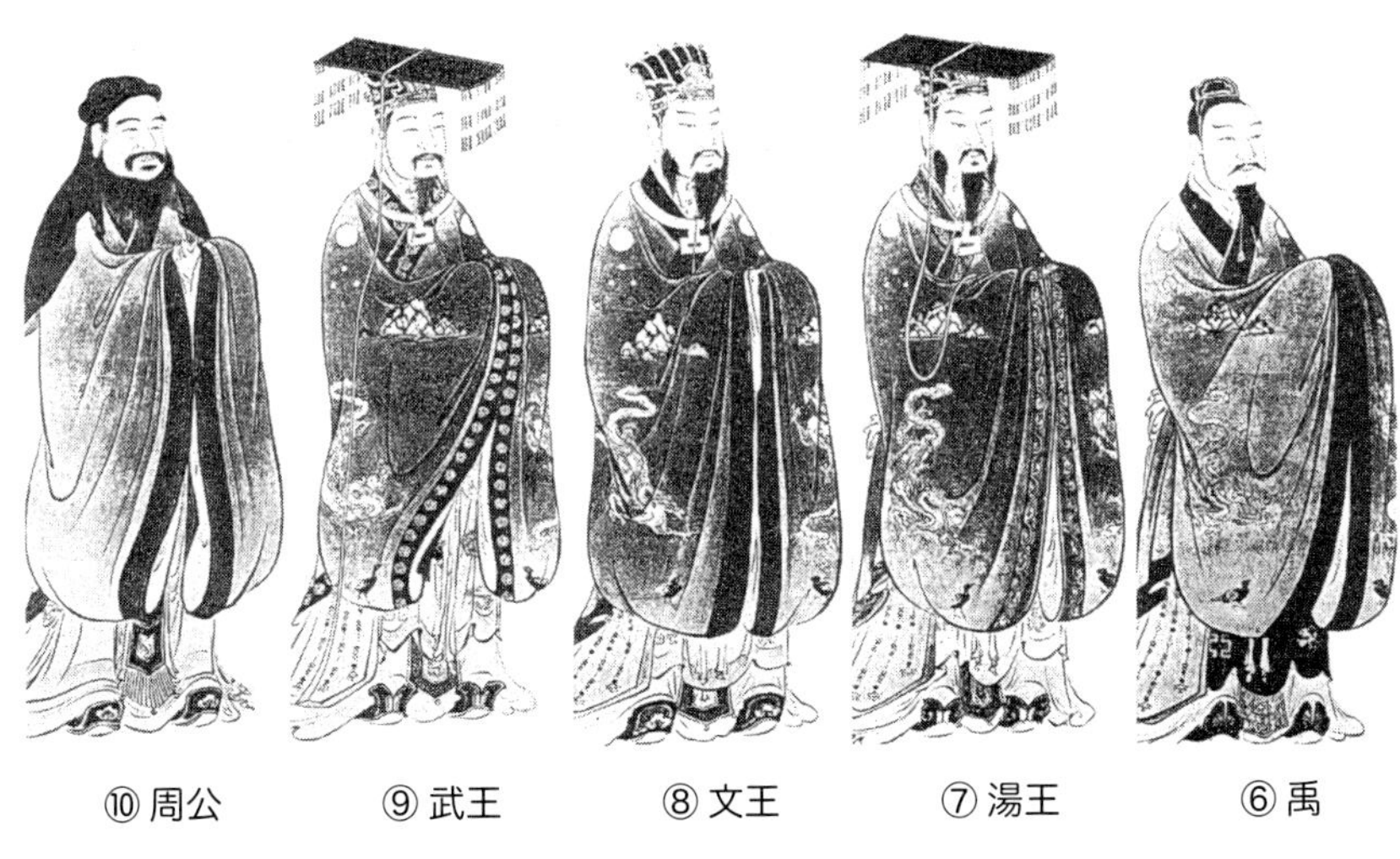

図4

ては甚だ不穏当かつ辛辣な言辞で臨み、通信使の不興をかったようである。

則ち道春等は辞気勃勃、傍若無人……毎事生梗、此の如し。極めて悶ゆべきなり

と正使・任絖は『丙子日本日記』[12]寛永十三年十二月九日条にその困惑を記している。

しかし、両者は険悪な関係に終始したわけではなく、交流を重ねるうちに友好的な雰囲気も少しは熟成していったようである。金世濂の『海槎録』[13]によると、羅山は十二月十三日に通信使の宿舎である馬喰町の本誓寺を自ら訪れ、筆談で学問上の疑問に対する金世濂の意見を聞いている。こうした筆談を通して相手の学識に対する敬意が生まれていったのであろう。羅山が「東溟者儒者也」（前掲「聖賢像軸」）と記しているように、歴聖大儒像の賛を金世濂（東溟）に依頼したのは彼を外交官としてではなく儒者として敬意を表する意味があった。また、そうすることが将軍家光の意向でもあったようで、金世濂の『海槎録』寛永十三年十二月二十六日条には

道春以関白之命来言曰、陋邦至宝、只此而已、不得写

賛、以為決缺、願得副使公筆、以増光彩。義成両僧擎進、裹以三重繡袱、盛以金櫃。……凡二十一簇、象軸錦粧、毛髪欲動、真天下絶宝也……

とある。金櫃に納めた歴聖大儒像二十一幅を、三重の刺繡入り袱紗に恭しく包んで宿舎の本誓寺にやって来た羅山は、賛の依頼は家光の命令であると述べている。そして金世濂が「真に天下の絶宝」と感激しながらも辞退の意を表すと、家光の名を楯に必死に説得している。そして翌日に再訪して、号と印を入れてもらい、引き取っていったのである。

「歴聖大儒像」に金世濂の賛が入ったことは、羅山にとってよほど誇らしかったらしい。このとき「聖賢像軸」（前掲）の一文を作り「以て家珍と為すに足る」と述べていることからもそれは窺える。

賛の語句は、羅山自身が漢籍から「古語幷びに旧賛を表出」（前掲「聖賢像軸」）したものである。旧賛というのは先人が作った賛のことで、例えば宋儒六幅のうち周子・張子・程伯子・程叔子・邵子の五幅には朱子の「六先生画像賛」（『朱文公文集』巻八十五）を、朱子一幅には元・呉澄（ごちょう）の賛を用いている。『六先生画像賛』も呉澄の賛も、明・弘治九年に再刊された元刊本『纂図増新群書類要事林広記』や明・万暦年間刊行の『聖賢像賛』をはじめ、朝鮮の李退渓の『七先生遺像賛』等に継承的に収録されており、賛の選定にあたり羅山がそうした諸書の伝統を踏まえたことがうかがわれる。

Ⅱ　人物構成とその意味

歴聖大儒像はこうして出来上がったわけだが、この絵の本質は、すでに家永三郎氏が正しく「釈奠画像」であることを指摘されているように(14)、釈奠の時に礼拝の対象として廟内に掛ける肖像画であった。歴聖大儒像二十一幅の人物構成は、伏羲・神農・黄帝・尭・舜・禹・湯・文・武・周公という十人の古代の聖人たち（図4）、孔子と四配（顔子・曽子・子思・孟子）、宋代の儒者六人（周子・程伯子・程叔子・張子・邵子・朱子）（図5）というものである。林羅山が選んだこうした人物の組み合せが、釈奠画像の歴史の中でどのような意味を持つものであるかを考えておく必要があろ

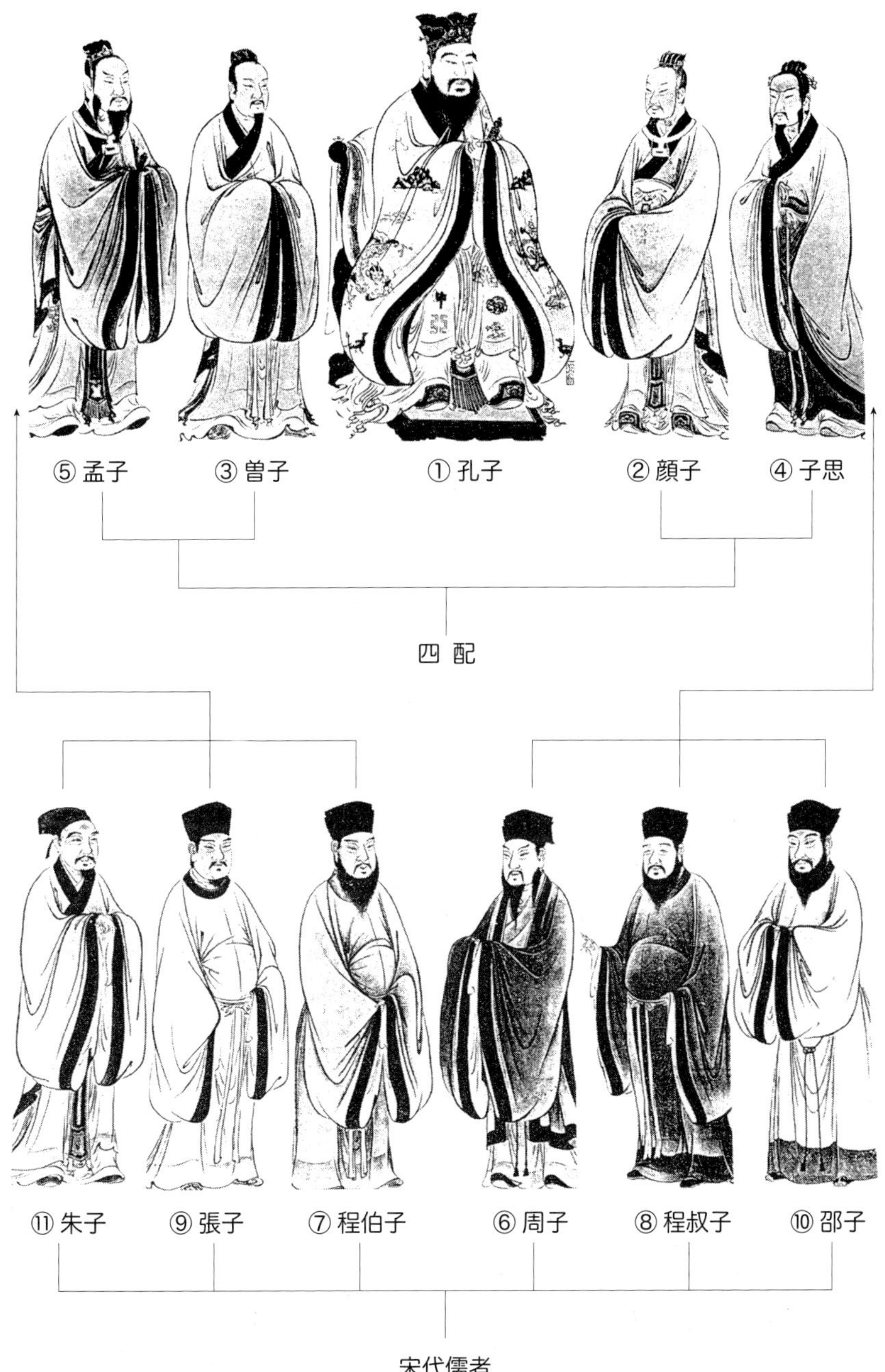

図5 歴聖大儒像

う。

儒教の祖・孔子を祀る釈奠の儀は、元来は孔子の死後に弟子達によって続けられていた儀式で、儒教の興隆とともに拡大し、漢代ごろからは国家的祭祀のひとつとなった。祭祀の対象は孔子だけではなく、『後漢書』礼儀志・上に

明帝永平二年三月……郡県道行郷飲酒于学校、皆祀聖師周公孔子、牲以犬

とあるように、初期は「聖師」つまり先聖・周公と先師・孔子の二人を祀っていた。しかし魏晋時代には「孔子・顔回」に代わり、南北朝時代になると、北魏が「堯・舜・禹・周公・孔子」の五人、南斉が「周公・孔子」、北斉が「孔子・顔回」というように、時代によって祀る人物の増減や変更が見られる。なかなかに複雑ではあるが、概ね「周公・孔子系」と「孔子・顔回系」の二系列に分類されることが指摘されている。(15)

唐代でも皇帝が代わるごとにこの二系列が度々入れ代わったが、開元二十年（七三二）に発布された「開元令」の規定により周公は廃止され、孔子・顔回系に統一された。そして十哲や七十二子を配享することも決められた。開元二十七年（七三九）玄宗は孔子に「文宣王」という王号を贈り、『旧唐書』礼儀志に

於是正宣父坐於南面、内出王者衮冕之服以衣之

とあるように、孔子像に衮冕の服を着せている。孔子像に王の衣服である衮冕の服を着せるのは、この時から始まった。また、実際の服を着せているのでこの孔子像は彫像だったこともわかる。本来、孔子廟には位牌だけを置くのが正式な形であるが、南北朝時代から盛んに彫塑や画像が飾られるようになり、例えば『旧唐書』礼儀志の開元八年（七二〇）の勅では、

勅改顔生等十哲為坐像、悉預従祀。曽参大孝、徳冠同列、特為塑像、坐於十哲之次。図画七十子及二十二賢於廟壁上

と、唐代の孔子廟の中に顔回など十哲の坐像や曽参の塑像がならび、周囲の壁には九十二人もの賢人の肖像が描かれていたことがわかる。このように中国の孔子廟は多くの場合、仏教寺院のように彫塑や壁画で満たされていたのである。

さて、丁度その頃わが国からは遣唐使が派遣されており、

唐の釈奠制度は彼らによって日本に伝えられた。わが国の釈奠は、大宝元年（七〇一）二月に行われたという記録（続日本紀）を最初に、以後、都では大学寮の廟堂、地方では国学を中心に行われる。初期は儀式・器物も不備であったが、吉備真備の帰朝により唐の制度に則って整えられた。[16] 真備

図6　釈尊図（内閣文庫蔵）

はまた、唐の弘文館の画像を日本にもたらし、百済画師に写させて大学寮に置いたという。これが「唐本」と呼ばれて釈奠画像の基本として尊ばれ、巨勢金岡（こせのかなおか）の転写本が作られるなどした。[17] こうした経緯から、我が国の釈奠は唐のように彫塑を置いたり壁画を描いたりするのではなく、聖賢の画幅を掛ける形で行われるようになった（図6）。そうした画像は、『延喜式』巻二十・大学寮に

　釈奠十一座
　二座。先聖文宣王。先師顔子。
　従祀九座。閔子騫・冉伯牛・仲弓・冉有・季路・宰我・子貢・子游・子夏

とあるように、孔子と十哲（顔子と九哲）を合わせた十一画像が基本のセットであった。そして『台記』仁平三年（一一五三）八月八日条の「入廟倉、礼影」の注に

　近年、祭日奉懸之本、金岡所図本、已上図、先聖先師九哲唐本、図先聖七十二弟子

とあるから、七十二弟子の図もあったようで、孔子・十哲・七十二弟子という画像の組み合わせは、前述した唐の開元令の規定そのままである。一条兼良の『公事根源』では

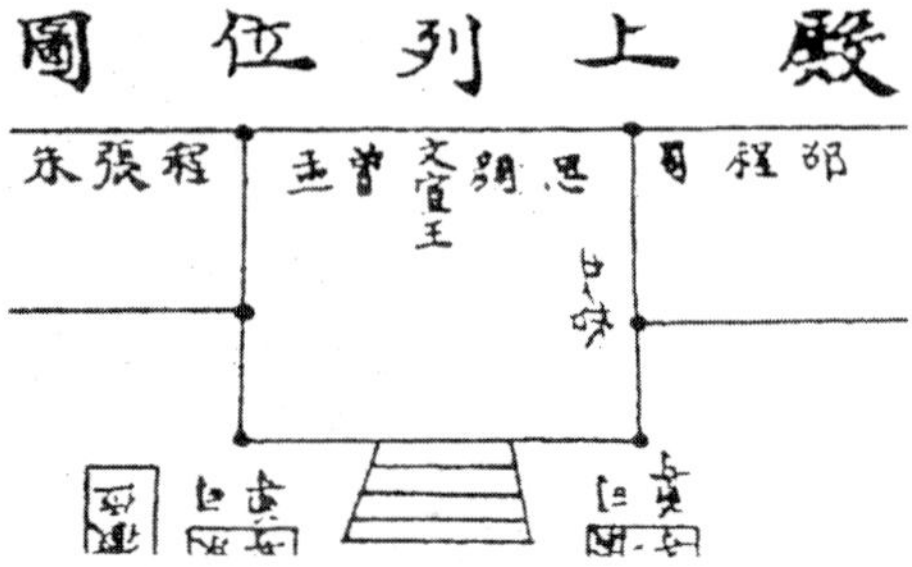

今大学寮にをさめ奉る孔子十哲の影ハ、異国より渡りて我朝累代の物にて侍るなるべし

といわれるように、わが国ではこうした唐本系画像が釈奠祭祀の対象として後世まで受け継がれていたようである。

しかし、平安時代後期以降、王朝貴族による世襲制度が固定化すると、大学寮の存在も形骸化してしまい、釈奠の儀式は公家行事と化して十五世紀頃まで細々と続けられたあと途絶えてしまった。藤原惺窩が朝鮮の学者姜沆から釈奠の儀式を学ばねばならなかったのは、この長い途絶が原因である。林羅山や堀杏庵たちは文字通り手探りで再現していったのである。

さて、前述したように江戸時代最初の孔子廟である名古屋城の聖堂には、堯・舜・禹・周公・孔子の金銅像が祀られていた。徳川義直が採用したこの形式は中国でも北魏時代にその例が見られるだけで、たいへんに珍しいものである。一方、上野忍岡孔子廟の構成はこれとは全く異なっており、『昌平志』巻五に

釈奠旧儀
具饌
居中一座　至聖文宣王……
配享四座　顔子　曽子　子思子　孟子……
従位六座……
是日、廟幹餝廟殿、陳礼器、而正神位。其先聖及配享五座、皆仍原位、南向……

とあるように、孔子を中心に左右に四配（顔子・曽子・子思・孟子）の彫像が南向きに並び、両廡に六人の宋代儒者（周子・程伯子・程叔子・張子・邵子・朱子）を従祀している（図7）。この従祀については『昌平志』巻一に

従祀、六位……以上六幀、倶絵像、画員狩野山雪写、其賛……幷韓人金世濂書、平日空位、方祭懸掲

とあるように、釈奠のときだけ山雪の歴聖大儒像二十一幅のうち宋儒六人の画像を掛けて祀っていたのである。こう

図7　廟内列位図（『昌平志』）

した四配・宋儒を祀る廟制は、朱子学が成立した宋代以降の新しい形式で、明・顧炎武『日知録』の「従祀」には

> 周程張朱五子之従祀、定於理宗淳祐元年。顔曽思孟四子之配享、定於度宗咸淳三年

とあり、四子の配享は南宋の咸淳三年（一二六七）から、周子・二程・張子・朱子の従祀も南宋の淳祐元年（一二四一）から始まったという。ただし、これは皇帝から公式に認められた年のことであり、四子の配享と宋代儒者の従祀は、すでに紹熙五年（一一九四）に朱子が始めていたことである[18]。

つまり忍岡先聖殿は、おそらく名古屋城内の聖堂をたたき台として計画も立てられたのであろうが、堯・舜・禹・周公といった上古の聖帝達の末流として孔子を位置づけた名古屋城の先例と異なり、孔子とその弟子達である四配（顔子・子思・曽子・孟子）を組み合わせたところに林羅山の意図を汲み取る事が出来よう。羅山が目指したのは朱子学の正統的な孔子廟であった。

こうした羅山の意図や孔子廟の伝統から考えて、歴聖大儒像の二十一人の人物構成は、孔子と四配を軸にして、宋代の朱子学の先達六人（周子・程伯子・程叔子・張子・邵子・朱子）を加えた計十一人が先ず基本となったと思われる（図5）。そこに足す者として、名古屋城にも祀られた上古の聖帝四人を七人（堯・舜・禹・湯・文・武・周公）の完全な配列にし、さらに三皇（伏羲・神農・黄帝）を加えて万全を期したものと考えられる（図4）。歴聖大儒像は旧来の釈奠画と同様に画幅の形をとる釈奠画ではあるが、孔子・十哲を描いた旧来のものとは人物構成が全く違うのである。もし、これを並べて、釈奠を行うとすれば、その配置法は二種類考えられる。ひとつは忍岡先聖殿と同様に（図7）、孔子を中心に四配・六宋儒を昭穆制[19]に則って順番に左右に振り分ける形（図5）。もうひとつは、伏羲から周公までの十人（図4）と孔子を加えた十一聖を右から順番に並べて正面とし、その左右に四配・六宋儒を昭穆制によって並べる形である。要は、孔子を中心にするか、孔子を含めた十一聖を中心にするかの違いだけである。

ただし、羅山としてもこの絵を掛けて釈奠を行おうと考えたわけではないことは、「狩野永納家伝画軸序」（前掲）の「時欲㆘図㆓歴聖大儒像㆒、以納㆗於聖堂文庫㆖」という一文によって明らかである。あらゆる形式の釈奠にも対応しうる

釈奠画を書庫の宝として収蔵しておくことに意味があったと思われる。実際の釈奠は孔子廟の孔子・四配の彫像でこと足りる。ただ、普段は空位の宋儒六人を従祀するために、釈奠の時に六幅だけを両廡に掛けることになったのである。

Ⅲ　粉本と関連作品

ところで、林羅山から依頼をうけた狩野山雪は何を拠り所にして中国古代の聖賢たちを描いたのであろうか。長い途絶のために釈奠の儀式が忘れ去られたのと同様に、釈奠画も歴史の彼方に消えてしまっていた。本来、肖像画は想像で勝手に描ける性質のものではなく、モデルに準拠すべきものである。それが現実に会うことの出来ない歴史上の人物であれば、しかるべき典拠、つまり粉本が要求されるであろう。まして日本ではなく中国の神話時代から宋代におよぶ二十一人もの肖像画を描き分けねばならぬとすればなおさらである。私は、狩野山雪がこの問題の解決策として、明や朝鮮から舶載された肖像入り版本を粉本に使用したことを指摘しておきたい。山雪は歴聖大儒像を描くにあたり、次の肖像入り版本を使っている。

A　『歴代古人像賛』明・弘治十一年（一四九八）刊[20]

B　『歴代君臣図像』嘉靖四年（一五二五）刊[21]

C　『新刻歴代聖賢像賛』明・万暦二十一年（一五九三）刊[22]

D　『三才図会』明・万暦三十八年（一六一〇）刊[23]

伏羲から周公までの十聖にはA・B・Cの三種を使い分け、孔子と四配はD、宋儒六人はAを粉本に顔面部を描き分けている（図8）。特にBの『歴代君臣図像』が多用されているが、この本は元末から明初にかけて中国で作られた数種類の石刻聖賢図の写しを、朝鮮で編集し賛を加えて刊行したものである。[24]我が国でも慶長年間と慶安四年（一六五一）に覆刻され、山雪が使ったのは慶長年間の覆刻版と思われる。もともとは、文禄・慶長の役のころ朝鮮から日本に持ち込まれたものらしく、朝鮮侵略の落とし子ともいえる本である。また、Cの『新刻歴代聖賢像賛』は、山雪が歴聖大儒像を描いた頃と同時期に俵屋宗達が「神農図」を描く際に粉本に使用したもので、[25]両者が同一粉本を利用していた点は興味深い。十六世紀末から十七世紀にかけては、中国か

図8　山雪画と粉本の比較

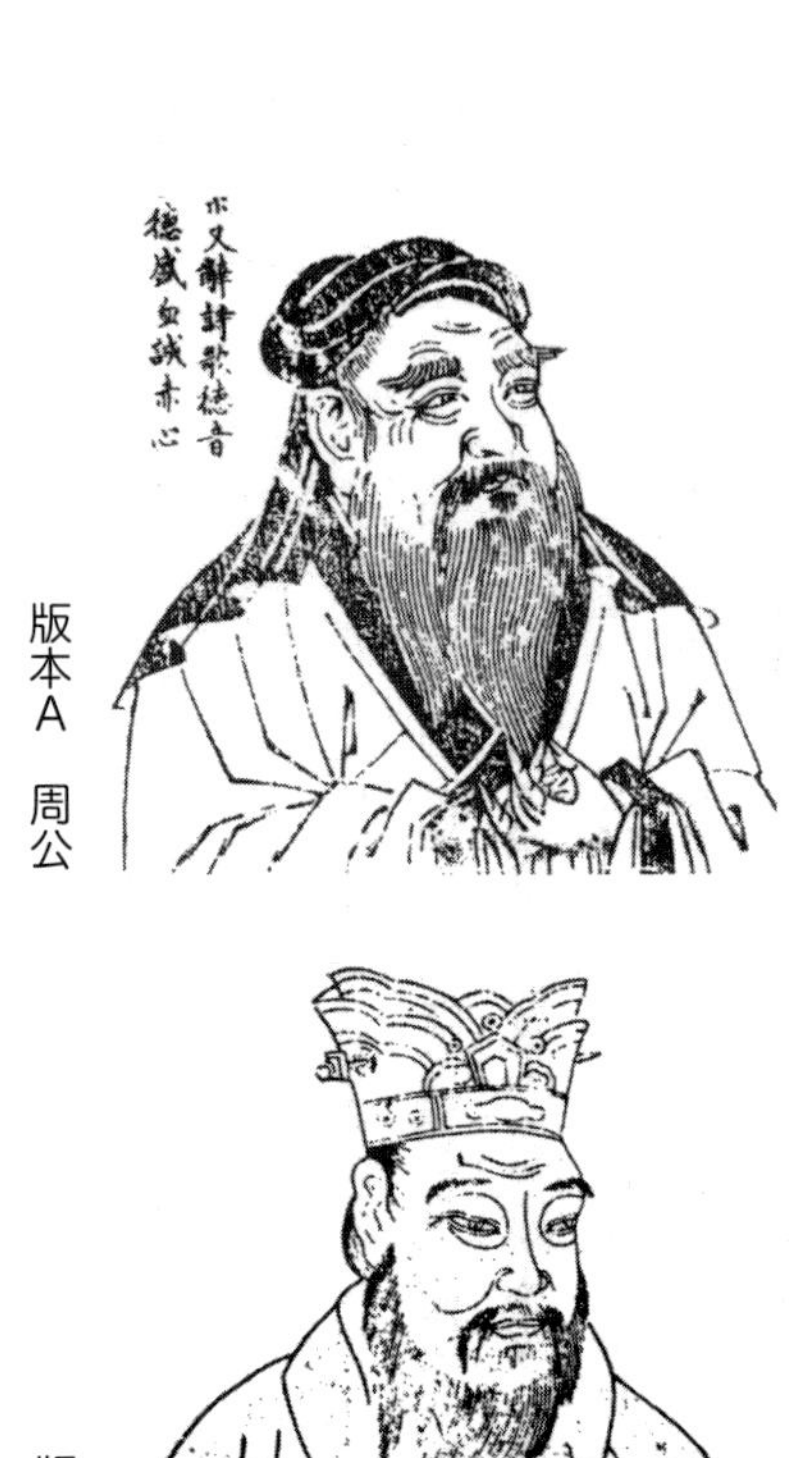

版本A　周公

山雪画　周公

版本D　孔子

山雪画　孔子

版本B　程伯子

山雪画　程伯子

図8

ら様々な絵入り版本が我が国に舶載され、近世絵画に少なからざる影響を与えていた。[26] 歴聖大儒像もその一例として新たに提起しておきたい。

さて、忍岡孔子廟の内部はふだんは孔子・四配の像が祀られていたが、元禄元年（一六八八）になって新たに先賢先儒九十九人の像を描いた木製扁額が作られ、内部を飾ることになった。これを賢儒像扁という。孔子の弟子七十二賢を軸に、董仲舒（とうちゅうじょ）・韓愈・王安石などの先儒を加えて九十九人にしたもので、『昌平志』巻一によると、東廡・西廡ともに八枚、計十六枚の扁額にそれぞれ五、六人あるいは七、八人のグループにして描き、東廡は四十四人、西廡は四十五人を配置したものという。画者は狩野益信である。元禄四年（一六九一）の湯島孔子廟の完成に伴い、この扁額も湯島に移されたが、元禄十六年（一七〇三）の火災で孔子廟とともに消失した。翌宝永元年（一七〇四）孔子廟の再建時に狩野常信が描き直して再び掲げられたが、寛政十一年（一七九九）に廟制度が改定された際、十哲の位牌とともに扁額も廃棄されたということである。

図9　賢儒像扁下絵

将軍綱吉の命をうけて狩野益信や狩野常信が描いた賢儒像扁は、早い時期に廃棄されたので今ではすっかり忘れ去られているが、筑波大学図書館にその下絵（図9）が保管されていることをここで指摘しておきたい。もともとは扁額の数と同じ十六枚あったが関東大震災で二枚が失われて現在十四枚となっている。それぞれ縦九〇センチ、横は二メートルから二・六メートルで、『昌平志』の記述どおり五人から八人づつを墨線の額の縁取りの中に収めている。ほとんどの人物の姿は、明・万暦年間に刊行されてわが国でも寛永二十年に覆刻された『聖賢像賛』の図を粉本にして描かれており、これも明代肖像入り版本の影響下に作られた肖像画といえる。おそらく狩野益信か常信のどちらかの自筆であろうが、詳細については稿を改めて報告したい。

図10　狩野探幽筆　聖賢図

いずれにせよ、この下絵の出現によって忍岡孔子廟や元禄期の湯島孔子廟内部に祀られたすべての彫像・絵画を再現することが可能となった。これは、近世の儒教美術を考える上で大きな意味を持つと思われる。山雪の歴聖大儒像も狩野益信・常信の賢儒像扁も、言ってみれば「儒教美術」に分類されるべきものである。前述したように、中国の孔子廟の歴史は漢代以前に遡り、その内部を彩る彫刻や壁画の歴史の流れは朝鮮や日本に影響を及ぼしながら、現代にまで続いている。平安時代の釈奠画が唐画の転写本であったように、近世初期の釈奠画は明代肖像入り版本を基礎にしていた。仏教美術に図像学や彫刻・絵画史があるように、儒教美術にも当然それはあってもよいはずである。しかし従来そうした議論がまったくなされていないのは、作品の数が少ないからではなく、「儒教美術」という視点が美術史のなかに設定されていないことによる。

こうした視点を近世絵画に持ち込むことにより解決する問題も多いのではないか。ひとつの例として狩野探幽筆「聖賢図」を挙げておきたい。これは、中国の聖賢五人を椅像で描いた仙台伊達家旧蔵の五幅対で、添状によると、幼君教化のための勧戒画像として描かれたという。[27] 従来、題賛がないため描かれた人物名は特定し難いとされてきたが、その上半身部（図10）を山雪の歴聖大儒像と比較すれば、伏義・堯・文王・周公・孔子の五人を昭穆制で並べた儒教絵画であることが明らかである。狩野探幽は林羅山・鵞峰との交流が深かったので、[28] おそらく林家で山雪画を見て作画の参考としたのであろうが、山雪と同様に探幽も儒教美術の図像学を版本等で研究していたはずである。江戸時代は儒教が官学として全国に普及した時代であり、その過程で幕府や各藩から儒教美術の需要が発生している。その需要を一手に引き受けたのが狩野派であった。山雪の歴聖大儒像は、忍岡孔子堂という近世儒学の出発点に立ち会った唯一の生き証人であるだけでなく、近世儒教美術の嚆矢として存在意義は大きいと言えよう。

おわりに

藤原惺窩が伏見の赤松邸で朝鮮の学者・姜沆から釈奠の儀式を学んだのは慶長三年（一五九八）のことであった。それから三十年後の寛永十六年（一六三九）、狩野山雪は「藤

図11　山雪筆　藤原惺窩閑居図

原惺窩閑居図」（根津美術館蔵）という作品を描いている（図11）。山雪は若い頃、惺窩の弟子・那波活所（なわかっしょ）に絵を贈った縁で惺窩とも面識がひらけ、惺窩の住む京都の北肉山荘（きたししさんそう）を訪れたこともあったようである。[29] この作品では松林に囲まれた北肉山荘の一室に、脇息にもたれて外を眺める惺窩の姿が描き込まれている。絵の上部にある賛は堀杏庵と林羅山のものである。歴聖大儒像が完成してから七年後、制作に関わった三者が師の姿の周りにつどっている。

狩野山雪の歴聖大儒像は近世初頭の時代の渦のなかから生まれ出た。その渦の中心にいたのは惺窩であり、羅山も山雪もその周りをめぐっていたことになる。すべての出来事は脇息にもたれる惺窩のまなざしの彼方にあった。

注

（1）内藤雋輔『文禄慶長役における被擄人の研究』（東京大学出版会、一九七六）一九六～九七頁。

（2）辛基秀・村上恒夫『儒者姜沆と日本』（明石書店、一九九一）。

（3）この作品についての代表的研究は、土居次義「狩野山雪の歴聖大儒像」（『茶道雑誌』二七巻一〇号、一九六三）である。二箇所に分蔵された経緯については、高木三男「歴聖大儒像（聖賢像軸）」（『筑波大学付属図書館報』九巻三号、一九八三）を参照。

（4）松花堂昭乗と山雪の関係については土居次義「松花堂と狩野山雪」（『淡交』四八、一九五二）を参照。

（5）国会図書館、東大史料編纂所等所蔵。本稿の図版は東大史料編纂所本を使用した。

（6）焼失前の五体の彫像の写真が中山久四郎『聖堂略史』（斯文会、一九三五）に掲載されている。

（7）この時の釈奠および江戸期の釈奠については、須藤敏夫「江戸幕府釈奠の成立」（『国学院雑誌』六七巻一〇号、一九六六）を参照。

（8）名古屋市編『名古屋城史』（名古屋市役所、一九五九）三六一～六六頁。

（9）鈴鹿三七「京狩野家の古文書」（『芸文』一〇巻一一号、一九一九）。

（10）辛基秀ほか編『朝鮮通信使絵図集成』（講談社、一九八五）図一一。また同書には、歴聖大儒像と同様の金世濂賛・山雪画「五聖賢図像」という作品の写し（図七一）が掲載されている。

（11）堀勇男『林羅山』（吉川弘文館、一九六四）二九一頁。

（12）朝鮮群書大系『海行摠載』二（朝鮮古書刊行会、一九一四）所収。

(13) 同右。
(14) 家永三郎『上代倭絵全史』(高桐書院、一九四六)九頁。
(15) 弥永貞三「古代の釈奠について」(坂本太郎博士古稀記念編『続日本古代史論集』下巻(吉川弘文館、一九七二)所収三七五頁。
(16) 同右。三九七~四〇四。
(17) 家永前掲書、八頁。
(18) 朱子「滄洲精舎告先聖文」(『朱文公文集』巻八十六)。「維紹熙五年、歳次甲寅……後学朱熹敢昭告于先聖至聖文宣王……今以吉日謹率諸君生、恭修了釈菜之礼、以先師究国公顔氏、郕侯曽氏、沂水侯孔氏、鄒国侯孟氏、配濂渓周先生、明道程先生、伊川程先生、康節邵先生、横渠張先生、温国司馬文正公、延平李先生、従祀尚饗」。
(19) 祖先の位牌を並べる序列の法則。始祖を中央に二世以降を右左右左の順に並べる。中国で古代から行われているもので、起源は西周時代に遡るとも言われる。
(20) 鄭振鐸編『中国古代版画叢刊』一(上海古籍出版社、一九八八)所収。
(21) 慶長の古活字版を国会図書館等が収蔵。本稿の図は早稲田大学所蔵の慶安四年覆刻版を使用した。
(22) 蓬左文庫・国会図書館等所蔵。本稿の図は国会図書館本を使用した。
(23) 本稿の図は上海古藉出版社本(一九八五)を使用した。
(24) 『国立国会図書館所蔵貴重書解題』第十三巻(国立国会図書館、一九八五)九〇~九二頁。
(25) 拙稿「神農図の成立と展開」(『斯文』第一〇一号、一九九二)。
(26) 相見香雨「宗達の仙佛画と仙佛奇踪」(『大和文華』第八号、一九五二)、小林宏光「中国人物版画試論」I・II(『実践女子大美学美術史学』第二号・三号、一九八七・八八)、同「宮楽図屏風にみる帝鑑図説の転成」(『国華』第一一三一号、一九九〇)、町田市立国際版画美術館編『近世日本絵画と画譜・絵手本展』図録(一九九〇)等参照。
(27) 武田恒夫『狩野探幽』(『日本美術絵画全集』第十五巻、集英社、一九七八)、一四一頁。
(28) 安村敏信「狩野探幽の伝記史料について」(東北大学文学会『文化』四二巻一~二号、一九七八)の付載年表参照。
(29) 土居次義『狩野山楽/山雪』(『日本美術絵画全集』第十二巻、集英社、一九七六)一〇九頁。

付記

本稿の図版撮影にあたり、東京国立博物館ならびに筑波大学付属図書館よりご原意を賜りました。ここに記して感謝の意を表します。

蠣崎波響筆「夷酋列像」の図像学的考察

一　肖像画の写実性とは何か

人物の肖像を描く場合、実際の顔にできるだけ近づけようと努めるものである。モデルとなる人物がいれば、顔の骨格、目鼻だち、肉付き、髪形、服装、雰囲気、内面性にいたるまで、画家はその人物と向き合い、視覚を含めた五感を総動員してそうした情報を収集し、平面や立体に置き換えようとする。また、モデルがいない場合、たとえば遠い過去の人物であったり、実際に見ることのできない神や仏の場合は、モデルの代替としての仏像や神像など従来の作例を参考にしたり、文献上の何らかの根拠をもとに肖像を完成させるものであろう。

しかし、人間というものは、そうした物理的側面のみではなく、社会的価値をもった存在でもある。様々な社会的意味づけや評価、利用価値が付随している。物理的側面がハード、社会的側面がソフトと分類するならば、広場や公的な建物に置かれた銅像を例に出すまでもなく、肖像表現にはソフト面の影響、つまり社会的評価や利用価値が色濃く反映するものであろう。

江戸時代中期の画家で、松前藩の家老でもあった蠣崎波響という人物がいる。彼が描いた「夷酋列像」という作品は、その制作の経緯について詳細な記録が残っており、何年に、何のために、誰を描いたものなのかがはっきりとわかっている。[1] 画家はモデルの人物たちに実際に会っており、その肖像は本人たちの姿に極めて忠実に描かれているはずだということが十分に首肯しうる作品なのである。しかし、実際は違う。

図1をご覧いただきたい。波響が「夷酋列像」を制作するにあたり、準備段階で描いた下絵の一部である。人物の名はションコ。アイヌの族長である。右側は本画作成直前の本下絵、左側はその前段階の画稿であるが、両者には大きな違いが見られる。まず衣服は、右図は五爪の龍を刺繡した中国の皇帝が着る蟒衣（ぼうい）（蝦夷錦（えぞにしき））であり、左図は幾何学文様の線が縫い付けられたアイヌの伝統的民族衣装アットゥシ衣である。そして最大の違いは両者の頭蓋骨の形であろう。右は後頭部が絶壁状で、頭蓋骨の前後が短い短頭である。それに対して、前段階の画稿では後頭部がかなり隆起し、前後が長い長頭の頭骨を描いている。髪の毛も左図の巻き毛を右図は直毛にし、頭頂部を尖らせて薄毛に変更している。

また、手の位置は左図と比べて右図が若干下がっており、左図の手の甲のすぐ上にあった顎は右図では手の上方に離れて描かれている。鼻先と顎の距離を比較しても、右図は左図よりも顎の長さを大幅に短くしている。頭蓋骨の表現には、体とのプロポーション上、かなり小さくするための変形が行われている

図1　ションコ上半身像　画稿（左）、下絵（右）

図2　東武像（左）、ツキノエ像（右）

ことがわかるであろう。これは目鼻が実物と微妙に違うという程度の、肖像にありがちな傾向とは大きくかけ離れた差異である。モデルを見てという前提からすれば、あり得ない形態操作を施していることは明らかであろう。

人物の身体的特徴に大きなアレンジを施していることについては、他にも推定可能な例を挙げておこう。図2の右図は、「夷酋列像」に描かれたツキノエという名の族長の肖像である。中国の蟒衣を着ている点ではションコと同様だが、その上にロシア製の黒いコートを羽織っており、足にはロシア製のブーツを履いている。図2の左図は「夷酋列像」よりも七年さかのぼる天明三年（一七八三）に波響が描いた「東武画像」という作品である。服装も持ち物もアイヌ独自のものになっており、おそらく族長ではあろうが、東武がどのような人物で、どのような経緯でこれが描かれたのかは全く不明だ。比較して欲しいのは頭と体のプロポーションである。明らかに右図のツキノエの方が体に比べて頭が小さく、敢えて日本人的な感覚で言うならば「西洋人的」なプロポーションになっている。左図の東武は一般的な日本人と異ならない頭と体の比率といってよいであろう。ツキノエと東武は別人であるし、姻戚関係があるわけでもないだろう。身長差がどれぐらいあるのかも分からない。プロポーションの違いを一概にアレンジの結果であると決めつけることはできないが、筆者の推定として、東武画像の方がアイヌの人々の一般的な体形に近かったのではないかと思う。ションコと同様、ツキノエにもプロポーションを多頭身化するアレンジが加えられているのではないかと考えるのである。[2] この西洋人的プロポーション化は、「夷酋列像」に描かれた十二人すべてに当てはまる。

いまだ筆者は、蠣崎波響についても、「夷酋列像」についても詳細を述べていない。単純に見た目だけの比較で分かることを指摘しているのだが、少なくとも相当のアレンジ、もしくはデフォルメがなされているということはご理解いただけるだろう。制作状況からして写実であるはずだし、描法も南蘋（なんぴん）派の写実感あふれるものになっているにも関わらず、その「写実性」に疑念を抱かざるを得ない作品、それが「夷酋列像」なのである。なぜこのような表現になったのか。本稿は、その問題に対する筆者なりの見解を提示し、「夷酋列像」に与えられた社会的役割や日本社会にとっての意義を考察するものである。

二　制作の経緯

蠣崎波響（一七六四～一八二六）は、幼名を松前広年といい、北海道の松前藩、第十二代藩主松前資広（すけひろ）の五男として生まれた。(3) 長男は後に藩主となる道広（みちひろ）である。広年は、生まれた翌年に家臣の蠣崎家の跡取りとして養子に出され、蠣崎姓を名乗る。幼時より画作を好み、叔父松前広長の勧めもあり江戸で建部凌岱（たけべりょうたい）に師事し絵を学んだ。建部凌岱が師に選ばれたのは、凌岱が弘前藩の家老の子であった縁であるが、西洋美術の影響を受けた中国の写実画派である南蘋派の画家であったことは、のちに「夷酋列像」の描画法に直結することになる。その後、二十歳頃までは江戸の南蘋派の総帥であった宋紫石（そうしせき）に師事し、南蘋派特有の西洋画法の影響を受けた陰影法や遠近法、濃密な色彩等に研鑽を積んだ。そして二十歳になる前後、天明三年（一七八三）頃には松前藩に戻り、藩政に携わることになる。前述した「東武画像」は帰藩した年の作品で、江戸で習得した技量をアイヌ族長の肖像で発揮したものであり、エキゾチックな風貌や衣装を政治的意図もほとんどなく細密描写したものであろう。

藩務のかたわら画作にも励んでいたが、天明八年（一七八八）、二十五歳にして松前藩の家老となる。直後の寛政元年（一七八九）、「夷酋列像」制作のきっかけとなる「クナシリ・メナシの戦い（寛政蝦夷蜂起）」が起こった。松前藩は、北海道全域と国後島（くなしり）、択捉島（えとろふ）などの千島列島や樺太といった広大な地域を管轄域としていた。また、そこに住むアイヌを通じて海草やラッコの毛皮などの産品を本土に送る中継交易も担っていた。ただし、藩士が交易を行うわけではない。内地から来た御用商人らが請負制によって現地に赴き、アイヌと直接交易したり、アイヌを雇用して事業にあたったりしていた。この請負制は、苛烈な搾取や劣悪な労働環境など多くの問題を孕んでおり、アイヌの人々には少しずつ不満や怨念が溜まっていく状況にあった。そんななか寛政元年、国後島の請負商人飛騨屋とアイヌとの間で、騒動が起こる。国後島の首長ツキノエが留守中、不満をつのらせたアイヌの人々が蜂起して、飛騨屋をはじめとする商人や

クナシリ島内所在地未確認
③ ツキノエ
⑫ チキリアシカイ
③ ⑫
① マウタラケ
② チョウサマ
クナシリ場所
トシヨロ
⑩
ウラヤスベツ
① ②
⑩ イコリカヤニ
シャモコタン
ノツカマフ
キイタップ場所
⑨
④
⑧
⑨ ポロヤ
⑤ ⑥ ⑦ ⑪
④ ションコ
⑧ ノチクサ
アツケシ
⑤ イコトイ
⑥ シモチ
⑦ イニンカリ
⑪ ニシコマケ

図３　地理分布図

和人（内地から来た日本人）を襲撃したのである。この動きにすぐ反応したのが国後島の対岸、今の羅臼（らうす）や標津（しべつ）周辺のメナシ地方のアイヌたちだった。同様に商人や和人を襲い、乱全体で七十一人の和人が犠牲になった。

松前藩はただちに鎮圧部隊を送った。だが、熾烈な戦闘による惨禍を恐れたアイヌの族長や長老たちは、蜂起したアイヌたちを説得し、鎮圧部隊が着く前に投降・帰順した。結局、乱自体は拡大することなく、鎮圧部隊との戦闘もない形で終結する。このようにアイヌ側が乱を自発的に収束させ、恭順の意を示したにも関わらず、鎮圧部隊は首謀者たちを処刑し、三十七人の首級を携え、四十三人のアイヌの指導者たちを連行して松前に帰還する。

松前城に連行されたアイヌたちは、自分達の民族衣装であるアットゥシではなく、松前藩が用意した中国製の蟒衣を着せられ、藩主松前道広に謁見させられている。藩主道広は、乱の鎮圧を記念し、松前藩に協力した族長・長老たちの肖像を描くことを決め、その画者に家老の蠣崎波響を指名した。波響は早くも翌年十月に肖像画を描き上げ、叔父の広長が序文と解説を付して出来上がったのが「夷酋列像」である。

「夷酋列像」、縦四〇センチ横三〇センチの画面に一人ずつ描いた肖像を十二面、折り帖形式で綴ったもので、①マウタラケ、②チョウサマ、③ツキノエ、④ションコ、⑤イコトイ、⑥シモチ、⑦イニンカリ、⑧ノチクサ、⑨ポロヤ、⑩イコリカヤニ、⑪ニシコマケの十一人の男性族長、ツキノエの妻⑫チキリアシカイの順に並べている。女性一人を含む十二人のアイヌ族長・長老の構成である。波響は、のちに上洛のおり、もう一部を作成し、少なくとも二部の「夷酋列像」を描いたようで、現在、市立函館図書館とフランスのブザンソン市立美術館に所蔵されている。十二人の地域分布は大塚和義氏の研究[4]により、図3のごとく、ウラヤスベツ地区のマウタラケ、チョウサマの二人を先頭に、国後島のツキノエと妻チキリアシカイ、息子イコリカヤニ。アツケシ地区のイコトイ、シモチ、イニンカリ、ニシコマケ。キイタップ地区とシャモコタン・ノツカマフ地区のポロヤ、ションコ、ノチクサというように各地域の族長たちをバランス良く選別していることが明らかとなっている。

三　天覧への旅

「夷酋列像」は、松前藩にとって単なる記念作品として保存しておくものではなかったようで、完成後すぐに不思議な足どりをたどる。寛政二年（一七九〇）秋に絵が仕上がり、十一月に叔父広長による解説『夷酋列像附録』が出来上がると、画者であり家老であった波響は作品を携え、すぐに京都に向かう。翌寛政三年（一七九一）の二月には京都に至り、大原左金吾、高山彦九郎、皆川淇園といった京都の文化人たちと交流する過程で「夷酋列像」が披瀝され、徐々に評判を呼ぶようになった。同年五月二十九日、高山彦九郎が波響から「夷酋列像」を借り出し、岩倉家、伏見家、平松家といった公家や商人に見せて回っていることから、宮廷にも評判は届いていたことであろう。ついに光格天皇が興味を示し、七月十一日、佐々木長秀が宮中に持参し、まる一日、宮中に置かれて天覧に供された。その後、波響はすぐに松前に戻っているようで、九月には松前城中で「夷酋列像」の天覧を祝う賀宴が行われている。(5)

従来「夷酋列像」は、松前藩がアイヌ反乱の失態を糊塗し、幕府の心証を良くするための窮余の策として制作した物と説明されてきた。しかし、実態は異なるのではないか。藩主の命によって制作された作品が、完成直後に画者である家老自らが京都に持ち込む。そして天覧を達成するとすぐに帰藩して祝宴が催される。この過程を見ると、京都への作品持ち込みは、一家老である波響の独断ではなく、最初から天覧を期して藩主道広の指示によって行われたものであろうと筆者は考えたい。おそらく天覧を達成するまで、京都で諸方面に働きかけよという命令があったものと推定される。

「夷酋列像」の評判は各藩の大名のもとにも届き、貸し出しを受けて模写する動きが次々と発生した。現存する模写として北海道の北尾家、長崎の松浦史料博物館、浜松の常楽寺ほかの所蔵品があり、熊本藩主細川斉護が模本を作らせた記録も残っている。寛政十一年（一七九九）には幕府に献上されており、貴顕層に限られるとはいえ全国的なブームを呼んだといえる。

四　図像学的考察

クナシリ・メナシの戦いを収束させたアイヌの族長たちが、松前藩側の用意した中国製の晴れ着を着せられて藩主と謁見したことからもわかるように、アイヌの人々や文化への愛着は、松前藩の態度からは見受けられない。アイヌへの目線はあくまでも社会的に上位の集団が下位の集団を見下すものであった。アイヌの姿をありのままに受け入れるのではなく、和人的価値観や美意識によって「美化」しようとする意識が働いていたことは明白である。

「夷酋列像」が実際のアイヌの姿と異なることは、すでに江戸時代に平戸藩主松浦静山（まつらせいざん）が実際の調査図との比較から気づき指摘していることである。近年も井上研一郎氏が江戸時代の版本挿絵の影響を指摘して明確化している。[6] 安永九年（一七八〇）の序をもつ『列僊図賛（れっせんずさん）』は中国の歴代の仙人たちの紹介文と江戸時代の画家月僊（げっせん）の挿絵からなる書で、そのなかの一人「広成子」の姿が「夷酋列像」のマウタラケのポーズと同一である。『列僊図賛』で広成子の隣に描かれた「黄帝」のポーズも、ションコのポーズとよく似ていると指摘されている。他人の肖像画、それも版本に描かれた中国の聖人や仙人のポーズを使ってアイヌを描いたということであり、現実の姿をありのままに表現しようとする写実の精神とはかけ離れた行為といえよう。

ただし、こうしたことは一概に波響個人の責任とするわけにはいかない。近世肖像画の傾向として、中国でも日本でも散見されることであり、波響も当時の画壇の手法を踏襲した面もある。古くは俵屋宗達や尾形光琳が人物像を描く際に、中国の『仙仏奇踪』からポーズを借りて別人の肖像に適用することが、相見香雨などによって指摘されている。[7]

この背景には、情報伝達の歴史の中で、美術作品がマスメディアに載るという、近世初期に起った現象の影響が存在する。一冊一冊を手書きしていた写本の時代と違い、版本の時代になると、一度版木を彫ってしまえば、何百部、何千部と同じ本を刷ることができる。マスメディアの特徴は「情報の大量複製」であり、版本は東アジアの人々が初めて手に入れたマスメディアであった。同一の情報がきわめて多くの人々に供給され、それによって人類社会には「知

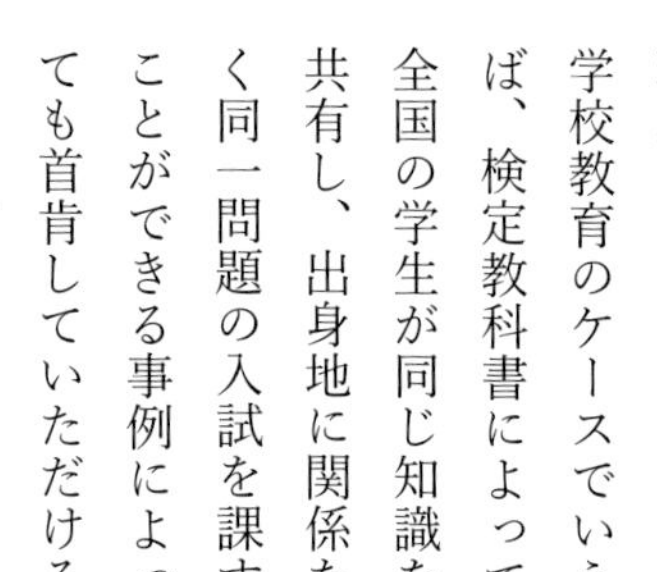

図4　ショウコ像の類例

識の統一」という新たな現象がおこった。現代の学校教育のケースでいえば、検定教科書によって全国の学生が同じ知識を共有し、出身地に関係なく同一問題の入試を課すことができる事例によっても首肯していただけるだろう。

版本に載る情報はほとんどが文字であったが、十六世紀前後から中国で肖像挿絵のついた伝記集が盛んに出版されるようになり、そこに掲載された聖人や賢人、仙人や僧侶などの姿が大量に流布し、画家は肖像を描くときに挿絵の肖像を手本にしたり、ポーズ集として利用するということが行われていた。これにより、従来は歴史上の人物の顔が画家によってまちまちであったものが、版本挿絵の顔に統一されるという「顔貌の統一」ということもおこっている。

筆者は以前、儒教美術の中核である孔子廟の内部に並べられていた聖賢像を題材にこの現象を指摘した。とくに中国の明代の画家・陳洪綬（一五九八〜一六五二）の描いた肖像画の影響は絶大であった。陳洪綬は、杭州の孔子廟の内部に列置されていた孔子と七十二賢の列像石刻を前に、さまざまな人物のポーズや動きの表現を研究した結果、人物画の名手として後世の画家たちから讃えられるようになった人物である。杭州孔子廟の孔子と七十二賢の石刻は拓本に写し取られ、『聖賢像賛』という版本となって中国、朝鮮、日本に流布した。孔子を含めて七十三人の人物がさまざまなポーズで描かれた『聖賢像賛』は、肖像画を描こうとする画家にとってポーズ集として盛んに利用されるようになったのである。同様に人物画の第一人者・陳洪綬の作品も多くの画家の手本とされ、明・清時代の人物画に大きな影響を与えている[8]。

陳洪綬からほぼ百年後の蠣崎波響も、そうした当時の画壇の影響下にあったことは想像に難くない。「夷酋列像」でいえば、図1で指摘したションコの特徴、つまり後頭部が絶壁状で体に比して頭が小さいという特徴は陳洪綬の人物画にも見ることができる。たとえば陳洪綬の版本挿絵の最高傑作とされている『水滸葉子』は、水滸伝の英雄達百八人を一人ずつカード状に描き分けたものであるが、[9] その魯智深（図4左）のポーズはションコのそれと似通っているし、頭の形も類似している。さらに陳洪綬の子・陳字（一六三四〜?）の作品「人物故事図」（一六六六年）の中の人物（図4中）は、尺を持ち礼をする儒者の姿であるが、やはりションコとポーズ、プロポーション、頭部もよく似ている。おそらくは西洋美術におけるマニエリスムのごとき、理想的なプロポーションや形に現実を押し込めようとする美意識が波響にも働いていたのであろう。中国の肖像画や版本挿絵の人物像を人物表現の模範としていた江戸時代の美意識が、波響を通じてアイヌ表現に当てはめられたことにより、現実と乖離した表現に至ったと考えられる。

さらに、波響は南蛮美術を通じて西洋絵画にも興味を抱いており、「南蛮騎士の図」という作品を残している。十七世紀後半にオランダで出版された『大諸侯のアトラス』に描かれた騎馬人物たちが「南蛮騎士の図」の騎馬人物たちと図像学的に同一であることが指摘されており、[10] 波響の異国人イメージのなかに西洋人の容貌が刷り込まれていたことは明らかである。人物プロポーションの多頭身化には、アイヌの後方に控えるロシアのイメージも重ね合わせ、西洋人風のアレンジを加えることにより、アイヌに異国イメージを添加しようとした可能性も指摘しておきたい。

「夷酋列像」には、儒教美術的側面があることはすでに指摘されている。[11] 筆者はより端的に、「夷酋列像」が典型的な儒教美術に他ならないと考えている。その根拠を述べる前に、儒教美術の列像を分析する方法として「昭穆制」という概念が有効であり、それを「夷酋列像」に適用すると作品の背後に隠れていたものが明確に見えてくることを指摘しておきたい。

昭穆制とは、儒教において祖先の霊を祀る位牌の配置法で、廟の祭壇にどのような順番で置くかということを規定したものである。まず、始祖の位牌を中央に置き、礼拝者から見てその右に二代目、左に三代目、さらに右に四代目、さらに左に五代目と、鳥が翼を広げるように子孫が展開し

図５　メナシ側の人物

ていく形に位牌を並べていく。社会的ヒエラルキー、上下関係のありようを明確に視覚化するもので、儒教美術の中枢である孔子廟の列像にも適用されている。つまり、孔子を中心に四配・十哲、七十二賢といった多数の人物像が、昭穆制によって整然と並べられているのである。筆者はかつて、この儒教美術上の軌範を狩野山雪の「歴聖大儒像」二十一幅に適用し、本来の配置と作品の意義を明らかにした[12]。これをアイヌの列像に適用するとどうなるだろうか。

「歴聖大儒像」で確認されたことだが、昭穆制では中央の始祖は最重要ゆえ正面を向き、左右の人物群はみな中央の人物の方向に顔と体を向けることが多い。つまり、儒教美術の列像を分析する

⑫チキリアシカイ
③ツキノエ
⑩イコリカヤニ

図６　クナシリ地区の人物

ときに、体の向きや動作方向が重要なファクターとなるのである。大塚和義氏が作成された図3を振り返れば、正面を向いているのはマウタラケのみである。「夷酋列像」でも十二人の最初に置かれたのが彼であるから、重要性は体の向きでも強調されていることになる。つぎに、アツケシ地区の四人は顔の向きや動作方向が右方向で統一されている。おそらく地区ごとに分類し、顔や体の向きを統一しようとする意識が働いていたと思われる。さらにアツケシ地区以外の道東部メナシ地区周辺の人物たちをみると、マウタラケ以外はみな左方向に顔や動作方向が統一されていることがわかる。

このように道東部各地の人物を、顔や動作の方向で分類

し、中央の正面向き人物の左右に配置したものが図5である。マウタラケを中心に左側にアッケシ地区の族長たち、右側にそれ以外の道東地区の族長たちが綺麗に整列することがおわかりいただけるだろう。ウラヤスベツ地区は東部道からカラフトへ、さらにロシアへと向かうルートの起点にあたり、松前藩の鎮圧部隊がクナシリ・メナシの乱のときに最初に向かったのもこの地区であった。アイヌたちの退路を断つことによって圧力をかける重要な戦略ポイントであり、この地区の族長を味方につけることが松前藩にとってアイヌ支配の成否を左右することになる。乱を収束させるための尽力の度合いがどれほどであったかは不明だが、松前藩にとってマウタラケがアイヌ支配の要であることを図5は示しているといえる。

　つぎにクナシリ島の三人は、島の族長であるツキノエは左向きであるが椅子に坐って堂々とした風貌で中心に置くに相応しく、妻のチキリアシカイを右、息子イコリカヤニを左に配置するとすっきりとした三尊形式となる(図6)。

　おそらくは松前藩のアイヌ統治戦略には二つの前提があったものと想像される。まず、道東部とその沖合のクナシリを分け、二つの包括地区として認識すること。次に道東部ではウラヤスベツ地区が最重要ポイントであり、その族長であるマウタラケを軸に周辺一帯を支配すること。そしてツキノエを中心としたクナシリ地区に睨みを効かせ、支配の安定化を図るというものであろう。波響は「夷酋列像」の構想段階で、松前藩のアイヌ支配戦略をもとに、昭穆制に照らして顔や体の向きを決め、聖賢図ではないゆえに最終的に分散させたのであろう。ただし、分散したとはいえ、松前藩の考えは「夷酋列像」の人物順番にも反映されている。最初の二人にマウタラケとチョウサマという最重要のウラヤスベツ地区の族長を置き、次の三番目にクナシリのツキノエを配置、四番目と五番目にノツカマフ地区のションコ、アツケシ地区のイコトイを置くという順になっており、各地区から代表者を選んでバランスをとりながら分散配置していったと考えられるのである。

五　天覧の意義

私たちは「美術」という言葉に、「感動を呼び起こす崇高な芸術」をイメージしがちである。作家の人間性や独自の描写法など、個別的な視点から作品を捉えようともする。だが、そうした芸術観は近代以降に生まれたといってもよい。人類の長い歴史において、美術が主に担ってきたのは「権力メディア」としての役割であった。言語や画像などのメディアは「命令と支配のために人類が生み出した文化ツール」ともいえる。この基本の上に、作家は個性や感動を乗せてはいるが、なぜ権力がそれを描かせたのか、権力はそれによって何を伝えようとしたのかということが、作品理解の根本にあるべきだろう。エジプトの壁画も、ギリシア・ローマの彫刻も、ルネサンスの絵画も、みな権力がその財力にものを言わせて造らせたものだからである。

その意味で「夷酋列像」は、制作の経緯からして明らかに「権力メディアとしての作品」であり、筆者の考えでは「儒教美術」というジャンルに含めるべきものである。従来の美術史では儒教美術という領域設定はなされてこなかった。それは日本の美術史研究が西洋美術のジャンル分けを基本に立ち上がってきたという事情に起因している。儒教は、中国、朝鮮、日本といった東アジア世界の歴史を形作った最重要の政治思想、道徳思想であり、美術表現にも大きな影響を与えている。だが、これまで「漢画系人物画」、「勧戒画」などという中途半端な分野にくくられ、看過されて今に至っている。

「夷酋列像」は、後漢時代の武氏祠（ぶしし）画像の人物列像などに見られる儒教的人物表現の流れの中に位置する。武氏祠画像では、伏羲・神農といった聖帝、貞女や孝子、義士や刺客たちの肖像が整然と並ぶ。(13) 全体として、儒教帝国「漢」の歴史・政治・道徳理念をそうした肖像群で表現したものであり、中国のみならず、朝鮮半島や日本などの中国文化圏において、近世に至るまで継承されてきた権力アートのイメージ・セットであった。

筆者の考えでは、権力メディアは、国家の統合・支配の理念を明示する情報を「四つのロジック」、つまり第一に「賛美」、第二に「称揚」、第三に「警告」、第四に「懲罰」という論理構造で民衆に周知させると考えている。この構造は人間社会すべてに共通したものともいえる。

神や聖人、理想世界など異論を許さぬ絶対的価値には、ひたすらな（常軌を逸するほどの）「賛美」を捧げる。キリスト教の神の世界や仏教の浄土の表現が一例である。その絶対的価値のために身命を賭した人物（貞女・孝子・義士）は偉人として「称揚」され、民が目指すべき手本とされる。絶対的価値に反する行いをした者は悪い見本、反面教師として、反省を促す「警告」の対象となる。風神雷神図も、漢代画像石では儒教美術上の警告を表した画題であった[14]。戦争画に見られる敵の残虐さの表現も、敵への憎しみをかき立て、現実化しないよう危機感を煽る警告である。この警告を無視する「ならず者」には死刑その他の「懲罰」が加えられる。地獄の表現などはその範疇に入る。

儒教的な統治理念や美術表現は、日本では宮中紫宸殿の賢聖障子などで継承されつつも、王朝時代以降の日本の中世期には忘れられた存在となっていたが、近世初頭、織田信長が建てた安土城天主において再生の産声をあげている。安土城の最上階の内部には伏羲・神農・文王・孔子という儒教聖人の列像が描かれており[15]、儒教統治のイメージ・セットは、動乱の戦国期、信長によって日本にリセットされた。江戸時代には幕府の援助により、朱子学による儒教復興の流れが明確化し、寛永九年（一六三二）の狩野山雪「歴聖大儒像」二十一幅を出発点として儒教美術も盛んに描かれるようになる。

「夷酋列像」はアイヌの反乱鎮圧を記念して描かれた。同類の作品として、漢代画像石にも、漢の軍隊が匈奴軍を撃退する場面を描いた胡漢交戦図という画題がある[16]。帝国の平和を脅かす者たちへの「懲罰」、勝利をもたらした兵士への「称揚」、平和を回復した王の偉業と平和が確立された死後世界への「賛美」、というロジックが交錯した作品である。「夷酋列像」には戦闘場面はなく、鎮圧に協力したアイヌ族長たちを描いている。儒教美術の文脈で言えば、王者の高徳の証として、闘う必要もなく敵は平伏し、乱は収束したことになり、王者への「賛美」に分類されるであろう。また、儒教的な華夷思想の文脈でいえば、実際は強制的に連行されたとはいえ、帝王の徳を慕って周辺諸族が来朝し貢物を捧げるという理想的統治状態の証ともなる。

世界の中心に位置する中国の帝王、その崇高なる徳を慕って世界中の国々の使節が来朝する。この儒教的な徳治観の構造を美術において視覚化したものが「職貢図（しょくこうず）」である（図7）。倭国と呼ばれた日本も含めて諸国の使節の姿が

図7　職貢図

列像形式で描かれたもので、世界における中国の優越性を示す政治装置として歴代王朝で描き継がれてきた。「夷酋列像」では、日本を中華に準え、アイヌを周辺諸族の代表ととらえてその恭順なる姿を絵画化し、日本を帝国として美化する意図があったと筆者は考えている。

儒教上の聖賢や功臣の像と違い、異民族の列像は中国でも宮殿に描かれることはなく、帝国の記憶として倉庫などに保管されるものであったようだ。『東大寺要録』に引かれた「延暦僧録文」には、天平勝宝四年（七五二）に日本を発った遣唐使が玄宗に謁見を賜り、その礼儀正しさに感動した玄宗が、正使・藤原清河と副使・大伴古麿の肖像画を画家に描かせ、蛮蔵に納められる栄誉を賜った記録が載っている。「職貢図」も含めて、異国人たちの肖像は飾られるものではなく、帝国の記憶として保管されるべきものだったといえる。[17]

「夷酋列像」は、儒教美術の流れから見れば、まさにその典型ともいってよいものである。それゆえ完成するとすぐに京都へ持ち込まれ、形式上の日本の君主・天皇の閲覧が企図されたのではないだろうか。江戸幕府の国家支配をないがしろにし、天皇制国家への回帰を意識したこうした大胆不敵な構想は、もちろん一家老である波響が考えたものではなく、制作を命じた藩主・松前道広（一七五四～一八三二）に帰せられるものであろう。なぜなら松前道広は、その奇行で評判は悪いが、気宇壮大なところがあり、政治観では尊王反幕に徹して幕府から強制隠居を強いられた異色の藩主だったからである。文武両道に秀でた自信家、豪快な性格で知られ、兵学や砲術、馬術でも抜きんでていた。南下を企てるロシアを松前藩だけで蹴散らしてみせるという、一藩主とは思えぬ奇想天外な構想も抱いていたようで、松前藩の急速な軍備増強を計画して家臣たちと対立したりもしている。明和八年（一七七一）に京都の花山院常雅卿の娘敬姫と結婚しているが、花山院は宮中で内大臣や左右大臣を歴任する名家であり、この人脈から光格天皇（在位一七八〇～一八一七）のブレーンだった公卿との交流も育まれていった。

光格天皇は、朝廷儀式の復興を通じて朝廷権威の再興をめざした人物で、明治維新による近代天皇制への移行のための基盤をつくった人物として知られている。[18] 幕府とは対立せざるを得ない国家構想の持ち主で、最初の衝突が寛政元年（一七八九）、奇しくも「夷酋列像」制作のきっかけとなったクナシリ・メナシの乱と同じ年に起こった「尊号事件」である。天皇ではなかった父に太上天皇の尊号を光格天皇が贈ろうとし、幕府の反対にあい中止された。松前道広は老中松平定信らの反対を覆すために、妻敬姫の兄・花山院権大納言愛親（なるちか）、右大臣愛徳（よしのり）らと手を組み、将軍徳川家（いえ）斉（なり）の父一橋治済（はるさだ）に働きかけて幕府を味方につけようと画策したのである。一藩主の行動とは思えぬ常軌を逸した活動ぶり、ある意味で暴挙である。クナシリ・メナシの乱が明らかな藩政の失態であるにも関わらず、道広にその認識はなく、むしろ早期終結を誇るがごとく、「夷酋列像」の制作とその天覧まで企画している。御家安泰が第一の家臣たちにとって、藩主の行動はまことに困惑の極みであったはずだ。「夷酋列像」を描かされ、京都での天覧まで担わされた蠣崎波響の胸中は察して余りある。幕府にとっても、ロシア問題は国防上の最重要課題であり、その最前線に道広がいることは、まことに不都合なことであった。幕府は寛政四年（一七九二）に道広を隠居させたが、それでも道広の不穏当な言動は止まず、ついに文化四年（一八〇七）幕府は北海道を直轄地とし、松前藩を陸奥梁川へ転封、道広に江戸藩邸蟄居を命じた。

波響が「夷酋列像」以後、画風を円山派に一変させて耽美的作品ばかりを描き、二度と南蘋派の絵を描かなかったのは、藩主の命とはいえ反幕行為に加担し、藩を転封に至らしめた忌まわしい過去と結びついていたからであり、ポリティカルアートの虚しさ、写実的画風の嘘臭さに唾棄せんばかりの嫌悪感を抱くようになったからであろう。

藩主松前道広は、まことに身勝手な人物で悪評には事欠かないが、敢えて弁護するならば、もし五十年遅く生まれていれば、あるいは幕末維新で活躍していたかもしれない、時代を先取りしすぎた破格の人物であったともいえるだろう。光格天皇と公家グループは、この時期、尊号問題、御所再建など、天皇制復興への試みを積極的に進めていた。民間レベルでも、垂加神道や復古神道などの尊皇思想がたかまりをみせていた。道広はそうした時代の渦中にあり、花山院常雅の娘を妻とする以前から、公家グループと気脈を通じさせていたのではないか。

クナシリ・メナシの戦いの二年前、天明七年（一七八七）、天明の大飢饉で米価が高騰し、全国で一揆や打ち壊しが多発した。京都では幕府の無策に失望した民衆が毎日数万人単位で御所に押しかけ、天皇による救済を祈願する「御所千度参り」がおきている。庶民の間にも天皇の政治指導への期待がたかまっていた。また寛政二年（一七九〇）十一月、京都では光格天皇が造営を主導した復古的御所が完成し、新御所への天皇の遷幸が行われている。天皇制復興への大きな一歩であり、その華やかな行列を見物する庶民の中に本居宣長がいた。奇しくもその時、松前では「夷酋列像」が完成し、それを携えて波響が京都へ出発した。「夷酋列像」は、こうした時代の渦の中に飛び込んでいったのである。

いずれにせよ道広の構想で生まれた「夷酋列像」は、儒教国家の政治装置である「職貢図」的作品として制作された以上、帝国の記憶として中国でも宮中に保管されたように、たった一日とはいえ、天皇のもとに留め置かれることに存在意義があったのではないか。道広のゴシップに満ちた奇矯な行動ゆえに、作品の本来の性格が見えにくくなってしまった不幸な作品であり、今後は近代天皇制の萌芽と結びつけて語られるべきものであると筆者は考えている。

注

（1）「夷酋列像」の詳細については、井上研一郎監修『「蠣崎波響とその時代」展図録』（北海道立函館美術館等発行、一九九一年）、井上研一郎「夷酋列像——痛恨の肖像」（『白い国の詩』二〇〇〇年三月号、東北電力発行。榎森進編『アイヌの歴史と文化』二、創童社発行、二〇〇四年、再録）、大塚和義他編『研究フォーラム　蠣崎波響と夷酋列像の世界』（国立民族学博物館、二〇〇七年）、よのすけ「蠣崎波響再考——『夷酋列像』をめぐって」（http://www.k3.dion.ne.jp/~suiyou-g/#10）を参照。

（2）谷澤尚一氏は、やはりションコとツキノエの図を挙げ、「夷酋列像」が実写ではないことを指摘している。とくにツキノエは七十歳なのに異常に若く描かれていることに注目している。谷澤尚一「『夷酋列像』成立の要件について」（根室シンポジウム実行委員会編『三十七本のイナウ』北海道出版企画センター、一九九〇年所収）。

（3）蠣崎波響の伝記および著作については、磯崎康彦『松前藩の画人と近世絵画史』（雄山閣出版、一八八五年）、永田富智『松前絵師　蠣崎波響伝』（北海道新聞社、一九八八年）、中村真一郎『蠣崎波響の生涯』（新潮社、一九八九年）、高木重俊『蠣崎波響漢詩全釈』（幻洋社、二〇〇二年）、同『蠣崎波響漢詩研究』（幻洋社、二〇〇五年）を参照。

（4）大塚和義「『夷酋列像』に描かれた人物配列とその意味」（大塚和義・佐々木史郎・中村和之編「蠣崎波響と『夷酋列像』の世界」国立民族学博物館発行、二〇〇七年所収）。

（5）永田富智『松前絵師　蠣崎波響伝』（北海道新聞社、一九八八年）九〇頁。

（6）井上研一郎「蠣崎波響の生涯と〈夷酋列像〉」（前掲注1井上研一郎監修『「蠣崎波響とその時代」展図録』所収）。

（7）相見香雨「宗達の仙佛画と仙佛奇踪」（『大和文華』八、一九五二年）。

（8）小林宏光「陳洪綬の版画活動」（『国華』一〇六一号・一〇六二号、一九八三年）。

（9）同右。

（10）岡部幹彦「〈蠣崎波響模本　南蛮騎士の図〉とその原画」（井上研一郎監修『「蠣崎波響とその時代」展図録』所収）。

（11）井上研一郎「夷酋列像――痛恨の肖像」（『白い国の詩』二〇〇〇年三月号、東北電力発行）。

（12）杉原たく哉「狩野山雪筆歴聖大儒像について」（『美術史研究』三〇、早稲田大学美術史学会、一九九二年）。

（13）長広敏雄編『漢代画象の研究』（中央公論美術出版、一九六五年）。

（14）杉原たく哉「雷神イメージの変遷」（『天狗はどこから来たか』大修館書店、二〇〇七年所収）。

（15）宮上茂隆「安土城天主の復原とその史料について」下（『国華』九九九、一九七七年）一五頁。

（16）杉原たく哉「漢代画像石に見られる胡人の諸相――胡漢交戦図を中心に」（『文学研究科紀要別冊』一四、早稲田大学大学院文学研究科、一九八八年）、友田真理「胡漢交戦図の分布とその歴史的背景――漢代画像石を中心として」（『中国考古学』八、二〇〇八年）。

（17）『新唐書』巻五一、百官志一、兵部・職方郎中の説明では、外国使節の容貌・衣服を図に描いて保管しておくとある。国防上の情報ファイルの意味もあったようだ。

（18）光格天皇については、栃木県立博物館等編『「光格天皇と幻の将軍」展図録』（霞会館発行、二〇〇一年）、藤田覚『幕

末の天皇』(講談社、一九九四年)、同『近世政治史と天皇』(吉川弘文館、一九九九年)を参照。

図版出典

図1　『「蠣崎波響とその時代」展図録』(井上研一郎監修、北海道立函館美術館等発行、一九九一年)、二二六頁、「夷酋列像粉本」。

図2　『「蠣崎波響とその時代」展図録』(井上研一郎監修、北海道立函館美術館等発行、一九九一年)、二六頁、図版一「東武画像」。同書、二九頁、ツキノエ。

図3　大塚和義「『夷酋列像』に描かれた人物配列とその意味」(大塚和義・佐々木史郎・中村和之編『蠣崎波響と『夷酋列像』の世界』、国立民族学博物館発行、二〇〇七年)所収、八頁。

図4　右、『「蠣崎波響とその時代」展図録』(井上研一郎監修、北海道立函館美術館等発行、一九九一年)、二九頁、ションコ。
中、陳字「人物故事図(故宮博物院所蔵)」(『中国絵画全集』第二十巻、清二、文物出版社・浙江人民美術出版社発行、二〇〇〇年、図版一七二)。
左、水滸葉子・魯智深、小林宏光「陳洪綬の版画活動」(『国華』一〇六一号・一〇六二号、一九八三年)、挿図七。

図5　『「蠣崎波響とその時代」展図録』(井上研一郎監修、北海道立函館美術館等発行、一九九一年)、二九〜三一頁の図から筆者作成。

図6　『「蠣崎波響とその時代」展図録』(井上研一郎監修、北海道立函館美術館等発行、一九九一年)、二九〜三一頁の図から筆者作成。

図7　職貢図(『中国絵画全集』第三巻、文物出版社・浙江人民美術出版社発行、一九九九年、図版二七)。

杉原たく哉 年譜

元号（西暦）年	月日と出来事
昭和29年（1954）	12月20日 東京都渋谷区に生まれる
昭和48年（1973）	3月 東京都立小石川高等学校卒業
昭和54年（1979）	3月 早稲田大学第一文学部（美術史専攻）卒業 4月 早稲田大学大学院文学研究科修士課程（芸術学専攻・美術史）入学 11月 学会発表「龍門石窟について」早稲田大学美術史学会例会
昭和58年（1983）	4月 早稲田大学大学院文学研究科博士課程（芸術学専攻・美術史）入学 6月 学会発表「七星剣について」早稲田大学美術史学会総会
昭和59年（1984）	3月 論文「七星剣の図様とその思想——法隆寺・四天王寺・正倉院所蔵の三剣をめぐって」『美術史研究』21
昭和60年（1985）	4月 お茶の水美術専門学校非常勤講師となる
昭和61年（1986）	5月 学会発表「漢代画像石に於ける対胡族戦闘図」第39回美術史学会全国大会 12月 論文「銅雀硯考」『美術史研究』24
昭和63年（1988）	2月 論文「漢代画像石に見られる胡人の諸相——胡漢交戦図を中心に」『早稲田大学大学院文学研究科紀要別冊（文学・芸術学編）』14 4月 早稲田大学文学部助手となる

平成元年（1989）	2月	論文「不動明王の利剣と中国の宝剣思想」『早稲田大学大学院文学研究科紀要　別冊（文学・芸術学編）』15
平成2年（1990）	10月	学会発表「神農図の成立について」日本中国学会第42回大会
平成3年（1991）	3月 4月 9月	学会発表「俵屋宗達筆「神農図」の粉本について」早稲田大学美術史学会例会 早稲田大学文学部、群馬県立女子大学の非常勤講師となる 土居淑子氏らと共に中国山東省仏教史蹟調査を行う
	11月	神農祭記念講演「神農図の成立について」於：湯島聖堂
平成4年（1992）	5月	学会発表「近世漢画系人物画の一系譜」第45回美術史学会全国大会 論文「神農図の成立と展開」『斯文』101
	11月 12月	論文　杉原たく哉・篤子「柳橋図屏風と橋姫伝承」『古美術』104 論文「狩野山雪筆歴聖大儒像について」『美術史研究』30
平成5年（1993）	3月	論文　土居淑子・杉原たく哉・北進一「〈調査報告〉山東省仏跡調査概報」『象徴図像研究』7・8
平成6年（1994）	3月 6月	論文「張騫図と乗槎伝説」『象徴図像研究』8 共著『山西悠遊』福島武写真集（東京美術）、解説「山西への旅人」
平成7年（1995）	3月 4月	共著『神農五千年』（斯文会）「神農像の成立と展開」 和光大学、お茶の水女子大学、多摩美術大学、跡見学園女子大学の非常勤講師となる
平成8年（1996）	4月〜平成9年3月	連載「中華図像遊覧」『月刊しにか』第7巻第4号〜第8巻第3号（大修館書店）
平成9年（1997）	4月	大東文化大学非常勤講師となる。9月北海道大学非常勤講師となり集中講義を行う
平成10年（1998）	12月	愛知教育大学非常勤講師となり集中講義を行う

	論文「聖賢図の系譜　背を向けた肖像をめぐって」『美術研究』36
平成11年（1999）	2月　共著『東洋美術史論叢』「始皇帝像の諸相」（吉村怜博士古稀記念会編、雄山閣） 10月　論文「不可解なるカリスマ――董其昌私論」『中国書論大系』第10巻・月報15（二玄社）
平成12年（2000）	2月　共著『カラー版　東洋美術史』（美術出版社）「中国美術」 4月　フェリス女学院大学非常勤講師となる 6月　単著『中華図像遊覧』（大修館書店） 第十回河鍋暁斎研究発表会記念講演「暁斎と中国美術」河鍋暁斎記念美術館主催　於：池袋かんぽヘルスプラザ 8月　共著『道教と中国思想』（講座道教　第4巻）（雄山閣出版）「道教と絵画」 12月　論文「暁斎と中国美術――人物表現にみる李公麟の影響」『暁斎』第71号（河鍋暁斎記念美術館）
平成13年（2001）	1月　単著『乾坤を生きた人々――漢代徐州画像石の世界』（まゆ企画） 論文「河鍋暁斎筆「霊山群仙図」」『暁斎』第72号（河鍋暁斎記念美術館） 2月　沖縄県立芸術大学大学院芸術文化学研究科非常勤講師となり集中講義をおこなう 6月　共著『印刷博物誌』（凸版印刷）「清明上河図――都市の形成」 12月　単著『いま見ても新しい古代中国の造形』（小学館）
平成15年（2003）	3月　共著『神話・象徴・イメージ：Hommage a Kosaku Maeda』「揺銭樹を支える羊――「スキタイの子羊」への射程」（原書房） 京都精華大学表現研究機構文字文明研究所連続講座研究最前線18「中華図像学入門」於：京都精華大学表現研究機構文字文明研究所 4月～平成17年3月　連載「中華ハッピー図像学」『NHKラジオ中国語講座』2003年4月号～2005年3月号（日本放送出版協会） 5月　学会発表「天狗はどこから来たか――中国鬼神論からの位置づけ」第56回美術史学会全国大会

平成16年（2004）	2月～平成28年（2016）4月連載「アジア図像探検」『月刊書道界』（藤樹社） 4月　共著『歴史学事典』第11巻（弘文堂書店）「道教絵画」
平成17年（2005）	8月　岡山就実大学文学部非常勤講師となり集中講義を行う 11月　出演　NHKハイビジョン番組「曽我蕭白」にて「群仙図屏風」を解説 10月　学会発表「捜索！　古美術に潜伏する張騫」（シンポジウムのパネラーとしての発表）日本中国学会第57回大会
平成18年（2006）	3月　単著『しあわせ絵あわせ音あわせ――中国ハッピー図像入門』（日本放送協会） 共著『象徴図像研究動物と象徴』松枝到編（言叢社）「張騫図と乗槎説話」 7月　出演　NHK教育テレビ番組「中国語講座」にて吉祥美術を解説
平成19年（2007）	4月　群馬県立女子大学大学院非常勤講師となる 11月　単著『天狗はどこから来たか』（大修館書店） 12月　就実大学考古学クラブ主催講演会（就実大学総合歴史学科協賛）「天狗はどこからきたか？」於：就実大学（岡山）
平成20年（2008）	2月　研究会発表「中国図像研究からみた『夷酋列像』」国立民族学博物館共同研究「『夷酋列像』の文化人類学的研究」研究会 4月　早稲田大学文化構想学部非常勤講師、女子美術大学芸術学部非常勤講師となる 5月　研究会発表「天狗はどこから来たか」国際日本文化研究センター共同研究「怪異・妖怪文化の伝統と創造――前近代から近現代まで」の研究会
平成21年（2009）	11月　出光美術館水曜講演会「日本・中国美術にみる夢と楽園」於：出光美術館
平成22年（2010）	9月　共著『妖怪文化の伝統と創造――絵巻・草紙からマンガ・ラノベまで』（せりか書房）「西王母と赤松子」小松和彦編

	10月　特別展「天狗推参！」記念講演会「天狗はどこからきたか？」於：神奈川県立歴史博物館
平成23年（2011）	2月　出演「多摩探検隊」第82回「高尾山に天狗伝説を追う」（多摩テレビ）
平成24年（2012）	4月　放送大学非常勤講師となる 10月『杉原聰きもの作品選　昭和・平成の女性美を彩った友禅作家　回顧展開催記念』展覧会（文京シビックセンター）図録編集刊行する
平成25年（2013）	4月　共著『てら　ゆき　めぐれ──大橋一章博士古稀記念美術史論集』（中央公論美術出版）「蠣崎波響筆『夷酋列像』の図像学的考察」
平成26年（2014）	4月　共著『タイルが伝える物語──図像の謎解き』（INAXライブミュージアム）「II中国の物語」 10月　講演会『タイルが伝える物語──図像の謎解き』於：LIXILギャラリー大阪
平成28年（2016）	4月　共著『中国文化55のキーワード』（ミネルヴァ書房） 5月31日　癌のため死去した。享年61歳

不埒（ふらち）な遊び心を満たせる場所へ　解説にかえて

武田雅哉

最後の仕事を終えて

杉原たく哉という人物と、最後に一緒の仕事をさせていただいたのは、二〇一五年のことであった。中国文化をおもしろく伝えるような本、ただし凡百の中国文化の入門本とは異なる味わいをもったものを作りたいということで、『中国文化55のキーワード』（ミネルヴァ書房）の一項目「絵遊び字遊び」の執筆を、杉原氏にお願いしたのであった。二〇名近い研究者に執筆を依頼し、編集サイドから、しつこく手直しをお願いするという方針ではあったが、執筆陣の中でも最年長であった杉原氏は、何度かのやりとりのすえに、洒脱な文を寄せてくださった。

かくしてこの本は、二〇一六年の四月、無事、出版にこぎつけた。だが、それからほどなくして、新しい本の完成に浮かれていたわれわれのもとに、五月末日、杉原先生が逝去されたとの報が、突然もたらされたのである。聞けば、発病がわかってからその日まで、わずか半年のことであったという。われわれとの原稿のやりとりは、まさしく闘病生活のまっただなかで進められていたのであった。そんなことを知るよしもないわれわれは、氏とのメールによる原稿のやりとりを、なんの気兼ねもなく進めていたのだ。あたりまえの作業を、心おきなく進められる時間を、杉原氏は、われわれに許してくれていたのである。「引き受けた仕事は、きちんとし終えるべし」——そのことを、みずから範を示すことで、おしえてくれていたのかもしれない。

杉原たく哉、北へ

そんな杉原氏との最後の仕事から、さかのぼること二〇年。北海道大学文学部の中国文学研究室で、集中講義でお呼びする先生の人選を任されていたぼくは、今回は、いわゆる中国文学分野の研究者ではないかたをお呼びしようと考えていた。ひとり、気になる人物がいたからである。そのころ、いまはなき名物雑誌『月刊しにか』（大修館書店）に、「中華図像遊覧」と題する連載をしていた、杉原たく哉氏であった。

『しにか』には、ぼくも何度か原稿を寄せていたが、一九九四年から九六年までの二年間、巻頭の連載をもたせていただいた。見開き二頁で、図版を大きく入れた体裁である。その連載が終わるころ、ぼくのあとに連載を担当するのが杉原氏であることを、編集子からうかがった。やはり図像を見せながらの連載である。一九五四年の一二月生まれ。ぼくより三、四歳上だ。しからば「大哥（あにき）」と呼ばねばならぬ。

その連載で杉原氏が好んであつかう「年画(ねんが)」や「画像石(がぞうせき)」といった中国図像の題材に、ぼくじじん関心があったのももちろんだが、どうもこの人の文章には、くすぐられるものがあった。なにしろ、中国の美術について書かれた文章といえば、門外漢にもわかりやすく、おもしろく伝えようなどという心づかいなどみじんもないものと、相場が決まっていたからである。氏の文章は、なにやら、すっとぼけていて、毎回一度はお笑いいただこうとのサービス精神に満ちている。しかも、怪獣に特撮、アニメに格闘技など、サブカル・ネタがしばしば挿入される。ぜひ、直接お話をお聞きしたいし、学生たちに聞かせたい。そんなわけで集中講義をお願いした。

こうして一九九七年の九月、杉原たく哉先生を、札幌にお招きすることとあいなったわけである。授業開始日の前夜、「おもしろそうな先生と食事をするから、一緒に来てもよいぞ」と、院生二、三人をひきつれ、札幌駅高架下の居酒屋にて、初対面の夕食会とはなった。杉原先生は、奥さまの篤子(あつこ)さん、それにまだ幼かったご令息とともに登場された。北の辺境への旅に興奮気味だったのか、食事もそこそこに遊びだすご令息に、「ほら、ちゃんと食べなさい!」と、しっかりお父さんをやっておられたのが印象的であった。あとのことはよくおぼえていないが、某院生と、格闘技ネタで盛り上がっておられたようである。

翌日からの講義は、ぼくも教室の片隅で——いや、一番前だったかな?——拝聴させていただいたが、そのスタイルは、ひとことで言うなら「紙芝居のおじさん」であった。つぎからつぎへと繰り出されるアートの数々は、弁士のみごとな語りとあいまって、受講生たちの目玉をかきまわした。ぼくたちは、中華の図像をたっぷり遊覧させていただいたわけである。

以後、文通はつづいたが、そのつぎ、杉原氏にお会いしたのは、八年後の二〇〇五年のことであった。その年の一〇月、日本中国学会の第五七回大会が、北大で開催されることになり、そこで企画したのが、「北の都の〈幻灯事件〉――図像・映像による中国探索」と題するシンポジウムであった。そのパネラーの一人として、ふたたび杉原氏をお招きしたのである。発表者は、応雄氏（北海道大学）、中根研一氏（北海学園大学）、牧陽一氏（埼玉大学）、武田、そして杉原氏であった。

杉原先生の演題は「捜索！　古美術に潜伏する張騫」である。槎に乗って黄河をさかのぼり、天の河まで旅をしたとの伝説でいろどられた、漢代の人物「張騫」にまつわる図像的想像力のお話だった（「アジア図像探検」19「張騫は宇宙飛行士」参照）。驚いたのは、ひそかに準備していたとおぼしいフラッシュ・アニメーションで、張騫さんの槎を波間に沈没させ、会場を爆笑の渦に巻き込んだことであった。弁士はニコリともせず、淡々と語りをつづける。かくして杉原氏は、後続の発表者たちに、はかりしれないプレッシャーを与えつつ、いたずら好きな少年さながら、ひとしれずニヤリとほくそ笑みながら演壇を降りたのであった。その夜、ススキノ某所で挙行されたカラオケ大会で、杉原氏は、ガーネット・クロウや槇原敬之などを熱唱されたと、当時のことを記した古文書には綴られている。

杉原たく哉の仕事

ぼくが、杉原氏と直接会ってお話ししたのは、じつは、以上の二度しかない。本書に解説をつづるというのであれば、もっと親しく交わった友人や、分野の近い研究者もおられることだろう。ぼくは、ひとりの杉原たく哉ファンにすぎないのだが、そのような者が筆を執ることを、どうかお許しいただきたい。

杉原氏には、何冊かの単著や共著がある。まずはこの場を借りて、杉原節を堪能できる三冊をご紹介し、本書ではじめて杉原学に触れた読者のための読書案内としておこう。

❖『中華図像遊覧』（二〇〇〇、大修館書店）

さきにも触れた、『月刊しにか』に一九九六年四月から翌年の三月まで連載された「中華図像遊覧」を中心に書籍化したものである。

わが国で、中国の絵について書かれたものは、ほとんどが、素人衆をはなっから相手にしていないものだ。山水画は、どれもこれも同じに見えてきて、掛け軸は、床の間にひっかけておくだけの、おじいちゃんたちの暇つぶしにしかならない。たぶん、おじいちゃんたちも、よくわからないでひっかけているはずだ。杉原氏は、晦渋（かいじゅう）な中国美術の専門用語などはひとつも用いることなく、その楽しみかたを教えてくれる。かくして、おじいちゃんの床の間から引きずり出された掛け軸は、子供たちの楽しいおもちゃと変ずるのである。氏が「まえがき」で宣言するように「中国美術の世界は、遊園地のように

『中華図像遊覧』書影

楽しい！」というわけだ。

本書の出版は、杉原氏の研究の方法を、一般書という形で世に知らしめたという意味でも、大きな事件であった。氏の方法論は、「あとがき」に見える、つぎのことばに集約されていると言っていいだろう。

> 高尚なものも大衆文化的視点に引きずり込む、あるいは高尚と通俗をひとつの事物の多面性の表出としてひとまとめにしてしまう。こうしたスタンスは、戦後の大衆社会興隆期に幼年時代を過ごした私の性癖であろう。

「高尚なもの」の権威が耳にしたら、真っ赤になってお怒りになるかもしれないが、あれだけおもしろい物語の数々を世に送り出した中国人が、おもしろくない絵を描くはずがないのだ。本書は、そのような確信に読者を導いてくれる。

同じく「あとがき」で、杉原氏は、みずからが生まれ育ったかつての東京が、子供たちにとっては遊び場だらけの無法地帯であったことを回想し、こうも言っている。

> そんな不埒な遊び心を満たせる場所を、今の私は中国図像学の世界に見いだしている。そしてその楽しさを、より多くの人々と分かち合いたいと願っているのである。

研究者は、おもしろがっているだけではダメなのだ。読者とそれを分かち合いたいという「願い」が、おのずと難解な文体を拒否しているのだろう。

❖『しあわせ絵あわせ音あわせ――中国ハッピー図像入門』（二〇〇六、日本放送協会）

『ＮＨＫラジオ中国語講座』（日本放送協会）に、二〇〇三年四月から翌年の五月まで連載していた「中華ハッピー図像学」をもとに書籍化したもの。

　中華料理屋の壁を飾る、日本の床の間にはおよそ似あわないような、派手な掛け軸。あるいは中華街で見かける、極彩色のグッズの群れ。それらは、日本人の目にも「なんとなく」おめでたそうに見えるのだが、どうしておめでたいのか、よくわからない。そんな図像を、氏は「ハッピー図像」と呼び、そこに秘められた力を「ハッピーエネルギー」と呼ぶ。

　おそらく中国人は、何千年ものむかしから、このようなハッピー図像を眺めることで、困苦や哀しみを乗り切ってきたのだろう。その秘密を解き明かしてくれる読み物である。それらはけっして「なんとなく」おめでたいのではない。絵や造形の中には、言われて納得の「論理」もしくは「屁理屈（へりくつ）」が、ちゃんと隠されているのだ。これが「図像学」と呼ばれる世界である。そのことを、楽しげな筆致でおしえてくれる、座右に置いておきたい一冊だ。

「横浜や神戸の中華街はハッピー図像の宝庫です」と杉原氏は言う。美術館や博物館で見るのとは、また一味違った中国アートの楽しみかたを、氏は惜しげもなく提供してくれる。そんなわけで、大学の講義で中国人のもつポジティヴな思考様式を講ずるとき、ぼくは、杉原氏のこの一冊を参考図書に指定させていただいているのである。

『しあわせ絵あわせ音あわせ――中国ハッピー図像入門』書影

❖『天狗はどこから来たか』（二〇〇七、大修館書店）

これまで日本のみに限定されてきた天狗研究を、世界的、いや宇宙的な視野で、かつ図像学的アプローチによって考察した、構想一一年の書きおろしである。杉原氏は、天狗の全体像が見えにくくなっているのは、「学問諸分野が縦割り行政的」になっているからであるとし、図像学を、「縦割り行政的な従来の学問の枠組みを超えることを比較的容易にしてくれる」ものであると考える。さらに「エミール・マールやゴンブリッチ、パノフスキーといった図像学のスター学者たちの名を挙げて解説を綴るというのは、筆者の趣味ではないので、ここではやめておく」とうそぶいているのも、まことに杉原氏らしく、ぼくにはうれしい。

いきなり隕石の話からはじまり、隕石の話で閉じられる。飛翔センスあふれる一冊である。

『天狗はどこから来たか』書影

この本の構成

本書が形を成すまでの経緯については、杉原篤子さんによる「あとがき」に詳しいが、収録した文章について、簡単に説明をしておこう。

本書は二部構成になっている。

第一部の「アジア図像探検」は、雑誌『月刊 書道界』（藤樹社）に、二〇〇四年二月号から、二〇一六年四月号まで、じつに一二年の長きにわたって連載されたエッセイだ。二〇一二年五月号掲載の第一〇〇回は「最終回」と銘打たれ、読者へのごあいさつも綴られているのだが、六月号には、そのまま第一〇一回が掲載され、連載は休むことなく継続される。

そして、二〇一六年四月号掲載の第一四七回「自然観の東西①」は、（続）とされ、このテーマがあと数回つづくであろうことを告げている。だが、『月刊 書道界』は、その後、五月号と六月号では、同連載を「休載」と通知した。そして、七月号においては「作者逝去により連載を終了します。杉原先生有難うございました。謹んでご冥福をお祈りいたします　編集子」とのコメントを載せている。五月末日の、氏の逝去によるものである。このような経緯で、「アジア図像探検」は、まさしく氏の絶筆となった。

一回ごとの字数は五百字ほど。連載の初期には、おもしろい図像の紹介というスタンスで、毎回読み切り形式で進んでいたものが、ある時期からは、同じテーマが数回に分けて書かれるようになっていく。ひとつのテーマを、時間をかけてじっくり論じてみたいという、氏の内部で生じた変化だったのかもしれない。

第二部は「論文選」として、研究者としての杉原氏が学術誌に発表した論文を五篇選んだ。それぞれの初出は、以下のとおりである。

「七星剣の図様とその思想――法隆寺・四天王寺・正倉院所蔵の三剣をめぐって」

一九八四年三月、『美術史研究』21に掲載されたもの。

その前年の四月、杉原氏は早稲田大学大学院文学研究科の博士課程（芸術学専攻・美術史）に入学し、六月には早稲田大学美術史学会総会で「七星剣について」と題する発表をおこなっているが、これをまとめたものである。

「漢代画像石に見られる胡人の諸相――胡漢交戦図を中心に」

一九八八年二月、『早稲田大学大学院文学研究科紀要・別冊（文学・芸術学編）』14に掲載されたもの。

八六年の二月、杉原氏は、第三九回美術史学会全国大会において、「漢代画像石に於ける対胡族戦闘図」と題する発表をおこなっている。また、八八年四月には、早稲田大学文学部助手に赴任している。

「神農図の成立と展開」

一九九二年五月、『斯文』１０１に掲載されたもの。

神農図関連では、一九九〇年一〇月の「神農図の成立について」（日本中国学会第42回大会）、一九九一年三月の「俵屋宗達筆「神農図」の粉本について」（早稲田大学美術史学会例会）などの学会発表のほか、同一一月には、「神農図の成立について」と題する「神農祭記念講演」を、湯島聖堂でおこなっている。また、一九九五年三月刊行の、神農五千年刊行委員会編『神農五千年』（斯文会）には、「神農像の成立と展開」と題する文を寄稿している。

「狩野山雪筆歴聖大儒像について」

一九九二年一二月、『美術史研究』30に掲載されたもの。

「蠣崎波響筆「夷酋列像」の図像学的考察」

二〇一三年四月、大橋一章博士古稀記念会編『てら　ゆき　めぐれ――大橋一章博士古稀記念美術史論集』（中央公論美術出版）に寄稿したもの。

関連して、二〇〇八年二月に、「中国図像研究からみた『夷酋列像』」（国立民族学博物館共同研究『『夷酋列像』の文化人類学的研究』研究会）と題する研究発表をおこなっている。


あえていうならば、第一部は「軟（なん）」、第二部は「硬（こう）」であろうか。硬とはいえ、門外漢を寄せつけぬたぐいの「論文」でないことは、一読すればおわかりであろう。軟と硬、どちらから読んでもよろしいし、どちらかだけ読んでもよろしい。だが、両者を併読して見えてくるのは、軽妙洒脱なエッセイの根底には、信頼できる研究活動によって保証された学問的根拠がしっかりあるということである。

「おいおい、武田さん。野暮は言わぬが花だぜ」――気のせいか、天から声が聞こえてきたようなので、このくらいにしておこう。

ハッピーエネルギー不変の法則

事実上の絶筆となった「アジア図像探検」は、杉原氏の脳内に描かれていた、これから執筆すべき大いなる仕事のための構想メモのようにも読める。バーナード・リーチはじめ、いくつかのテーマは、将来的に、それぞれが一冊の本として上梓（じょうし）される予定だったのではあるまいか。あれこれ想像するにつけ、まだまだこれから、いくつもの大業を成しえたであろう、氏の早すぎる旅立ちには、無念を叫ぶしかない。

　杉原篤子さんから、「アジア図像探検」を本の形にできないものかとのご相談をいただいたとき、杉原たく哉氏が、自著の「あとがき」で、いつもご家族のぬくもりに触れておられたのを思い出した。この本を作るにあたっても、ご家族のみなさんが全力を出しあったとうかがっている。ご自身が、日々、ハッピーエネルギーに包まれていたということなのだろう。

　集広舎の川端幸夫（かわばたさちお）氏には、杉原先生のお仕事のおもしろさをご理解いただき、出版を快諾いただいた。スタジオカタチの玉川祐治（たまがわゆうじ）氏からは、巨細にわたって、適切なアドバイスを頂戴しつつ、編集にあたっていただいた。この場を借りて心よりお礼申しあげます。また、いくつかの出版社の信頼する編集者のみなさんにも、親身になって相談に乗っていただき、本書を出版に導くための有用なアドバイスを頂戴した。みなさんのお心づかいも、けっして忘れません。

　そして、たく哉の大哥（あにき）。たくさんの楽しいお話と読み物を、ありがとうございました。これからも遥かな天界から、ここちよい刺激とハッピーエネルギーをおあたえください。

二〇二〇年三月　札幌にて　武田雅哉

あとがき

この本を出そうと決意した発端は、杉原が長年「アジア図像探検」を連載していた雑誌『月刊 書道界』編集長の谷英治(たにえいじ)氏がお焼香に来てくださったおりに、未完で終わった連載を何かの形にまとめたい、とご相談したことに始まります。

杉原は二〇一六年五月に亡くなる直前の四月号まで原稿を書いていて、本文をご覧になるとおわかりになるとおり、新たなテーマを宣言したまま旅立ってしまいました。その先にどんな展開があったのか、聞けずじまいでした。

病を得てから半年余り、余命宣告された絶望と抗がん剤に苦しみながら、新しい本を書くことを目標にして立ち直って闘病を頑張っていた姿を傍らで本当に見守ることしか出来なくて、それでも新しい本のアイデアを聞かせてもらい、励ましながら楽しみにしていましたので、無念でなりませんでした。

その内容は、「アジア図像探検」にも含まれている安土城やバーナード・リーチなど、面白そうな話ばかりでしたので、幻のままで終わるのはあまりに勿体ない、せめて書き遺されたエッセンスだけでもまとめたいと考えていました。

谷編集長のご好意で原稿を頂き、あちこちの出版社を当たりましたが、本が売れないこの時代に、しかも未完の内容なので思うようには進展しませんでした。普通なら潔くあきらめるべきなのでしょうが、大学の友人や後輩達が、杉原の授業を聴いたり本を読んで中国美術に興味を持った、書いたものをまた読みたい、などと言ってくれて、それらに励まされ粘っていたところ、杉原が以前から懇意にさせていただいた北海道大学の武田雅哉（たけだまさや）先生が手を差し伸べて出版社を紹介してくださいました。先生の御尽力のおかげで、何とか出版にこぎつけることが出来ました。

谷編集長、武田先生をはじめ、励まし相談に乗ってくださり、親身なアドバイスをくださった皆様には、本当に言葉に尽くせないほど感謝いたしております。快く出版を引き受けてくださった集広舎の川端幸夫（かわばたさちお）様、丁寧な編集作業をしてくださったスタジオカタチの玉川祐治（たまがわゆうじ）様にも、心より御礼申し上げます。また辛抱強く原稿起こしや校正作業に付き合い、相談に乗ってくれた母と息子にも、ここに記して感謝します。

杉原の思い出は、本と切り離すことはできません。

結婚した当初から既に、壁じゅう本棚だらけの大量の本の中で暮らしていた状態で、冷蔵庫を運んで来た配送業者が、「ここは研究室ですか？」と目を丸くしていたことも思い出します。姑は「お兄ちゃんは、小さい頃から本に囲まれて暮らしたいと言っていたから、望みが叶ったねえ」とよく言っていました。

若い頃からずっと、大学図書館から借りてきた何冊もの本が入ったびっくりするほど重い鞄をいつも持って歩いていました。本やコピーやデータ保存したパソコンを持ち歩いて、とにかく家でも移動中でも、常に本を読んでいました。我が家にあった『群書類従（ぐんしょるいじゅう）』や『古今図書集成（ここんとしょしゅうせい）』などには、驚くことに全てインデックスとマーカーが付いていました。

杉原の知識は本だけではなく、テレビや新聞雑誌、インターネットや旅先の見聞と幅広く、同じ物を見たり経験したりしたのに、どうしてこんなに物知りなのだろうと不思議でした。展覧会だけでなくニュースやドラマを見ても、杉原が解説してくれると何倍にも面白くなり、知識を深める楽しさを教わりました。

「アジア図像探検」は、短くて軽めの文章ですが、その中に様々な知識やアイデアが凝縮されています。また、「論文選」は、大学院生から壮年期までの学術雑誌に掲載された五論文を選んだ結果、意図せずして、儒教的人物表現という一貫したテーマの論文が多く集まりましたが、志していた図像学という学問は、もっと多様性のある、万華鏡のように楽しいものだったと思います。

どうか読者の皆様が、中国・日本や東洋・西洋といった、国や文化や価値観にとらわれずに、図像学を通して美術をもっと楽しんでいただけたら幸いです。

この本を亡き夫、杉原たく哉へ捧げます。

二〇二〇年三月　杉原篤子

著者略歴

杉原たく哉（すぎはら・たくや）。1954年東京都生まれ。1989年早稲田大学大学院博士課程修了。早稲田大学文学部助手・講師、および他大学非常勤講師。専門は中国古代美術史だが、専門の枠にとらわれず、日中のさまざまな図像を比較芸術の視点から幅広く研究する。2016年逝去。
著書に『中華図像遊覧』（大修館書店）、『いま見ても新しい古代中国の造形』（小学館）、『しあわせ絵あわせ音あわせ——中国ハッピー図像入門』（NHK出版）、『天狗はどこから来たか』（大修館書店）、共著書に『カラー版東洋美術史』（美術出版社）ほか、著書・論文・エッセー多数。

アジア図像探検

令和2年（2020年）5月31日　第1刷発行

著者 ……………………… 杉原たく哉

監修者 …………………… 武田雅哉

編者 ……………………… 杉原篤子

発行者 …………………… 川端幸夫

発行 ……………………… 集広舎
〒812-0035 福岡市博多区中呉服町5番23号
電話 092-271-3767　FAX 092-272-2946
https://shukousha.com/

造本設計 ………………… 玉川祐治

印刷・製本 ……………… モリモト印刷株式会社

ISBN 978-4-904213-92-6 C0070

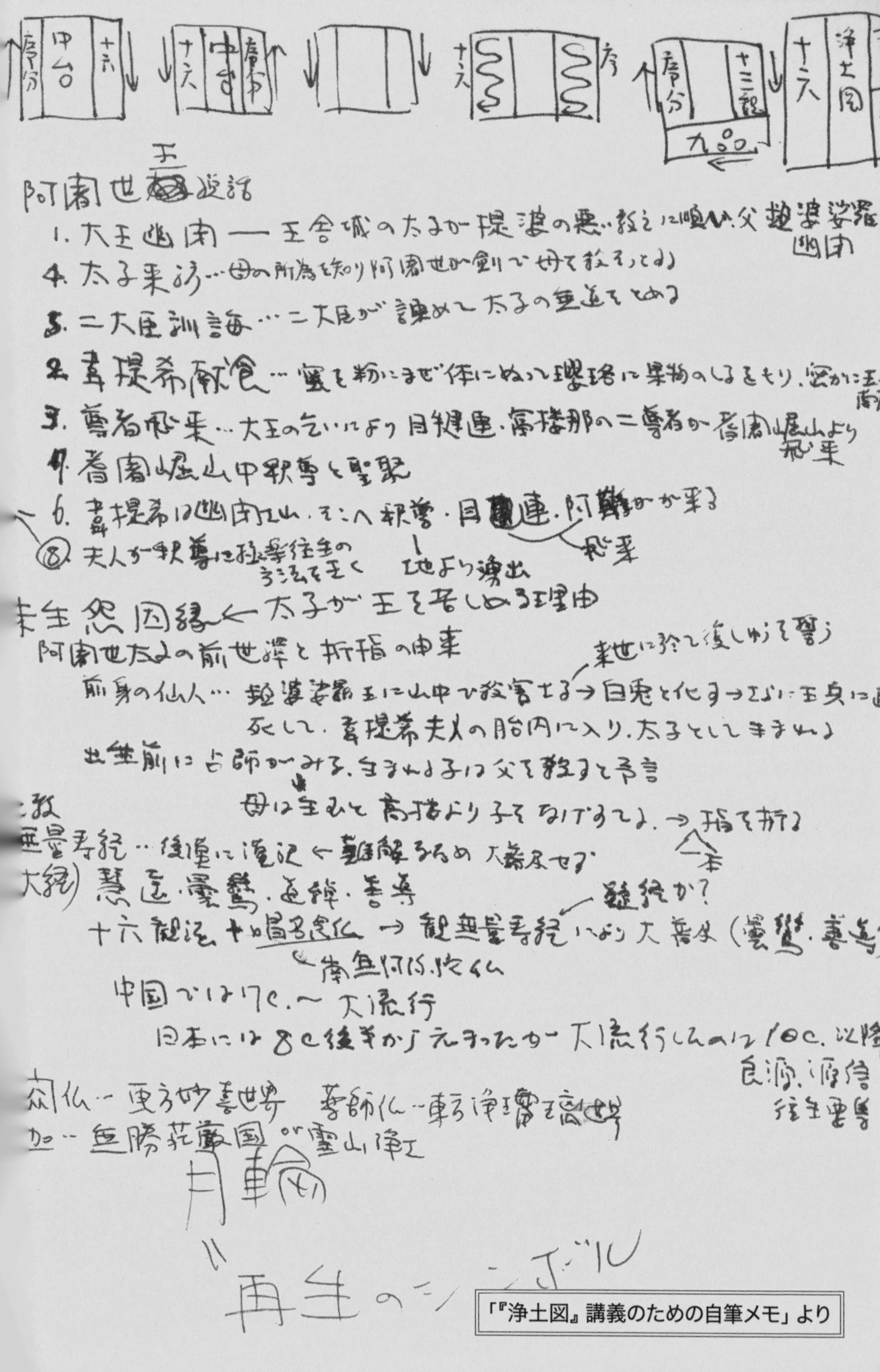

「『浄土図』講義のための自筆メモ」より